L'instant précis
où les destins s'entremêlent

Angélique
BARBÉRAT

L'instant précis où les destins s'entremêlent

ROMAN

À Coryn. À Kyle.

À vous.

LIVRE UN

1

Willington. États-Unis. Côte est.

« *J'aimerais remonter à l'instant précis où les destins s'entremêlent* », disait la mère de Kyle quand elle sortait de la salle de bains en portant ses lunettes de soleil. Kyle ne comprenait pas. Évidemment, il avait cinq ans. Est-ce qu'à cinq ans, on comprend ce genre de chose ? Est-ce qu'à cinq ans, on s'étonne que sa maman porte des lunettes de soleil à la maison ? Est-ce qu'à cinq ans, on ne la croit pas quand elle affirme qu'elle a juste mal aux yeux ou qu'elle s'est cognée ?

Non. Comme tous les enfants de son âge, le petit garçon trouvait qu'elle était belle. Il aimait rester à ses côtés. Il jouait avec ses voitures, levant les yeux de temps à autre. Il y avait des jours où elle fredonnait doucement... et d'autres où elle mettait ses maudites lunettes noires.

— Ça va, Maman ?

— Joue avec tes voitures, Kyle, s'il te plaît.

Sa voix était sombre, il comprenait qu'elle avait besoin de silence. Il se taisait pour lui faire plaisir. Il attendait – sans le savoir – qu'elle aille mieux. Qu'elle sorte de la salle de bains sans ses lunettes. Qu'elle se mette au piano et laisse ses doigts si longs et si fins courir à toute allure. Il se demandait comment c'était possible d'aller aussi vite sans se tromper.

Parfois elle fermait les yeux ou regardait devant. Loin devant. *Peut-être là où la musique l'emmène.* Il se glissait tout près, sans bruit. Il faisait attention à ne pas la déranger. Oh non ! Quand Maman jouait aussi légèrement, il voulait qu'elle reste toujours comme ça. La musique sortait d'elle pour entrer en lui. Ils ne faisaient plus qu'un et leur monde était beau. Il guettait l'instant où ses mains se posaient sur ses genoux pour venir s'installer sur le banc. Maman le tenait contre elle et disait à son oreille : « *Un musicien lit avec ses mains...* », « *Un musicien raconte la vie avec ses doigts...* », « *Un musicien respire avec la musique...* »

— Mets tes doigts ici. Et là. Comme ça. Doucement. Et relâche... Tu as entendu ? Tu as senti ?

— Oui, murmurait-il en écoutant la note monter en lui.

— La musique vit en toi, maintenant.

— Oui, Maman.

Et puis un jour, comme ça, elle avait dit :

— Je crois, Kyle, que les hommes ont toujours eu besoin de musique.

— Même les premiers hommes ?

— Oui, avait ri sa mère. Même les premiers hommes ! Je suis certaine qu'ils avaient appris qu'en tapant sur des troncs ils pouvaient fabriquer des sons qui leur faisaient du bien.

— Parce qu'ils ne savaient pas quoi faire de leurs mains ?

Elle avait répété : « *Ils ne savaient pas quoi faire de leurs mains...* » avec sa drôle de voix, puis avait ajouté très vite :

— Parce que la musique trompe l'ennui et parce qu'elle peut te rendre heureux.

— Mais Maman, quelquefois ta musique est triste.

— Quand on est triste, elle... elle peut t'empêcher de... elle t'emporte dans un monde où...

Sa voix s'était perdue et Kyle avait eu peur.

— Où quoi, Maman ?

Elle avait refermé sèchement le piano. Il n'aimait pas quand elle ne finissait pas ses phrases et ne jouait plus. Il l'avait regardée replacer le napperon et la plante. Épousseter le tabouret, le remettre en place et dire d'une voix qui n'était plus tout à fait la même :

— Viens. Ton père va bientôt arriver.

Alors, des jours comme ça, Maman filait à la cuisine et le petit garçon voyait bien que sa légèreté n'existait plus. Ses mains n'avaient plus aucune douceur avec les choses qu'elle touchait. Elle s'énervait et regardait sa montre. Elle jetait vite un coup d'œil à la fenêtre. À sa montre. À la fenêtre. Kyle montait sur une chaise et essayait de voir ce que Maman surveillait. Il ne distinguait que le gros érable qui étendait ses longues branches sur l'allée. Peut-être voyait-elle des choses qui lui faisaient peur ? Peut-être voyait-elle de vilaines araignées velues ?

— Tu regardes quoi, Maman ?

Elle ne répondait pas et partait mettre la table. Elle plaçait les couverts et les verres au millimètre près. Tout devait être impeccable et beau. Quand elle ne jouait pas, elle faisait tout le temps le ménage et changeait l'eau des fleurs. Tous les jours. Elle disait que c'était important de bien s'occuper des choses.

— Si tu as une plante ou un animal, tu dois être gentil avec. Lui donner à manger, lui parler, le caresser. Tu dois lui faire des câlins. Tu dois lui dire que tu l'aimes.

Puis tout à coup, elle se retournait vers son fils.

— Tu promets que tu seras toujours un gentil garçon, Kyle ?

— Mais... je suis gentil, Maman. Hein ?

Elle ne répondait pas ou alors de façon si détachée qu'il savait qu'elle ne s'adressait pas à lui. Qu'elle était déjà ailleurs. Elle regardait sa montre, et lui ne comprenait pas pourquoi elle avait très peur. Et pourquoi elle portait ces horribles lunettes de soleil pendant des jours entiers et pourquoi elle ne voulait plus aller dehors quand il faisait encore beau. Et pourquoi sa chambre à lui était au dernier étage de la maison alors que celle de ses parents était tout en bas...

Kyle n'avait que cinq ans. À cinq ans, on comprend certaines choses... Mais pas toutes les choses.

À cinq ans, on ne doit pas entrer un matin dans la chambre de sa maman parce qu'elle ne s'est pas réveillée et on ne doit pas non plus voir de tache rouge sombre qui s'étend sur l'oreiller. Juste sous ses cheveux.

2

— Allô ?
— Maman est couchée et l'oreiller est tout rouge.
— Ta maman est endormie ?
— J'crois pas.

L'interlocutrice de Kyle reçut une décharge électrique qui la parcourut de la tête aux pieds. Julia Dos Santos avait toujours redouté d'entendre ces mots. Elle faisait ce métier depuis plus de quarante-cinq ans et, chaque soir, elle rentrait chez elle en se répétant comme une prière : « *Pas encore. Et jamais.* » Avec cependant la sourde et étrange certitude que ça viendrait.

Aujourd'hui était sa dernière journée de travail. Demain elle serait à la retraite. Mais... demain et tous les jours suivants, elle n'entendrait plus que la voix de ce petit garçon.

— Tu habites où, mon petit ?
— Une maison blanche avec des roses.
— Où ?
— À Willington.
— Tu connais le nom de ta rue ? demanda Julia en se tournant immédiatement vers le plan de la ville.
— Non.
— Est-ce que tu vois l'église de chez toi ?
— Oui. Dans ma chambre.

Julia traça un cercle au feutre rouge sur le plan de Willington. Lui demanda de décrire ce qu'il y avait de spécial dans sa rue.

— Y a un garage avec des voitures cassées.

Julia posa la pointe de son feutre à l'entrée de la rue Austin.

— Je vois. Et ta maison, c'est la combien ?

— La dernière.

— Je sais où tu habites, mon petit. Comment t'appelles-tu ?

— Kyle Jen-kins, articula-t-il.

— Kyle, écoute-moi bien. Est-ce qu'il y a quelqu'un d'autre avec toi dans la maison ?

— Non. Y a que Maman.

— Mon p'tit, tu nous attends devant la porte. Tu ne bouges pas. On arrive tout de suite.

— Et Maman ?

— On arrive, mon p'tit. Reste dehors.

Kyle n'alla pas sous le porche attendre les secours. Il descendit dans la chambre de Maman. Elle n'avait pas bougé depuis tout à l'heure. Il n'entendait pas sa respiration. Il sut qu'elle ne parlerait plus jamais et que bientôt il ne la verrait plus parce qu'on la mettrait sous la terre. Alors il grimpa sur le lit. Il tira la couverture et posa la tête sur son épaule. Peut-être qu'elle chantait... Peut-être qu'elle était heureuse là où elle était...

Quelques minutes plus tard, il entendit des sirènes de voitures et le gravier de l'allée se déchirer. Des portières claquèrent, on cria son nom. Les bruits envahirent sa tête et quelqu'un ouvrit la porte.

3

Birginton. Banlieue de Londres

Coryn avait cinq ans quand Timmy arriva. Sa mère était partie pour la maternité et, avec ses quatre frères, elle attendait que leur papa rentre. Dès qu'il passa la porte, il renvoya la baby-sitter et dit d'une voix que Coryn ne lui avait encore jamais entendue :

— C'est toujours pas fait ! On dirait que ça se présente mal, cette histoire ! Alors fichez-moi la paix, les gosses ! Filez dans le jardin et, toi, Coryn, apporte-moi une bière. Oh ! Bordel de sainte Contraction ! Si tu savais comme je me fais du souci pour ta mère.

Les garçons détalèrent dehors. Jouer. Et rire. Et faire les andouilles. Se salir comme des cochons et rire encore pendant qu'elle demeurait debout à écouter son père enchaîner des tonnes de gros mots. Il déplaça des casseroles et des cocottes, elle songea à sa mère et à sainte Contraction.

Coryn était la seule fille de la famille Benton. C'était donc à elle de rester dans la cuisine. Elle pensait que c'était normal puisque sa mère le faisait. Tout comme il était normal d'en faire plus quand, hiver après hiver, celle-ci partait à la maternité. Pendant des jours, le père jurait après sainte Contraction, suppliait sainte Douleur de ne plus torturer son épouse adorée et certifiait que sa femme – leur mère – était tout simplement une « sainte » quand elle passait le seuil avec le nouveau-né emmailloté comme un boudin dans ses gros bras. Dans la foulée, il annonçait que c'était leur cadeau de Noël. Les grands criaient que le père se fichait d'eux et Coryn pensait que le Père Noël ne visitait pas les familles de onze enfants. Pas parce qu'ils étaient plus mauvais que les autres, mais parce qu'il ne devait pas y avoir assez de place dans sa hotte pour les dix garçons et la seule fille de la famille Benton. Aussi gentille soit-elle !

Les années s'enfuirent. Se ressemblant désespérément. Mêmes bonnes notes, éternel crumble. Dix. Douze. Quatorze bougies usées. Elle pria saint Machin-Truc pour que ses parents ne s'en rendent pas compte et qu'ils la laissent aller en classe. Elle adorait apprendre et se donnait tant de mal. Elle baissa la tête, mit de larges pulls, natta ses longs cheveux. Ses seize ans surgirent en un rien de temps et son père constata, un matin au petit déjeuner, que sa jolie petite fille blonde qui sautillait dans le jardin était devenue en l'espace d'une nuit – il l'aurait juré ! – une jeune fille inhabituellement belle. *Je le vois. Les autres le voient.*

L'homme pragmatique fut pris de panique et négocia sa prochaine embauche chez son meilleur ami Teddy dont le restaurant se dressait fièrement au bout de la rue des Benton. Il n'écouta ni les supplications du principal, ni celles du professeur d'espagnol, ni celles de Coryn. Peu importait qu'elle soit excellente en littérature, en mathématiques, et douée pour les langues étrangères. Peu importait tout ce que les professeurs disaient. Clark Benton avait la trouille, et les idées arrêtées au rebord de son porte-monnaie.

Dès le mois de juillet suivant sa sortie de classe, Coryn commença à servir à longueur de journée du poisson frit, des steaks, de la sauce marron graisseuse, des pommes frites, du café, du thé, des œufs et des cornichons. Et des litres et des litres et des litres de bière. Mais à une distance raisonnable de sa maison et sous le regard vigilant de Teddy.

Coryn était ponctuelle et travaillait vite. Quand elle rentrait chez elle, c'était... la même chose. Plus le ménage, les tonnes de chaussettes à trier, les montagnes de linge à plier et ranger sous les cris incessants de ses frères. Qui dînaient «à la maison», même s'ils travaillaient déjà. Question de sous. Question de famille. Le père et la mère Benton aimaient avoir leur marmaille piaillant autour d'eux. Coryn semblait être la seule à se demander ce qu'elle ferait, elle. Jamais elle n'aurait autant d'enfants. Pour peu qu'elle n'ait que des garçons ! Un ou deux, peut-être trois lui conviendraient. Pas plus. Elle rentrerait dans la norme. Ses enfants en classe n'essuieraient pas les rires, les sarcasmes, les quolibets des autres quand, en début d'année, certains professeurs avaient l'indélicatesse d'afficher un sourire sans équivoque ou celle de rester silencieux un peu trop longuement à l'annonce de la composition de la famille.

Oui, Coryn était et serait toujours la seule fille perdue au milieu des garçons. *Si seulement j'avais une sœur. Une seule. J'aurais été plus audacieuse,* se disait-elle en se couchant. *Nous serions sorties ensemble.* Mais au matin suivant, ses frères parlaient si fort qu'elle disparaissait littéralement pour ne pas être taquinée, commandée ou rabrouée à outrance. Timmy était son préféré parce qu'il se comportait gentiment avec elle. Il était *le seul* à desservir spontanément son assiette et il allait à la bibliothèque chercher ses livres.

Car la jeune fille adorait lire. Toutes ces histoires qui la traversaient l'empêchaient de penser à sa propre vie. À tous ces jours qui se ressemblaient et qui seraient indéfiniment identiques. Elle resterait à Birginton avec la pluie, le restaurant, les couverts sales et la nourriture gâchée dans les assiettes... Alors, quand un rayon de soleil perçait les nuages, qu'il venait se poser sur une des tables qu'elle avait fini d'astiquer, qu'il la faisait briller au point que le formica gris se transformait en miroir étincelant, alors oui, ce rayon lui faisait croire – et peut-être espérer – que les choses seraient différentes. Que ce qui était écrit dans les romans était possible. Qu'un homme s'occuperait d'elle, qu'il écouterait ses rêves. Qu'il saurait admirer les étoiles et les nuages qui se délitent. Qu'il aimerait les arbres quand ils dansent sous le vent. Ni lui ni elle ne diraient un mot. Ils resteraient là et seraient heureux. Juste heureux de regarder ensemble les branches qui s'accrochent et se décrochent. Il la prendrait dans ses bras. Il... Il... *Il ne viendra jamais jusqu'ici. Birginton est un trou.*

Sa mère, qui n'était ni sourde ni aveugle, s'épancha un soir auprès de son mari.

— Coryn devient dangereusement belle.

— Dieu merci, elle travaille chez Teddy. C'est pas loin de la maison et les garçons la surveillent, répondit Clark en remontant les couvertures.

Mme Benton le fixa. Clark se redressa.

— Elle a un petit copain ?

— C'est pas un petit copain qu'il lui faut mais un homme qui la demande en mariage.

— La demander en mariage ?

— Clark ! Coryn a *seize ans* passés depuis longtemps ! appuya-t-elle avec un regard lourd. Tu vois bien qu'elle est trop belle pour rester sans mari.

— Qui va t'aider à la maison ?

— Les garçons ! Il est temps qu'ils mettent la main à la pâte, ces fainéants.

— Voudront jamais !

— Faudra bien qu'ils s'y fassent ! Coryn ne restera pas *sage* indéfiniment. Faut pas qu'il lui arrive...

— Je sais, coupa le père. Je sais. Et je suis bien content que les autres soient des mâles. On a eu de la chance avec tous ces garçons, quand même !

— Qu'elle dure ! pria la mère en joignant ses larges mains.

Clark posa les siennes sur le ventre de sa femme. Elle soupira et dit qu'elle allait prendre rendez-vous chez le médecin.

Deux mois plus tard, Mme Benton revint de l'hôpital en disant que ses kystes ne la feraient plus *jamais* souffrir. Elle n'aurait plus de bébé. C'était comme ça.

— Et finalement, c'est aussi bien. Il faut prendre ce que la vie nous donne. Et faire avec. Ce que je dis est valable pour vous tous. Encore plus pour toi, Coryn, dit-elle en pointant son index boursouflé sur sa poitrine. Parce que tu es une fille.

Elle réprima un frisson, rêva à toutes les vies qu'elle n'aurait pas quand son père cauchemardait que sa beauté revenait avec un ventre bombé et personne pour l'épouser. *Les garçons prennent les filles comme ils prennent le train. Ils changent d'itinéraire et...*

— Il faut que je marie Coryn, dit-il à Teddy. Dès que tu repères parmi tes clients un gars sérieux et propre sur lui qui la regarde un peu trop longuement, préviens-moi. Je passerai à l'action.

Quand on veut quelque chose...

4

Clark Benton ne pria pas sainte Rapidité trop long-temps avant de voir ses prières exaucées. Peu après, un garage de voitures de luxe ouvrit à quelques kilo-mètres et un certain Jack Brannigan vint déjeuner au *Teddy's*. Coryn le servit, il ne la quitta pas des yeux. Il revint tous les midis de cette première semaine. Il s'assit à la même place pour que la jeune fille s'occupe de lui. Il la regardait comme on regarde un dessert. Il était extrêmement poli et bien habillé. Il lui parlait respectueusement. Il souriait et elle répondait en baissant les yeux. Mais souriait aussi pendant que Teddy prenait des notes. Le septième soir, il appela Clark.

— Coryn t'a dit quelque chose ?

— Quoi ? dit le père Benton en patinant aussitôt dans ses chaussons. La pêche semble bonne ?

— Bonne. Propre sur lui. Poli et ambitieux.

Le père Benton traduisit par « jackpot ». Il dit à Teddy qu'il arrivait. Et effectivement Clark courut jusqu'au restaurant. En chaussons. *Pas le temps de les enlever !* Il se fit répéter les choses. Il voulait entendre de ses propres oreilles – et voir de ses propres yeux – le mot « ambitieux » sortir de la bouche de son ami.

— Mais « am-bi-tieux » comment ?

— Comme un vendeur de voitures de luxe.

— Le nouveau garage ?

Teddy hocha la tête.

— Le patron ?
— Pas encore...
— Pas encore...

Clark rentra chez lui les mains dans les poches. La tête dans les étoiles. La pêche était bonne. Son nez le lui disait. Mais il se garda de raconter quoi que ce soit à sa femme. Encore moins à Coryn. *Les filles ne connaissent rien à la pêche !* Il s'endormit en remerciant saint Tarin et le Bon Dieu de faire en sorte que la Chance existe. Pour la première nuit depuis des mois, il ronfla, paisible et détendu.

Encore quelques jours de prières. D'assiettes copieuses préparées en cuisine, de dessert offert par la maison *Teddy's* et déposé par les mains du dessert que Jack voulait dévorer.

Et Coryn sourit un peu moins timidement. Jack était joli garçon. Enfin, plus exactement, il était bel homme. Il portait toujours une cravate et ne posait pas sa veste pour déjeuner. Il avait de l'élégance. Des yeux noirs intenses. Des mains propres et des ongles manucurés. Il disait en partant :

— À demain, mademoiselle.

Et Coryn répondait :

— À demain, monsieur.

Jack la trouvait délicieuse. À croquer. Surtout quand elle lui souriait. Elle semblait si fragile. Si douce. Si désirable. Si ingénue. *Parfaite.*

Avant la fin de la semaine suivante, il proposa poliment à la jeune fille de l'accompagner au cinéma.

5

Jack Brannigan arriva dans une Jaguar rutilante. Ru-ti-lan-te. Il ouvrit le portillon et remonta l'allée étonnamment calme. Les garçons étaient au pub, à leur entraînement de foot ou au catéchisme. Le père Benton attendait debout, les mains dans les poches, sur la terrasse. Il avait quitté ses savates pour enfiler ses chaussures d'église impeccablement cirées. Un miroir où aucun rayon ne vint cependant se refléter. Clark regarda Jack remonter son allée comme s'il le démontait pièce par pièce. N'était-il pas mécanicien, après tout ? Trente ans à désosser tout et n'importe quoi, ça donne des réflexes. *Corps : parfait état. Jambes : fortes et sportives. Épaules : puissantes. Mains : solides. Tête : pas mal.* Et quand il aurait pu lire dans les yeux de Jack, il… il n'en distingua que la couleur sombre. Le bel homme était trop près et Benton se maudit d'avoir oublié ses lunettes de presbyte. Il tendit une main vigoureuse et rencontra une main d'acier. Un salut d'homme à homme. *Bon signe.*

Le père expliqua avec fermeté que le trajet entre le cinéma et sa maison ne durait que quinze minutes et qu'il apprécierait la ponctualité au retour.

— C'est vrai, à la fin. Quel genre d'homme faut-il être pour ne pas savoir lire une montre ?

— Je serai à l'heure, monsieur.

Au retour, Jack fut ponctuel. Poli. Distingué. Il avait envie de dessert.

6

Un mois entier passa avant que Jack ne soit officiellement invité à dîner. Un mois pendant lequel il prit les mains de Coryn dans les siennes. Elles étaient si fines et fragiles. Il ne pouvait les lâcher... *Je ne veux pas qu'un autre type touche cette fille. Elle a besoin de moi.* Puis un soir, il l'embrassa. Sur la bouche. La prit dans ses bras et la fit tournoyer. Coryn fut surprise. Encore plus des baisers. De la sensation de la langue de Jack qui ne laissait plus de place pour la sienne. *Ça ne ressemble pas à ce que j'ai lu.* Chaque baiser la surprit encore. Mais elle s'y fit. Ça devait se passer comme ça. *Forcément...* Jack était un homme d'expérience. *À trente ans, on sait embrasser une fille, non ?*

— À trente ans, pourquoi on n'est pas déjà marié ? demanda Teddy qui essuyait les verres derrière son comptoir.

— Oh ! Je ne sais pas, répondit Coryn. Il devait s'occuper de sa carrière.

— Il te plaît ?

— Je crois que oui.

— Tu crois ?

— Non. Il me plaît. C'est... un homme.

— Il a l'air d'un homme bien. Il gagne beaucoup ?

— J'sais pas, Teddy ! Je ne lui demande pas ce genre de chose.

— Un type comme lui, crois-moi, ça gagne beaucoup. Mais demande-lui pourquoi il n'est pas marié. Juste pour savoir...

Coryn dit oui. Mais ne le fit pas. Jamais. À vrai dire, elle n'en eut pas l'occasion. Jack parlait beaucoup. N'était-il pas un brillant vendeur de voitures ? Et Coryn, la seule greluche au milieu d'hommes qui ne lui avaient jamais donné la parole ni même demandé son avis ?

Ils allèrent au cinéma. Se promenèrent autour du lac de Platerson où le père de Coryn taquinait la tanche. Dans ce restaurant chic et raffiné où il y avait toute une série de fourchettes et où Jack aima le regard de Coryn quand elle lui demanda :

— Laquelle ?

— De l'extérieur vers l'intérieur.

La jeune fille blonde rit.

— Tu es très belle, Coryn. Vraiment très belle.

Elle rougit, prit soin de ne pas se tromper de fourchette et s'empressa de raconter son expérience dans ce merveilleux restaurant de Londres à la vieille Wanda qui servait depuis trente-cinq ans au *Teddy's*.

— J'te le dis ! Dommage que je n'aie plus ton âge ! soupira Wanda. Jack est beau, grand, fort, avec des épaules larges comme en rêvent toutes les femmes – même celles qui disent le contraire. Crois-moi, ton Jack est le type que toutes les filles veulent.

— Il n'a pas de destrier blanc ! gloussa Lenny, le cuistot, en les rejoignant.

— Il a une Jaguar ! Blanche !

— C'est pas un cheval.

— Elle est décapotable ! Pas vrai, Coryn, que tes cheveux volent au vent quand vous roulez pour aller dans ce palace où *toi*, Lenny, tu n'iras jamais ? Même pas en cuisine !

— M'en fous.

— Pas vrai, Coryn ?

— Si, avoua-t-elle en souriant.

Lenny dit – et confirma – que les filles étaient des idiotes.

— *Toutes*.

— Normal. Tu n'aimes pas les filles.

— Faux. Je les aime. Mais pas dans mon lit. Et si j'étais une fille, j'attendrais autre chose d'un prince charmant.

— Quoi, par exemple ? demanda Coryn.

— Qu'il ait juste envie de me tenir dans ses bras. Par exemple *et* en premier lieu.

— Tu n'as pas vu comme il la tient ? coupa Wanda.

— Leeeeenny ! Bordel ! T'es où ? hurla Teddy. Deux steaks saignants ! Une omelette extracuite ! Un poisson frit et des tonnes de patates ! Et retour au fourneau, feignasse ! Et qu'ça saute !

Lenny se téléporta à son poste.

— Il est pédé, Coryn. Il n'y connaît rien aux filles, je t'assure.

Le cuisinier jeta les steaks sur le gril. *J'ai vu comment Jack la tient et si j'étais une fille, j'aimerais qu'on me tienne autrement. C'est tout ce que j'ai dit.*

7

Un soir d'automne, le père de Coryn monta seul dans la voiture de Jack.

— Une fille comme ma fille, on l'épouse. On ne joue pas avec. Tu comprends ?

— J'en avais l'intention, monsieur Benton.

— Appelle-moi Clark.

— Quand voulez-vous que nous nous mariions, Clark ?

Ils s'entendirent sur la date, se serrèrent la main. En hommes heureux de conclure une bonne affaire.

— Je paierai sa robe. Coryn est ma seule fille. Je me dois de lui offrir sa robe. Et le repas se fera chez Teddy. C'est son parrain. Je le lui avais promis.

— Je n'y vois aucun problème. D'autant que c'est là que nous nous sommes rencontrés.

— Oh ! C'est que tu es un romantique, Jack ?

Le futur gendre hocha la tête. Il ajouta qu'il tenait à ce que le repas soit préparé par un grand traiteur et qu'il le prendrait à sa charge.

— Ça, je te laisse faire !

— Clark ?

— Oui.

— S'il vous plaît, ne choisissez pas une robe avec de la dentelle. Coryn est trop belle pour en avoir besoin.

Il ne veut pas afficher ma fille comme un trophée.
C'est bien, se dit le père.

Exactement quatre mois après sa première visite, Jack se gara à l'heure dite devant la maison Benton dans une nouvelle Jaguar encore plus rutilante. Clark pria pour que les voisins s'en étranglent de jalousie. Le futur marié offrit une bouteille d'un grand vin au père de Coryn qui n'en avait jamais bu – ni vu – de pareil. Ainsi qu'un imposant bouquet de roses aussi splendides qu'odorantes pour :

— Vous, madame Benton.

— Oh ! Je n'en ai jamais reçu de si belles ! Pas même à mon mariage...

Jack fit semblant de ne pas la voir rougir et attendit que le dessert soit sur la table pour sortir l'écrin de sa poche. Il mit un genou à terre, les garçons gloussèrent.

— Vous êtes des ânes, mes fils ! gronda la mère. Jack va croire que je vous ai mal élevés !

Le prince garda la pose et fit sa déclaration...

— Coryn, dès que je t'ai vue, j'ai voulu que tu sois ma femme. Aujourd'hui, je te le demande, et prie pour que tu acceptes.

Il ouvrit le boîtier bleu marine. La jeune fille regarda le solitaire avec incrédulité.

— Oh ! Il... Elle est magnifique.

La mère se pencha pour admirer la chose.

— Même votre père, pourtant très amoureux, ne s'est pas montré aussi... romantique !

Tout le monde applaudit. Coryn se sentit propulsée dans un conte de fées. Elle tendit sa main. Si fine. Si fragile... Elle regarda le fabuleux diamant glisser sur son annulaire, puis Jack quand il dit, ému et sûr de lui :

— Coryn, veux-tu être ma femme ?

— Oui, murmura-t-elle, au grand soulagement de son père.

Clark se dit qu'enfin, il était tran-quille. Son unique – et trop belle – fille allait se marier dans l'honneur. *Dans l'honneur ! Merci, mon Dieu.*

Quand elle fut seule dans la cuisine, la jeune fille se sentit vraiment heureuse en admirant son dia-mant sous la lumière crue du néon. Elle ne vit pas la petite araignée qui pendait par un fil au-dessus de sa tête. La bestiole, attirée par les reflets, produisit en urgence quelques centimètres de fil supplémentaires. Juste pour se régaler de l'éclat de la pierre. Le dia-mant était... diamant. Avait le pouvoir du diamant. *J'avais raison*, se dit la fiancée. *On peut vivre comme dans les romans...*

— Il est fou de toi, lança Mme Benton en la rejoi-gnant. C'est une bague neuve. Pas celle de sa mère !

— Et toi, tu l'aimes ? demanda Timmy qui la talonnait.

Sa mère lui balança une gifle. L'araignée remonta dare-dare se mettre à l'abri au plafond.

— Qu'est-ce que j'ai dit ? répondit-il en esquivant de justesse une seconde envolée.

— Évidemment qu'elle l'aime ! Jack est une telle chance ! Jack est un cadeau inouï ! I-nou-ï !

Elle avait détaché chacune des syllabes en regar-dant sa fille. Qui songea au Père Noël, aux souhaits et au diamant *i-nou-ï*.

8

Le mariage fut célébré dans la petite église de Birginton où Coryn avait passé tous ses dimanches matin à la messe.

À dix-sept ans, elle y entra au bras de son père. Pendant la cérémonie, comme pendant les sermons de son enfance, elle n'écouta rien. Cette fois-ci, ce ne fut pas par ennui ou pour s'évader dans ses rêves mais uniquement à cause de ses pieds. Ou plutôt des escarpins qui la torturaient.

— Ce sont les plus chics, avait tranché sa mère. Fais-moi confiance. Avec un mari comme Jack, tu te dois d'être élégante et chic.

— Elles me serrent.

— Tu t'habitueras !

— Je pourrais les mettre à la maison pour les assouplir un peu.

— Pas question ! avait jappé Mme Benton en refermant soigneusement la boîte. Va pas les abîmer avant la noce !

Faut-il ne jamais utiliser les choses pour ne pas les abîmer ? Faut-il garder ses rêves pour ne pas les écorner ?

— Coryn, dit le révérend Good d'une voix qui la fit sursauter. Veux-tu bla-bla-bla… ?

La jeune fille dit « oui » et réalisa au même instant qu'on ne lui avait pas demandé son avis. Enfin pas vraiment... Ses mains si fines et si fragiles tremblèrent un peu quand elle signa le registre. Le stylo lui échappa et roula jusqu'à ses pieds. Jack se baissa pour le ramasser, puis embrassa sa belle épouse qu'il trouvait si émue et si émouvante. Mais ce qu'il prenait pour un trouble amoureux n'était qu'une crainte et une appréhension. *Quand on a dix-sept ans, s'engage-t-on ainsi pour toute la vie ?*

— Je suis fière de toi, glissa la mère Benton en guise de félicitations.

9

Les tables du *Teddy's* avaient été regroupées en U. La famille de Coryn était au grand complet. Tous les oncles, tantes, cousins, cousines, la dernière grand-mère qui perdait la boule, Teddy, sa femme, ses gosses, Wanda, Lenny et toutes les autres serveuses avaient été invités. Juste avant le repas, Jack fit un discours pour dire à quel point il était fier d'appartenir à cette grande famille, lui qui avait grandi enfant unique et qui avait malheureusement perdu ses parents quelques années auparavant. Tous le bombardèrent de questions sans attendre ni écouter les réponses. Les mets délicieux défilèrent, les plaisanteries, les rires... Les heures aussi. Pendant ce temps, Coryn regardait son diamant, son alliance et sa robe pour oublier ses pieds que les escarpins en satin blanc avaient massacrés. Dès qu'elle le put, elle s'éclipsa afin d'enfiler ses vieilles sandales et, à son retour, les mariés ouvrirent le bal en valsant sous les applaudissements. La mère de Coryn aperçut les horreurs éculées que sa fille avait mises en douce. Elle eut le regard déçu et réprobateur qui précédait son courroux. Alors la jeune mariée resta accrochée au bras de Jack. On servit le champagne, le café, les liqueurs, et puis...

Jack décida que l'heure de son dessert particulier était enfin arrivée. La porte de la Jaguar claqua sur un morceau de voile. Et la voiture fila sans bruit sous un ciel dépourvu d'étoiles en direction de la grande maison de Londres.

*
* *

Jack porta Coryn dans ses bras du perron à la chambre au premier étage. Elle riait. Elle était terrifiée. Jack riait. Il savait qu'il se régalerait. Elle pria pour qu'il se souvienne que c'était *sa* première fois... Il dit qu'il savait. Que c'était important, la première fois...

Comme pour son premier baiser, Coryn n'aima pas cette chose dure qui se força en elle. *Va-t-il voir en moi ?* pensa-t-elle en gardant les yeux ouverts pendant le truc. Tout le truc. Jusqu'à ce que Jack roule sur le côté dans un râle... Après ça ! Comme ça...

Coryn tourna la tête de l'autre côté. Oh non ! Elle ne pleurerait pas. Ni son enfance ni sa virginité. De toute façon, elle ne pleurait jamais. N'avait-elle pas été la seule fille au milieu de dix garçons qui avaient pourtant essayé de toutes leurs forces de lui arracher des larmes ? Par la peur. Par le travail. Par plaisanterie. Par gentillesse. Par tirage de cheveux. Par jeu. Non. Coryn n'avait jamais pleuré devant ses frères. *Je ne le ferai pas devant mon mari.* Qui se mit à ronfler de manière assurée et sécurisante dans son oreille alors qu'elle ne put fermer les yeux. Sa vie était aussi nouvelle que cette grande maison. Elle lui faisait la même impression. *Je ne sais plus rien.* Elle écouta avec concentration tous les bruits. Elle essaya de les identifier dans le noir et de les retenir pour le lendemain. Et les jours suivants. Combien de temps pour se fabriquer des repères ? Combien de temps pour ne plus se sentir terriblement seule ? Et puis, sans raison aucune, elle se demanda si cette maison qui sentait la peinture fraîche et le neuf avait des toiles d'araignées sous les armoires. Comme dans la maison de son enfance. *Forcément.* Toutes les maisons ont des araignées.

Et pourquoi est-ce que je pense à ça ? Maintenant ?

Tu penses à ça, répondit une voix qu'elle ne reconnut pas comme la sienne, *pour ne pas penser que tes pieds te torturent et qu'ils ont l'air aussi déchiquetés que ton ventre.*

10

Quand Kyle monta sur scène la première fois, il eut l'impression exaltante de « vivre ». Le jeune homme avait toujours su qu'il serait musicien. Il n'avait jamais eu le moindre doute. Le moindre questionnement. Il est des choses comme ça. Il y a des gens comme ça. Quand des dizaines de journalistes lui poseraient plus tard la question :

— Pourquoi êtes-vous devenu musicien ?

Kyle répondrait sans hésiter :

— Je ne pouvais pas faire autrement.

S'il avait été peintre, danseur, équilibriste, sculpteur, vigneron ou encore écrivain, il aurait employé ces mêmes mots. Il faisait ce dont il avait besoin pour vivre. Peut-être à cause de sa maman, ou même certainement. Peut-être à cause de son talent inné, ou même certainement.

Kyle ne ressentait que le besoin de jouer et l'envie de courir après un maximum de filles. Il ne pensait que rarement à *ça*. À *elle*. Il y avait tant d'années qu'elle était partie...

Son père était toujours en vie et toujours en prison. Le jeune homme n'était jamais allé le voir. Il n'avait jamais ouvert une seule des misérables lettres que le Salaud lui envoyait régulièrement. L'avocate avait promis qu'avec les horreurs infligées à leur mère, il ne sortirait pas de taule. Jane aussi l'avait promis et Kyle l'avait crue. Parce que Jane tenait toujours parole. Sa demi-sœur avait quinze ans de plus que lui et, naturellement, elle l'avait pris en charge après l'assassinat de leur mère par le géniteur de Kyle.

Jane étudiait et travaillait à San Francisco. Kyle ne se souvenait même pas du temps où elle avait vécu avec eux. Elle détestait le nouveau mari de sa mère qui, lui, ne pouvait carrément pas l'encadrer. Elle avait fait en sorte d'obtenir une bourse à l'université de San Francisco. C'était assez loin pour ne rentrer qu'une fois dans l'année à Willington. Pour Noël. Si bien que Kyle n'avait que deux souvenirs de sa sœur. Un camion et une grue qui avaient été emballés dans du papier blanc décoré de dessins réalisés par Jane elle-même. Il se souvenait encore du Père Noël extrêmement stylisé.

— Pourquoi le Père Noël vole sur une toile d'araignée ?

— Ça ? avait répondu la jeune fille en réexaminant son œuvre. Mais Kyle, tu ne vois pas que c'est le traîneau et toutes les rênes pour tenir les rennes ?

Il avait repris la feuille et avait compté :

— Y en a trop. Tu t'es trompée.

— Pourquoi ? Tu sais compter, toi ?

— Ben ouais. Je compte les touches que Maman appuie dessus.

Jane n'avait jamais rien soupçonné de ce que leur mère subissait. N'avait rien vu des raclées ni des brûlures de cigarette. Elle ne s'était jamais entendue avec son beau-père et restait dormir chez des copines le plus souvent possible. Elle n'avait pensé qu'à mettre le maximum de kilomètres entre elle et lui. *J'ai ma vie à vivre.*

Elle emmena le petit garçon à San Francisco où elle fit enterrer leur mère. Kyle ne posa pas de question. Il découvrit l'école, les copains, la maîtresse qui avait une voix d'oiseau. Il aimait retrouver sa sœur et la nouvelle maison en rentrant. Jane ne cuisinait pas bien. Mais *c'était pas grave*. Il n'était pas très porté sur le goût des aliments. Il était plus attentif et concentré sur ce qu'il entendait. Ce qui résonnait en lui. Tout avait un rythme. Les pas de madame Miller dans les rangs. Les roues grinçantes du bus jaune de l'école. Les marches qui craquaient dans la maison. Le glou-glou de l'eau dans le frigo répondant à la chasse d'eau qui se remplissait par à-coups, le crépitement de l'huile dans la poêle incandescente. Les klaxons dehors, des sirènes au loin. *Très loin...* Kyle tapotait de ses doigts pour en reproduire le rythme et être sûr, le soir venu, de les mémoriser avant de s'endormir. Il retenait les mélodies et n'écoutait qu'à moitié la voix de Jane qui faisait des efforts surhumains pour trouver le temps de lui lire des histoires.

— Tu sais pas chanter ?

Elle posa son livre.

— Je ne suis pas exactement comme Maman, Kyle.

— Je sais. Tu es ma sœur... Ma grande sœur...

Il la regarda d'une manière étrange, puis baissa la tête.

— Oui ?

Kyle continua de fixer un point loin devant lui.

— Je veux jouer du piano.

Jane inscrivit donc son frère à des cours de piano. Il devait avoir à peu près huit ans. Elle l'y conduisait toutes les semaines et attendait assise sur un banc qu'il termine. Parfois elle levait la tête de ses livres quand une note la faisait vibrer plus qu'une autre. Puis elle le raccompagnait à la maison et le laissait en garde à sa *roommate* du moment avant de partir travailler à l'hôpital, la nuit. Parce que ça payait mieux et que ça lui permettait...

— ... d'être là quand tu te réveilles, petit frère. Je peux te poser au bus.

— Et après tu dors ?
— Après je vais à l'université.
— Tu dors pas, Jane ?
— Si, à la volée !

Kyle ne sut pas ce que ça voulait dire. Il voulut demander s'il y avait un lit à « la volée », mais elle le poussa dans le bus.

Elle étudiait et travaillait comme une folle sans se plaindre. Elle avait de la motivation à revendre. À la mort de leur mère, elle changea d'orientation. Elle abandonna ses études d'infirmière pour devenir assistante sociale et aider les femmes-tabassées-par-leur-salopard-de-mari-amant-destructeur...

— ... pour qu'il ne devienne jamais leur assassin.

Elle savait très bien que c'était parce qu'elle, Jane, n'avait rien vu. Elle s'en voulait – à mort – de ne pas avoir été plus disponible et présente. Attentive. Oui, juste à l'écoute comme une bonne fille. Elle avait manqué à son rôle. Elle avait merdé par égoïsme. Comment est-ce qu'on rattrape ça ? Quelle peine pour ce crime ? Comment on vit avec ça ? *En faisant ce que je fais.*

Jane avait appris que, partout dans le monde, dans toutes les couches de la société, une femme sur trois est battue, maltraitée, violée au cours de sa vie. Que la moitié des homicides sur les femmes sont perpétrés par leur partenaire. Que tous les trois jours, une femme meurt sous les poings d'un homme pourtant censé l'aimer. Que ces chiffres sont stables et immuables. Telle une vérité. Que ces chiffres sont triplés quand on tient compte des victimes collatérales et des suicides. Quand on tient compte des enfants. Qu'il y a, malheureusement aussi, des femmes qui maltraitent et tuent... Et que si on additionnait tous ces chiffres depuis la création du monde, on n'aurait pas le vertige, mais un dégoût profond.

Qui peut croire que c'est par amour ?

Jane ne pourrait jamais pardonner ce qui était « impardonnable ». Elle-même ne se pardonnerait pas. Ce que le Salopard avait infligé à leur mère avait décidé de sa vie. Et de celle de Kyle. Alors elle fit le maximum pour que son frère joue et joue encore. Pour qu'il pense à autre chose… *quand il est impossible d'oublier.*

— Kyle n'a pas que du talent, affirma John Mansciewski, le professeur de piano. Il a ce… Je me demande ce que je lui apprends *encore.*

Jane rit et acheta un piano, sa nouvelle voiture attendrait l'année prochaine. Kyle resta l'après-midi entier sous le porche à guetter les livreurs. Quand enfin le piano fut placé dans le salon, il s'assit devant. Par terre. Des heures durant.

— C'est le tien, lui glissa Jane à table. Tu peux en jouer.

— Je sais.

— Alors ? Qu'est-ce que tu attends ?

— On devient amis.

Il leur fallut exactement six jours et cinq nuits pour « devenir amis ». Au matin suivant, Kyle joua sans interruption et Jane sut qu'ils seraient inséparables. Quand il s'arrêta, il se précipita dans la chambre de sa sœur, essoufflé :

— Tu ne le vendras jamais, hein ?

— Bien sûr que non. Un ami, c'est pour la vie.

Lorsque Kyle jouait, il n'aurait pas su dire si la musique sortait par ses doigts pour glisser sur les touches ou bien si le piano l'habitait au point de devenir son âme. Il jouait, il vivait. C'était tout.

Jane, elle, avait l'intime conviction que son frère irait loin. Elle l'imaginait parcourant le monde comme pianiste virtuose. Il serait extrêmement élégant dans son smoking. Il serait encore plus grand et plus mince qu'aujourd'hui. Ses cheveux seraient lissés, coiffés en arrière, et sa mèche rebelle ne retomberait plus pour cacher ses yeux. Il les fermerait pendant que des foules qui se seraient déplacées l'écouteraient et ne se lèveraient qu'à contrecœur pour quitter leur siège. Lorsque le musicien serait enfin parti après de nombreux rappels. Alors cette drôle d'entité dotée de milliers d'yeux se désolidariserait et chacun emporterait avec lui une émotion unique.

Un soir, en regardant son frère jouer, Jane fut si troublée qu'elle aurait voulu le serrer contre elle pour lui dire tout ça. Lui dire merci. Comme tous les spectateurs. Mais elle s'enfuit dans sa chambre par pudeur.

11

C'est au lycée que Kyle fit deux rencontres déter-
minantes. Steve et Jet. Ensemble, ils décidèrent de
monter un groupe de rock et, triomphants comme
des adolescents, ils l'annoncèrent à Jane.

— Tu ne joueras pas de musique classique ?

— Ben, j'sais pas. Quand j'serai vieux, sûrement.
Enfin plus vieux que toi maintenant.

Les garçons rirent, elle demanda de quoi il avait
besoin.

— D'une guitare.

Jane acheta la première guitare et fut leur première
spectatrice. Kyle écrivit des textes incompréhen-
sibles pour lesquels elle n'avait pas de qualificatif. Il
les hurla sur toutes les micro-scènes qui les accueil-
lirent et elle se dit en le voyant se jeter à terre que ses
deux potes n'avaient pas le même besoin impérieux
d'évacuer un trop-plein.

Elle était surprise. Non, à la vérité Jane était sur
le cul. Elle avait bien senti qu'un truc sommeillait en
lui. Le genre de machin qui anime, qui exalte ou qui
pourrait détruire... Elle était loin de se douter que le
truc en question serait aussi puissant. Ce n'était pas
plus mal que ça sorte ainsi. Puisque, de toute façon,
ça devait sortir tôt ou tard. Oui, mieux valait que
Kyle hurle au lieu de chanter, qu'il se jette à terre
plutôt que de porter un smoking, qu'il massacre les

mots plutôt que toute autre connerie. Mieux valait ses T-shirts effrayants, ses allures de fantôme, ses cheveux informes et… même cette pénible mèche qui lui barrait les yeux que de le savoir amputé de ses ailes. Que ferait-il sans ailes ? *Un oiseau comme Kyle ne peut que mourir en cage.*

— Pourvu que la Chance s'en rende compte ! avoua-t-elle à Susie, sa *roommate*, qui mangeait cuisse de poulet sur cuisse de poulet à pleines mains.
— Tu veux que je t'aide ?
— Pourquoi pas !
— Passe-moi la mayo et une autre cuisse de poulet. Putain ! Elles sont vachement bonnes, trouves pas ?
— Si, si, dit Jane sans les avoir goûtées. Et qu'est-ce que tu proposes ?
— Ben, j'vais prier la Chance avec toi !
— Je te remercie, répondit Jane en pensant que ça n'était pas gagné.

12

La Chance choisit de prendre son temps. Kyle allait en cours, guitare accrochée dans le dos. Il mangeait guitare au dos, écrivait guitare au dos, marchait guitare au dos. Jane demanda s'il dormait avec.

— Avec quoi ?
— Ce truc derrière toi.
— Ma guitare ? Ben, ouais.
— Et tu te laves avec ?
— Ben, non...
— C'est vrai que tu ne te laves pas.
— Ben, si !
— Quand ?
— Ben, à la plage.
— Tu te moques ?
— Ben, ouais. Au fait, on joue samedi au *Billard's*. Tu connais ?
— *Ben*, oui.
— Tu viens ?
— *Ben*, samedi, je ne pourrai pas.
— Oh ! Donc, tu vois Dan...

Jane se retourna.

— Comment tu sais ?
— *Ben*, Jane, je vis avec toi.
— Je croyais que j'avais été discrète.
— *Ben*, on n'est jamais discret quand on est amoureux comme t'es amoureuse de Dan.

Jane avait rencontré cet homme – un flic – alors qu'elle faisait un stage. Elle n'était pas tombée amoureuse au premier regard. Dan était marié et avait une famille. Mais il était d'une gentillesse et d'une sensibilité émouvantes. Ils avaient collaboré. Avaient parlé de choses et d'autres. Puis d'eux. Chacun de leur côté, ils avaient pensé qu'ils s'entendaient bien. Qu'ils pourraient s'entendre bien. Qu'il pourrait y avoir plus. Seulement, Dan était marié... Point de rupture de tout rêve.

Des années plus tard, alors que Jane avait postulé à la direction de « La Maison », un centre pour femmes victimes de violences conjugales, elle l'avait retrouvé sur son chemin. Un peu plus souvent. Dan était toujours flic, marié et maintenant père de quatre gosses.

Sans qu'ils le prévoient, elle était devenue sa maîtresse. Parce qu'il n'y avait pas d'autre solution pour s'aimer au présent. Kyle ne remit jamais en doute les sentiments de sa sœur.

— Vivre dans le secret, ça te dérange pas ?

Elle touilla longuement son sachet de tisane dans le bol.

— Tu n'es pas obligée de me répondre, Jane.

— Aimer Dan, répondit-elle en secouant la tête, et être aimée par lui implique... le secret. D'ailleurs, ma vie entière tourne autour du secret. Je gère une maison où chacune des pensionnaires garde une part de ses secrets. Soit parce qu'ils sont trop douloureux. Trop horribles. Trop « non verbalisables ». Soit parce qu'elles en ont besoin. Se révéler, soupira-t-elle, c'est... certaines ne peuvent pas. C'est comme ça. Mais à la vérité, je suis persuadée que le secret a ses qualités.

— Tu n'as pas répondu à ma question, Jane.

— Je muselle fermement mes désirs quand toi tu déploies tes ailes avec aisance. Je t'admire. Tu sais être libre, Kyle.

— Je *veux* être libre.

— Bientôt le monde sera ton terrain de jeu et je ne serai plus que ta grande sœur à qui il te faut rendre visite à Noël.

— Je viendrai toujours à Noël. Tu es ma seule famille.

Pendant que Madame la Chance prenait son temps, le groupe choisit enfin un nom. Les F... À force de ne pas pouvoir se décider entre les FREE, les FIRE ou encore les FUCK, ils finirent par opter pour les trois petits points. « Chacun est libre d'y coller la suite selon son gré ! »

Les F... tournèrent dans toutes les minuscules salles de San Francisco. Puis firent quelques petites salles. Parfois, une vedette les invitait en première partie pour attiser leur appétit. Plus la salle était vaste, plus l'envie était grande, plus le travail était important et meilleur il fallait être. Kyle dit exactement tout cela à Jane et conclut :

— Tu vois, je ne peux plus continuer les études.

— Du tout ?

— Ben, non. Les salles se remplissent. On ne peut pas faire autrement que d'arrêter. C'est, comme qui dirait... obligé.

— Je pense que tu devrais prendre le temps d'y réfléchir enco...

— Non. Ce que je te dis, c'est ce que je vais faire.

Sa conviction était telle que Jane comprit qu'il était vain de lutter. Parfois il est impossible de mener correctement deux choses à la fois. Surtout quand l'une est une passion. Qu'on ne discute pas. Qu'on subit et qui fait vivre.

— Combien de chaises ? demanda-t-elle par pure curiosité.

— J'compte pas, Jane. Mais... y a du monde.

— Le fils de Dan vous a vus deux fois, sourit-elle en coin.

— Et ?

— Il a aimé.

— Cool. Dan est cool. Son fils doit être cool.

La voix de Kyle retomba vertigineusement. Il sentit qu'il venait de laisser échapper un truc qui allait lever des questions. Des regards interrogateurs.

— Tu ne *lui* ressembles pas, dit-elle en prenant sa main. Ne t'inquiète pas.

— Physiquement si. J'ai vu des photos et j'aurais préféré ressembler à Maman.

— À une petite bonne femme fluette et brunette ?

— Ne dis pas n'importe quoi.

Alors ils ne dirent plus rien. Jane ne chercha pas à savoir où il avait trouvé les photos. Qu'ajouter ? Sinon que c'est juste insupportable de ressembler à celui qu'on déteste le plus au monde. Elle repoussa la mèche de ses yeux.

— Finalement, tu ne lui ressembles pas tant que ça.

— Tu as raison. Il avait l'air de savoir se coiffer.

— Tu te drogues ?

— C'est quoi cette question de merde ?

— Réponds !

— Comme toi. Un joint de temps à autre.

— Je ne le fais plus depuis longtemps.

— Qu'est-ce que ça peut te faire ?

— Kyle ! Arrête, s'il te plaît. Maman ne le voudrait pas.

Il la fixa.

— Tu n'as jamais dit ça.

— Quoi ?

— Ce « Maman » avec cette voix-là.

Elle resta silencieuse. Lui aussi.

— Elle te manque encore ? poursuivit-il.

— Elle me manquera toujours.

— Je me souviens de ses cheveux noirs et de leur odeur.

— Oui, c'est vrai. Son shampoing sentait bizarre.

— C'était pas son shampoing. Mais sa laque, corrigea Kyle.

Jane ne fit jamais plus de remarque sur le look de son frère. Sur sa mèche trop longue. Sur ses baskets sans lacets. Il ne dit jamais où il avait trouvé les photos. Il se concentra sur tous les accords qu'une guitare pouvait donner dans toutes les positions possibles. Cette chose magique l'accompagnait et lui faisait du bien.

13

Parfois Kyle se demandait si sa chance et son don étaient une compensation pour ce qu'il avait vécu à cinq ans. *Y a-t-il un prix à payer ? Dans tous les cas ? Ou bien y a-t-il autre chose ?*

Quand, au fond de son lit, il n'arrivait pas à trouver le sommeil et que Jane n'était pas seule dans sa chambre, le jeune homme avait peur de dériver si loin qu'il lui serait impossible de revenir. Il sentait bien que la frontière était fragile. *Irrémédiable.*

Il se levait et se plantait devant la fenêtre. Il accrochait son regard à un arbre. N'importe lequel. Même la plus petite branche faisait l'affaire. Il pensait que les branches servaient à ça, à retenir les gens quand ils sont seuls et perdus. Quand ils ne peuvent même plus jouer de musique. Quand le néant ouvre sa gueule d'affamé…

Aux premières lueurs du jour, il était si frigorifié qu'il oubliait tout. Ses frayeurs et les lunettes noires de sa mère. La fatigue lui laissait un mal de tête. Qui était préférable à la dérive, mais qui devint un habitué et prit ses aises. Pourtant le jeune homme ne dit rien à Jane. Kyle aussi avait ses secrets quand la nuit venait.

14

Kyle, Steve et Jet avaient fait le serment qu'ils seraient des rock stars. Tous leurs rêves étaient multipliés par trois. À trois, on est plus forts. Plus motivés. Plus sûrs de soi. Il n'y avait pas de place pour le doute dans la vie du groupe. Il n'y avait tout simplement pas assez de temps pour désespérer. Chacun avait un job alimentaire, et qui servirait – eh bien, oui – à l'enregistrement du premier album ! Certains souriaient poliment à l'annonce de leur projet. D'autres se moquaient ouvertement. Mais eux, les F..., n'écoutaient que leur désir et voulaient dessiner les frontières de *leur* réalité.

La Chance aima entendre cela. Tout comme elle aima leur énergie et leur conviction. Alors, un beau jour, elle décida que l'heure était venue. Elle allait faire son entrée. Une drôle d'entrée. Fracassante et prénommée Patsi.

La porte du placard qui faisait office de loge minable coincée derrière les chiottes de la salle Bellevue vola d'un coup sec. D'un coup de pied. Les trois mecs se retournèrent dans un même mouvement et dévisagèrent avec la même expression de « ben putain ! » la jeune fille qui s'était posée, les poings sur les hanches, dans l'encadrement. Elle portait un pantalon violet excessivement moulant, une crinière rousse frisée et des Rangers-roses-peintes-maison. Elle s'avança vers eux, mains toujours sur les hanches. Les garçons se focalisèrent sur les deux obus que moulait son T-shirt panthère. Elle s'arrêta et cracha son chewing-gum dans la poubelle.

— Dans le mille ! Vous pouvez fermer la bouche, maintenant, les mecs.

— Qui toi, t'es ? articula Jet, incertain du bon ordre de ses mots et de ses pensées.

La fille explosive lâcha un clin d'œil qui les acheva.

— Je m'appelle Patsi Gregor.

— Salut Patsi, répondirent-ils avec un sourire aussi radieux qu'affamé.

— Qu'est-ce que tu veux ? questionna Jet.

— Si vous m'offrez une place dans votre groupe, je vous porterai chance.

— Ah oui ? Et pourquoi ? dit Kyle en rejetant sa mèche. Tu joues ? Tu chantes ? Ou tu as un autre atout dans les poches de ton fabuleux collant ?

Patsi ne dit rien mais attrapa la basse de Steve. Elle se mit en place et au premier accord les trois garçons avaient de nouveau la bouche par terre. Patsi était le son qui leur manquait. Ils travaillèrent toute la nuit et elle finit par glisser entre deux morceaux que son oncle connaissait un mec dans une maison de disques à Los Angeles et qu'il pourrait éventuellement accepter de les rencontrer…

Le tonton appela son ami qui se montra réservé. Mais ils lui envoyèrent tout de même leur maquette. Deux jours plus tard, ils toquèrent à sa porte. Ils jouèrent comme s'ils étaient sur scène. Ils donnèrent tout. Plus le reste.

Qu'est-ce qui fit la différence ? Ils ne le surent jamais. Patsi dit au retour, quand ils admirèrent leur contrat, qu'elle leur avait porté chance, et les garçons acquiescèrent.

Les F... enregistrèrent leur album et firent la première partie d'un groupe mythique qui venait de se reformer. Le public adhéra à leur sonorité. À la voix de Kyle et aux envolées de Patsi. Il y a des femmes qui savent tenir une maison. Patsi, elle, savait tenir une scène même si elle était la seule à ne pas chanter. Elle portait des tenues à faire déjanter n'importe quel alien. Elle fascinait. Et les hommes aiment la fascination. Parce qu'elle peut les conduire au point limite, tout près du danger. Encore un pas et... Patsi s'en foutait. Tout ce qu'elle voulait, c'était jouer de la basse mieux que n'importe quel mec et jurer comme dix. Elle se moquait des conventions et des habitudes, elle aimait l'imprévu. Elle suivait ses intuitions. Justes et percutantes. Elle faisait rire, elle était belle, elle était libre. Patsi choisissait.

Kyle attendit qu'elle vienne jusqu'à lui. Il savait que ça se ferait. C'était dans l'ordre des choses. Elle coucherait avec tout un tas de types – dont ses deux meilleurs potes –, puis, une nuit, elle viendrait le retrouver dans son lit. Alors il se montra patient et composa. Il ne cessait d'écrire et d'écrire encore. Sa sincérité brute et l'émotion de sa voix faisaient le reste. Il s'imposa naturellement comme l'auteur, la voix, le pianiste et le guitariste. Celui qui était en première ligne pour faire vibrer les salles. Celui qui s'accrochait à son micro comme à une branche.

De son côté, Jet faisait des merveilles à la batterie et Steve ne se sentit jamais désinvesti de son rôle de bassiste car, en plus du synthé, des instruments complémentaires et des chœurs, il gérait l'administratif, à la fois autoritaire, paternel et déterminé.

Ils progressèrent extrêmement vite. Et se firent une place. Comme si l'espace qu'ils venaient de combler dans le monde musical n'attendait qu'eux. Ils se produisirent sur un maximum de scènes. Répondirent à des dizaines et des dizaines de questions idiotes ou subtiles. Firent des milliers de photos et admirèrent toujours leur public. Deux ans jour pour jour après la signature de leur contrat, leur deuxième album cartonna. Ils firent une longue tournée mondiale.

Les F... étaient lancés.

Des récompenses et des prix leur furent décernés. Des filles passèrent. Certaines restèrent plus longtemps que d'autres. Et puis, Patsi décida que l'heure était venue. Elle se glissa dans le lit de Kyle. Parce qu'elle voulait y être. Il fut ému et amoureux. Mais elle jura qu'elle ne promettait rien quand les journaux en firent leur une.

15

Quand Jack se réveilla après avoir fait de Coryn *sa* femme, elle ne dormait pas. Il s'excusa d'avoir sombré, de l'avoir délaissée. Il la prit dans ses bras. Elle sourit et il eut envie de reprendre du dessert.

Jack était heureux. Un jeune marié épanoui, un homme comblé. Sa carrière promettait des merveilles et il avait la femme dont il avait rêvé. Une ingénue, extrêmement belle, jeune et naïve. *Rien qu'à moi*. Il la couvrit de cadeaux. De robes. De fleurs. Jack était un homme généreux. Il aimait le dessert... À n'importe quelle heure. Dès qu'il pouvait. Dès que son itinéraire le lui permettait, il faisait un saut pour sauter Coryn. Puis repartait travailler. La laissant seule, avec la consigne d'être belle pour son retour. *Je suis une femme mariée, maintenant...* pensait-elle en silence. Oh ! Peut-être que si la jeune épouse avait parlé à voix haute, les discrètes araignées de la grande maison auraient été troublées par la note de tristesse retenue dans cette voix-là. Peut-être auraient-elles tissé des toiles où des pieds imposants se seraient emmêlés...

Mais Coryn était de nature peu bavarde. Elle posait peu de questions et accepta sans broncher de ne partir en voyage de noces que six mois après leur mariage. Elle avait rêvé de la Grèce, ils partirent en Islande. Elle ne sortit de l'hôtel qu'emmitouflée comme un sapin de Noël. Ce qui ne l'empêcha pas d'attraper une angine qui lui colla une fièvre de cheval. Elle resta clouée au lit pendant que Jack allait à la chasse et ne se sentit mieux qu'en rouvrant la porte de la très-grande-et-très-belle-maison de Londres.

Qui n'était en rien la maison de Coryn. La jeune femme la traversait sans rien déranger. Elle époussetait les meubles, replaçait au millimètre près les bibelots de Marylin Brannigan. Les pièces de cristal valaient une fortune. La porcelaine était si fine qu'il était possible d'apercevoir la lumière au travers. Pour se distraire, pour défier son ennui misérable, les jours d'été quand le soleil donnait son maximum, Coryn plaquait les assiettes contre les vitres et essayait d'y deviner des formes. Mais rien ne se dessinait puisque le jardin n'était qu'un grand carré de pelouse vide. Sans un arbre. Sans une fleur. Jack disait que la tondre lui prenait déjà trop de temps. Alors ramasser des feuilles ? Quelle inutilité ! Coryn, elle, trouvait étrange d'avoir un désert vert en guise de jardin. Elle se demandait ce que sa belle-mère pouvait y faire. Il n'y avait même pas un banc pour s'asseoir ou rêver, et le saule pleureur de son enfance qui avait abrité ses espoirs, ses lectures, ses confidences muettes lui manquait. *Oh ! Comme je m'ennuie !*

16

C'est à peine croyable comme les journées peuvent être longues et les années passer vite ! Un matin d'hiver, en époussetant le portrait de sa belle-mère, Coryn prit conscience que cela faisait exactement quatre ans qu'elle était mariée et que jamais de sa vie elle ne s'était sentie aussi seule. Elle n'aurait pas eu besoin de plusieurs mains pour compter ses amies. Il y en avait... *zé-ro*. Elle n'avait personne à qui téléphoner. Personne à qui se confier. En dehors de... Jack.

Au début, Timmy, son jeune frère, passait la voir – et la distraire. Il déboulait par surprise pour raconter les bêtises qu'il disait en classe, celles qu'il faisait à la maison et toutes celles qu'il avait prévu d'afficher à son tableau. Il sautait du coq à l'âne. Passait du dérisoire à l'essentiel. De sa prof de littérature qui...

— ... est d'une telle lenteur qu'on s'endort rien qu'en la regardant.

— Ne la regarde pas !

— C'est dur, Bonnie Millow est pas trop mal foutue.

— C'est peut-être pour ça que tu ne l'écoutes pas...

— Je l'écoute, mais je m'ennuie.

— Tout le monde s'ennuie, Timmy. Moi aussi, avait lâché Coryn.

Son frère l'avait fixée. Elle avait demandé s'il voulait du thé. Il avait froncé les sourcils.

— Si tu avais un bébé, est-ce que tu serais heureuse ?

— Oui. Quand j'accoucherai, je serai *vraiment* heureuse.

— Comme dans tes livres préférés ?

La bouilloire avait sifflé et Coryn avait versé l'eau dans la théière. Timmy avait extrait de son sac à dos les cookies aux pépites de chocolat qu'il avait chipés dans la réserve spéciale de Mme Benton et qu'elle allait chercher...

— ... dans toute la sainte Maison !

Timmy la faisait rire. Rêver aussi, avec ses envies de devenir journaliste pour se barrer ailleurs et faire le tour du monde. « *Mais il ne vient que rarement* », semblait dire aujourd'hui Marylin dans son cadre. *Où est passée ma vie ?*

Était-ce le regard de sa belle-mère ou le soleil d'hiver qui commandait à Coryn de dresser le bilan de ces quatre années qui venaient de s'enfuir ? Quatre années pendant lesquelles elle avait épousseté et espéré un enfant en attendant Jack... et ses démonstrations d'amour. Toutes ses démonstrations d'amour... La jeune femme soupira et évalua le gouffre qui s'était installé entre ses rêves d'adolescente et sa vie actuelle. *Entre l'Imaginaire et la Réalité*. Elle ne ressentit ni tristesse ni désarroi. Elle en fit juste le constat implacable. Comme lorsqu'on se rend compte qu'une ride s'est installée et que rien ne la gommera jamais. On a beau espérer qu'on restera éternellement jeune, c'est faux. On a beau vouloir oublier, c'est impossible. Le visage de Timmy et son sourire lui revinrent. Ses souvenirs d'enfance, comme toutes ses lectures. Son mariage, son diamant...

Et toutes ces choses qu'il faudrait...

Coryn passa à la cuisine. Elle balança son chiffon gris dans la poubelle qui claqua. Il était onze heures trente. Jack rentrerait déjeuner. Il avait dit la veille qu'il avait envie d'escalopes de veau et de pâtes fraîches, et qu'il avait acheté le nécessaire pour qu'elle confectionne sa sauce préférée. La jeune femme blonde éplucha les oignons sous l'eau froide.

Elle se persuada finalement qu'elle avait de la chance... Jack était très amoureux. Ce soir, pour leur anniversaire de mariage, ils dîneraient dans un lieu qu'il aurait choisi avec soin. Il sortirait un collier ou des boucles d'oreilles de sa poche. Oh ! Jack était si amoureux qu'il en devenait parfois... jaloux. La main droite de Coryn trembla, la lame aiguisée du couteau entailla son index. Une goutte de sang apparut. Puis une deuxième, une troisième, une quatrième et tout un filet. Une nausée lui monta au cœur mais la jeune femme enroula son doigt dans un mouchoir. Elle termina sa sauce. Elle jeta les oignons émincés dans la poêle, ajouta la crème, le sel, le poivre et les pointes d'asperges dont Jack raffolait en toute saison. Elle regarda l'heure, puis plongea les penne dans l'eau bouillante.

Oui, aujourd'hui, mieux valait que Coryn n'ajoute pas à sa préparation le jour à la fête foraine ni celui dans la voiture ni l'autre sur le parking du cinéma ni celui dans le garage de leur maison blanche ni tous ceux qui viendraient dans les années à venir...

17

Quelques minutes plus tard, le téléphone retentit et Jack annonça qu'il aurait une petite demi-heure de retard. La jeune femme mit le plat au four et partit désinfecter son doigt. Voir la plaie béante fit remonter sa nausée. Elle appliqua un pansement. Ramassa les papiers tombés à ses pieds et remarqua une ridicule petite toile d'araignée dans le coin gauche sous le lavabo de la salle de bains. Alors une étrange voix en elle articula clairement « le jour à la fête foraine... »

Coryn se redressa et se vit dans le miroir. Telle qu'elle était. Perdue.

*
* *

C'était plus d'un an après leur mariage. Le printemps était revenu à Birginton et la fête foraine annuelle envahissait les rues. Coryn avait demandé à Jack d'y aller, il avait d'abord dit « peut-être », puis « on verra », elle l'avait supplié. Il avait dit « pour te faire plaisir ».

Oh ! Coryn adorait les manèges et l'odeur des frites si différente de celles qu'elle avait servies au *Teddy's*. Elle raffolait des pommes enrobées de sucre rouge cochenille et des nuages légers de barbe à papa. Ses parents avaient coutume de leur donner quelques pièces pour qu'ils s'amusent librement ces jours de fête. Qu'ils rient et ressentent des trucs dans le bas du ventre quand les manèges les emportaient dans un monde où il y avait du bruit, des voix qui crient, qui chantent, qui interpellent et qui débordent de vie.

Jack avait dit « oui » et, pendant toute une soirée, Coryn quitterait le silence étouffant de la grande maison blanche pour parcourir les allées à son bras. Oh ! Elle avait espéré tant de choses ! Elle pensait retrouver les sensations de son enfance et des têtes connues. Embrasser ses copines. Revoir les serveuses du *Teddy's* et Lenny aussi. Non, pas Lenny, il avait fini par faire son sac pour s'installer à Londres.

Alors, au bras de Jack, la jeune épouse avait croisé de vieilles connaissances, souri à des amies (*des amies ?*)... qui soit l'avaient regardée avec envie sans s'arrêter, soit étaient passées, faisant mine de ne pas la reconnaître... *La vie...* Coryn s'était accrochée deux fois plus au bras de son mari pendant qu'il grommelait qu'il n'aimait pas les fêtes. En général et en particulier. Mais il était amoureux et faisait des efforts *pour toi, ma Belle*. Il lui avait acheté des frites, une barbe à papa ratatinée et – enfin – *la* belle pomme rouge sur laquelle (allez savoir pourquoi) une toute petite araignée se débattait pour détacher ses pattes prisonnières du sucre.

— Regarde, Jack !

— Quoi ?

— Là ! L'araignée ! Elle est collée !

Jack avait empoigné la pomme et écrasé la bestiole entre ses doigts. Implacablement, sans même lui laisser une chance. Il y avait tant de bruit autour d'eux que la jeune femme n'avait pas exactement entendu le « crac » de la carapace mais, d'une étrange manière, ce « crac » avait douloureusement retenti dans ses oreilles.

— Tiens ! avait-il dit en lui tendant le bâtonnet.

Mais elle avait jeté la pomme.

— Je n'ai plus faim.

Jack avait secoué la tête et s'était arrêté à la baraque de tir à la carabine. Il avait explosé un à un tous les ballons qui voletaient comme des oiseaux affolés dans une cage trop petite et avait remporté sous les applaudissements des badauds, du patron tatoué et de son fils boutonneux une autruche géante qu'il avait balancée dès que possible.

— Pourquoi ? Elle est mignonne !

— Je ne veux pas me trimballer avec une poule.

— Ce n'est pas une poule, mais une autruche !

— C'est un oiseau stupide. Gros et laid. Est-ce que notre fils voudra de cette chose hideuse ?

La peluche était immonde, oui, mais drôle. Coryn aurait aimé l'offrir à ses petits frères qui lui auraient réservé un sort plus aventureux que le saut final dans la poubelle, ou encore à Timmy qui voulait s'envoler autour du monde. Seulement, ça ne vole pas, une autruche. Tout ce que ça sait faire, c'est mettre la tête dans le sable. *Jack a raison. C'est bête, une autruche.*

— Viens ! On rentre.

— Oh ! Jack ! S'il te plaît, on n'est pas encore allés sur les chenilles !

— Je n'aime pas les chenilles.

— Moi, j'adore ! S'il te plaît ! S'il te plaît, Jack !

Coryn avait insisté et tiré son mari par la main. Elle avait l'irrésistible envie de retrouver la sensation d'être emportée par cette force magique, laissant entrevoir des milliers de choses délicieuses qui s'arrêtent juste au moment où on en redemande pour qu'on coure acheter un autre billet. Elle avait souri et supplié. Jack avait cédé. Elle avait ri. Oh ! Elle avait ri. Et crié de peur et de joie. Ses cheveux s'envolaient. Elle s'était sentie libre pendant quelques minutes...

Mais Jack ne voulait pas de second billet.

Ils étaient descendus du manège si précipitamment que Coryn avait glissé. Le jeune homme qui se tenait derrière elle l'avait retenue dans ses bras.

Par réflexe. Avait souri par politesse. La jeune femme aussi. Jack avait saisi le type par l'épaule.

— Tu ne touches pas ma femme ! Et tu la regardes encore moins, compris ?

Sur le moment, Coryn avait été fière. C'était vrai. Elle avait pensé que son mari *la* défendrait comme un héros de roman. Que Jack se battrait pour elle. *Pour moi !* Mais idiote qu'elle était, elle confondait jalousie avec honneur.

Ils avaient quitté la fête foraine sur-le-champ, Jack claquant la portière de sa nouvelle Jaguar rouge vif. Sans un mot, sans un regard, il avait mis le contact et de la radio s'était échappée une mélodie qui avait saisi Coryn. Juste deux ou trois accords de piano, et une voix. Aussi troublants qu'une rencontre. Elle se pencha pour écouter, mais la chanson fut écrasée par une publicité débile. La jeune femme avait demandé :

— Tu l'as déjà entendue ?

— Quoi ? avait hurlé Jack en freinant.

— La chanson qui vient de passer ? Tu sais qui chante ?

Il avait tourné la tête vers elle et Coryn n'avait pas reconnu les yeux de son mari. D'un geste brusque, il avait coupé la radio et dit qu'il se foutait de savoir qui chantait cette merde. La jeune femme n'avait pas écouté son instinct qui lui intimait de la boucler, et avait stupidement insisté :

— C'est pourtant une belle chan...

Sans qu'elle comprenne comment – et pourquoi –, Jack lui avait balancé une gifle puissante et inattendue. Elle avait laissé échapper un cri. Et puis... avant qu'elle prenne conscience de ce qui venait de se produire, avant qu'elle ait l'idée que c'était *maintenant* qu'il lui fallait partir à toutes jambes, il l'avait suppliée de lui pardonner. Il était en rage à cause du type de tout à l'heure. Il n'avait pu se contrôler parce qu'il était fatigué. Il travaillait tant pour la rendre heureuse... Il voulait une famille. Oh ! Il l'aimait tant... Qu'un autre pose la main sur elle le rendait fou... Personne ne l'aimerait jamais autant que lui l'aimait... Il ne recommencerait pas... Les choses iraient mieux dès qu'ils auraient un enfant. Il la verrait comme une mère. Les gens la verraient comme une mère. Oui, il fallait qu'elle ait un enfant. Un fils. *Pardon.*

Les semaines avaient filé. Coryn avait fait attention à ce qu'elle faisait. Très attention. Elle n'avait jamais évoqué la fête foraine. Pourtant, de temps à autre, les deux ou trois accords de piano revenaient... Ils l'enveloppaient d'une façon étrange et repartaient, laissant chaque fois une trace. Oh ! Coryn savait bien pourquoi. Ils sortaient ses rêves de l'oubli. Mais au bout de quelques mois, il lui arriva de penser qu'elle avait imaginé ces notes. Qu'elle avait tout imaginé... Et puis, une mélodie aussi belle, c'est comme les histoires dans les livres. Comme le reste... *Ça n'existe pas. Et si la personne qui avait écrit ça mentait ? Et si ma mère avait raison ?*

Alors, comme une élève appliquée, Coryn fit quantité d'efforts pour s'habituer aux « manies » de son mari. *C'est comme ça.* Jack n'aimait pas qu'elle regarde, écoute ou lise n'importe quoi. Encore moins qu'elle aille sur l'ordinateur ou qu'elle prenne, seule, la voiture qu'il lui avait achetée. Jack relevait le compteur, regardait l'historique et posait toujours des questions « pourquoi ci » et « pourquoi ça », « pourquoi celui-ci » et « pourquoi celui-là ».

— Qu'est-ce qui te prend de regarder ce show débile ? C'est parce que le présentateur a une belle gueule ? Il te plaît ?

— Non, Jack.

— Écoute un peu ses conneries ! Tu ne vas pas perdre ton temps avec ça ?

— Non, Jack.

— Alors arrête. Tu vaux mieux que ça, Coryn.

Au fil des semaines, la jeune femme finit par éteindre la télé en plus de la radio pour entendre les gravillons de l'allée chanter le retour de son mari.

On ne sait pas pourquoi on accepte les choses. Peut-être parce qu'elles viennent doucement... Petit à petit. Sans bruit. Peut-être parce qu'on ne s'y attend pas et qu'on ne s'en rend pas vraiment compte... Ou bien est-ce parce qu'elles sont si horribles qu'on ne peut y croire ?

Et puis, quand on est jeune et seule *toute la sainte journée* dans une grande maison, sans amie et sans famille à qui parler, alors que – comble de tout – on a des parents encore en vie et dix frères, on se sent loin de tout. On *est* éloignée de tout. On finit par perdre le sens du contact. On a peur de s'exprimer. Alors, qu'est-ce qu'on peut faire à part se résigner ?

Oh ! Si seulement elle avait écouté Jack... N'avait-il pas dit, après la fête foraine, qu'il ne « recommencerait pas » ? Il n'avait pas juré qu'il ne recommencerait « jamais ». Il faudrait toujours prêter attention aux mots qui sortent spontanément de la bouche des gens... Car il recommença. Pas très souvent, ni très fort. Du moins, au début. Et toujours par *amour*.

*
* *

Si j'avais su, c'est ce jour-là que j'aurais dû partir de l'autre côté de la terre en laissant Jack avec cette conne d'autruche, se dit Coryn en se voyant « perdue » et très pâle dans le miroir. La blessure de son doigt se réveilla subitement et la tête lui tourna. Une nouvelle vague nauséeuse la submergea au point de la faire se précipiter aux toilettes. Elle tomba à genoux.

Et quel choix me reste-t-il maintenant... ?

LIVRE DEUX

1

Ce n'était pas la veille de Noël et ce n'était donc pas pour dîner avec sa sœur que le musicien était de retour à San Francisco, mais pour tout autre chose. Son salopard de père s'était éteint en prison, emporté par un cancer du poumon fulgurant. *Bien fait !* Et si Kyle avait quitté les autres membres du groupe pour quelques jours, ce n'était certainement pas pour assister à l'enterrement, mais pour voir son avocat. Et liquider cette merde. Définitivement.

Kyle reconduisait Jane à La Maison après l'entretien. Le soleil brillait dans un ciel partiellement dégagé. Chacun d'eux était absorbé par son propre passé. Il revenait comme un tsunami, imprévisible et menaçant de tout emporter avec lui. Tous les deux espéraient – en silence – que cette vague serait l'ultime.

Kyle tourna sur Boyden Street et regarda une à une les nouvelles maisons de cette longue rue. Deux étages, spacieuses, fonctionnelles, un jardin à l'arrière, des arbres, des fleurs dès le printemps, des balançoires à l'abri des regards et des piscines ici ou là. Il revit la tapisserie de sa chambre d'enfant à Willington. Des fusées rouges et jaunes qui se dirigeaient vers d'énormes étoiles qu'il fixait avant de s'endormir. C'était peut-être la première fois qu'il la revoyait aussi précisément. À l'étage au-dessous, il y avait le piano...

Par chance, Kyle aperçut le toit de l'immense bâtisse de Jane dominant tous les autres. Cette propriété avait été celle d'un riche industriel qui, sur ses vieux jours, était tombé amoureux de l'Italie. Jane aimait raconter à ses pensionnaires que Graham Bosworth et sa femme n'avaient même pas emporté une seule assiette en partant dans leur nouveau château dominant le lac Majeur. Ils avaient fait cadeau de cette demeure à la ville de San Francisco qui l'avait transformée en logements pour étudiants. Mais l'endroit, trop éloigné des universités et de tout ce dont les jeunes raffolaient, devint finalement un refuge abritant des femmes qui n'avaient nulle part où aller. Jane le baptisa « La Maison » parce que c'était exactement ce que ce lieu devait être.

Kyle se gara devant le porche. Ses yeux s'arrêtèrent sur les quatre chiffres en cuivre qui brillaient au soleil. La porte avait été fraîchement repeinte en bordeaux. Il coupa le moteur et regarda Jane descendre.

— Où est-ce que tu vas, maintenant ?

— Brûler cette saloperie de baraque de Willington dont je suis le *seul* héritier.

— Kyle !

— J'aurais dû y foutre le feu depuis longtemps !

Jane remonta dans la voiture. Elle enleva ses lunettes de soleil, les posa sur le tableau de bord et regarda son frère droit dans les yeux.

— Ça n'aurait rien changé.

Il appuya sa tête contre le dossier.

— Tu sais, toi, quand les choses prennent fin ? Quand on crève ?

— Kyle ! dit-elle de nouveau.

Il soupira longuement et serra la main de sa sœur.

— T'inquiète pas, va.

— Je m'inquiéterai toujours pour toi.

Il sourit.

— J'ai pas trop mal réussi, non ?

— Ce n'est pas ce que je voulais dire.

— Je sais *ce* que tu voulais dire. Ça ira de mieux en mieux... Demain et après-demain.

— Tu dînes ici ?

— Possible. J'sais pas encore. Il faut que je passe essayer ma nouvelle guitare.

— Elle est prête ?

— Non. Billy a un souci.

— Finalement, ça tombe plutôt bien que tu sois rentré.

— Ouais. Comme on dit, je vais faire d'une pierre deux coups.

— Essaie d'en faire trois coups.

— Et quel genre, ce troisième ?

— Genre un truc définitif. Un truc qui fasse de ta vie une vie *nouvelle*.

— Je prends note.

Elle se pencha pour l'embrasser. Elle dit qu'ils avaient de la chance, aujourd'hui, le soleil brillait franchement. Kyle attrapa les lunettes de sa sœur et les lui tendit. Jane souffla juste avant de refermer la portière :

— Je t'aime, Kyle.

— Moi aussi.

Elle gravit les marches sans pourtant voir son inquiétude disparaître. Mais qu'ajouter ? Kyle ne parlerait pas plus si elle l'attachait au fond de la cave sans nourriture. Elle se retourna pour le regarder faire demi-tour. Elle ne se souvenait pas avoir dit « je t'aime » à son frère depuis qu'il était... depuis des années.

Kyle fit attention à ne pas démarrer trop vite et à ne pas faire crisser les pneus. Comme toujours, il paraissait calme, mais en lui brûlait cette chose qui le rendait malade. Il avait tant espéré que la mort de l'assassin le délesterait de cette haine. Enfant, il n'y avait prêté que peu d'attention. Adolescent, elle l'avait déstabilisé, perturbé et motivé. Parfois inspiré. Maintenant, à trente ans, il aurait tout simplement voulu tordre le cou à tout ça et l'oublier.

Il avait passé des nuits et des nuits à imaginer comment il aborderait ce fameux jour, avait envisagé des dizaines d'hypothèses. Il avait espéré – et parfois cru – qu'une libération viendrait. Il avait eu tort. Aujourd'hui sa haine était ravivée. Il ne se sentait pas débarrassé de celui qui avait tué leur mère. Sa mort n'arrangeait rien et Kyle réalisa avec effroi que *ça* ne partirait jamais. « La tristesse ne s'efface pas facilement », avait dit Jane il y a longtemps.

— C'est illusoire de le penser, ajouta-t-il à voix haute en regardant sa montre.

Il était tout juste quinze heures quarante-trois et Kyle roulait au pas sur Preston Boulevard. Il jeta un nouveau coup d'œil à sa montre et se dit qu'il allait perdre tout son temps dans les embouteillages. Perdre son temps. Être coincé sans sa guitare. Tout ce qu'il détestait. La vie est infiniment trop courte pour s'évaporer stupidement dans des embouteillages. Et voilà que pour la troisième fois, le satané feu à vingt mètres devant repassa au rouge sans laisser avancer plus d'une voiture. De rage, il donna un coup sur le volant.

Dans une rue adjacente, à une centaine de mètres de l'endroit où Kyle était immobilisé, un petit garçon rentrait de l'école en tenant la main de sa mère. Elle souriait au bébé qui babillait dans la poussette.

Le feu fut de nouveau vert. Les trois ou quatre voitures précédant le musicien démarrèrent et avancèrent de quelques mètres. Il fallait qu'il sorte de là. Kyle y vit comme un signe de sa propre situation vis-à-vis de ce père assassin. Il bloquait sa vie.

C'était évident. Tout comme il était évident qu'il ne pouvait franchir la ligne blanche sur sa gauche. À droite, la voie était libre. Kyle jeta un regard dans son rétro. Personne. Il donna un brusque coup de volant et accéléra pour rejoindre Maine Street puis attraper Oak Avenue et...

Il y eut le choc.

2

En changeant d'itinéraire, en quittant la route qu'il aurait dû suivre, Kyle passa du boulevard inondé de soleil à une petite rue sombre. Très sombre. Ses yeux n'eurent pas le temps d'accommoder. Oh ! Il lui sembla bien distinguer une forme courant sur lui et il bondit sur les freins. Mais simultanément, il y eut le bruit sourd et le choc. Glacé d'horreur, le musicien descendit de la voiture.

D'abord, il ne vit que les petites chaussures. Puis l'enfant qui gisait sur la chaussée. Inconscient.

Kyle eut l'impression de se vider de son sang. De sa vie. Il s'entendit implorer « Pitié, mon Dieu, non ! » Avec effroi, il posa la main sur la poitrine du garçonnet quand une femme tomba à genoux à côté de lui. Ses longs cheveux blonds glissèrent sur son visage. Il retint son souffle. Elle dit d'une voix brisée :

— Malcolm ! Malcolm ! C'est Maman ! Malcolm ! Réveille-toi, s'il te plaît !

— Je ne l'ai pas vu, articula Kyle.

Elle ne l'entendait pas et continuait de parler à son enfant. Ses cheveux cascadaient sur ses épaules. Malcolm souleva les paupières, puis les referma aussitôt. Elle lui dit de ne pas bouger. « Tout ira bien. »

Kyle se précipita dans sa voiture et appela les secours. Le temps s'étirait de façon étrange. Il s'entendit donner l'adresse exacte quand il aperçut un bébé emmitouflé dans une poussette, à quelques pas sur le trottoir. Il comprit que la maman l'avait lâché pour se précipiter auprès de son fils à terre. Il le sécurisa et revint s'agenouiller près d'eux. Il dit que les secours arrivaient. Elle ne tourna pas la tête mais il sut à cet instant précis qu'elle avait entendu.

Aérienne. Si quelqu'un lui avait demandé un adjectif pour la définir, voilà ce qu'il aurait dit. Aérienne. Peut-être irréelle. Ses cheveux dansaient avec le vent. Kyle ne devinait que son profil et ses lèvres qui murmuraient. Il eut le curieux sentiment de voir à travers elle. Peut-être en elle. Il porta une main sur son front. *Qu'ai-je fait ?*

— Je suis désolé. Je... je ne l'ai pas vu, bredouilla-t-il encore. Il y avait du soleil sur le boulevard et avec l'ombre ici, je ne l'ai pas vu, je vous jur...

Elle leva la tête vers Kyle. Elle avait dans les yeux une chose insoutenable.

— C'est ma faute, dit-elle tout doucement. Je n'ai pas pu le retenir quand il s'est mis à courir après... après je ne sais quoi... et... je suis enceinte et j'avais la poussette...

Elle se détourna avant que Kyle puisse voir si les larmes de sa voix étaient remontées jusque dans ses yeux. Il posa sa main sur son bras. Elle tremblait. Tout son corps tremblait. *Mon Dieu ! Qu'ai-je fait ?*

Le bébé appela sa mère. Elle se releva pour le prendre et revint s'asseoir auprès de son fils. Kyle réalisa alors que des dizaines de voitures et de personnes s'étaient agglutinées. Il ne pensa pas une seule seconde qu'il pouvait être reconnu. L'idée ne l'effleura pas. N'effleura personne. Un enfant était à terre. *Forcément*, tous les regards étaient magnétisés sur lui. Et sur sa mère si merveilleusement belle.

Le vent soulevait ses cheveux. Le musicien entendit les sirènes retentir au loin. *Ces horribles sirènes…* qui arrivèrent en quelques minutes. Des policiers frayèrent un chemin à l'ambulance. Des uniformes entourèrent le jeune homme. Il aperçut Malcolm sur un brancard qu'on poussait dans un véhicule. Des médecins parlaient avec la jeune femme, Kyle souffla dans un éthylotest. Elle monta à bord avec le bébé.

— Je veux les accompagner à l'hôpital, dit-il.

— Ça tombe bien car c'est exactement là où je vous emmène, répondit un policier qui avait des épaules à démonter tous les encadrements de porte. Vous allez subir des analyses.

Kyle ne dit mot. Il était à jeun. Ce qui l'avait enivré n'avait rien à voir avec la griserie de l'alcool. C'était de la rage pure. Il en voulut encore plus au Salaud. *Même mort, il continue de me pourrir la vie.*

Il aurait voulu expliquer tout cela à la jeune femme blonde. Elle aurait compris. Il en était sûr. Mais le policier lui fit remplir le constat, vérifia les distances, les trajectoires, l'impact. Kyle se dit qu'il n'y avait pas de sang sur la chaussée. Malcolm n'était peut-être pas gravement blessé… *Oui, mais il a perdu connaissance. Mon Dieu, qu'ai-je fait ?*

Le policier plia la poussette en connaisseur et ordonna au musicien de se mettre au volant de sa voiture de location. Il obéit en se demandant pourquoi il n'était pas menotté dans un véhicule de flics. La réponse ne tarda pas.

— Monsieur Mac Logan, vous avez une chance inouïe que personne ne vous ait reconnu dans la foule.

Kyle ne réagit pas quand le policier l'appela par son nom de scène. Il n'avait pas l'exacte impression d'avoir de la chance.

— Vous rouliez à combien ?

— Je ne sais pas. J'étais bloqué sur Preston et j'étais énervé parce que ça n'avançait pas. Alors, après je ne sais combien de feux rouges, j'ai déboîté et... il y a eu cette ombre sur Maine. Je n'ai pas vu l'enfant. Je ne l'ai pas vu.

— Vous portiez vos lunettes de soleil ?

— Oui.

— Pourquoi étiez-vous énervé ?

— Il faut que je me confesse ?

— Monsieur Mac Logan, suivez mon conseil de... *fan*. Coopérez franchement.

Kyle dit que son père venait de mourir. Le flic ne broncha pas et n'ajouta rien de plus que :

— Je vois...

Il y avait peu de risques que le sergent O'Neal puisse voir quoi que ce soit. Kyle n'avait jamais rien dit sur son enfance – pas même dans ses textes. Quand on l'interrogeait sur son inspiration, il souriait et Patsi prenait la relève. Elle répondait « Je suis son inspiration. » Elle savait tenir la scène et maîtriser sa langue. Elle ajoutait :

— Tout ce qui compte, c'est que ça lui vienne et que ça ne le quitte pas !

Pourtant, il était arrivé une fois qu'un adroit journaliste de presse écrite insiste lourdement en regardant Kyle dans les yeux. Celui-ci avait lâché trop vite qu'il y avait des trucs...

— ... qui n'appartiennent qu'à moi.

Le jeune homme avait compris son erreur. Il avait traversé une flopée d'interviews avec des demandes beaucoup plus incisives. Il avait été mal à l'aise. Partagé entre la tentation de parler et la certitude qu'il fallait garder ses secrets. Steve avait pris sa voix de grand frère pour lui souffler, un soir, entre deux portes :

— T'as qu'à confier que tu aimes les films en noir et blanc des années cinquante ou que tu détestes les raviolis, par exemple. Tu souris et tout le monde est content.

— C'est facile avec toi.

Steve l'avait regardé longuement avant d'ajouter :

— Il y a certains jours où ça me tenterait d'être dans ta peau. Juste pour vivre les montagnes russes que tu enfiles. Et il y a des nuits où je te plains.

Petit à petit, Kyle avait laissé parler « les autres ». Mais aujourd'hui il était seul face au sergent O'Neal. Alors le musicien se montra prudent, il le laissa diriger la conversation.

*
* *

— Quand vous aurez subi les prises de sang, vous pourrez appeler votre avocat. Vous en avez un, j'imagine ?

— Oui. Je ne sais pas s'il s'y connaît en... Mon Dieu. Je n'arrive pas à croire que j'ai renversé ce gamin. Je ne l'ai vraiment pas vu arriver.

— C'est un accident *con*, comme tous les accidents. Mais si jamais vous avez des traces d'alcool ou de n'importe quelle dope...

— Je suis à jeun et je ne me drogue pas.

Le coin gauche des lèvres du flic remonta.

— Vous faites exception chez les rock stars ?

— Mon job a ça de commun avec le vôtre : quand on est en service, on est à jeun.

— Et le service ne s'arrête vraiment jamais...

Non, Kyle ne se droguait pas. Ni ne fumait quoi que ce soit. Ça le rendait malade et sa voix en était affectée des jours durant. Il préférait encore une bonne cuite de temps à autre. Mais il y avait une éternité qu'il n'avait pas dépassé les limites.

— Vous savez si la mère du petit a pu joindre le père ? demanda O'Neal.

— Pas devant moi.

Il revit les mains fines de la jeune femme sur la poitrine de Malcolm. Son alliance glissait sur son annulaire. Il pensa que l'anneau aurait pu filer sans qu'elle s'en aperçoive. Il sentit avec la même intensité que tout à l'heure tout son être qui tremblait.

3

Coryn ne lâcha pas la main de Malcolm aux urgences du San Francisco General Hospital, sauf le temps du scanner. Elle avait récité des mots dans sa tête. C'était un truc qu'elle faisait chaque fois qu'elle se trouvait dans une situation qu'elle voulait fuir. Chez le dentiste. À l'église quand elle était petite. Chez le gynécologue. Parfois au lit avec Jack... Elle attrapait le premier mot qui lui passait par la tête et concentrait ses pensées pour constituer une famille. Fleur / rose / bleuet / coquelicot / aubépine / coucou / violette / lilas... Aujourd'hui, dans la salle d'attente d'un jaune triste, Coryn songea à toutes ces longues années pendant lesquelles elle avait espéré un enfant. À toutes celles qui s'étaient enfuies avant que n'arrive le deuxième. À la rapidité avec laquelle elle était retombée enceinte et à cette infime seconde où Malcolm avait heurté... Elle récita en vrac : *maison / école / voiture / accident / Malcolm / main... Une main sur mon bras.*

Elle tressaillit et se leva au moment où son fils reparaissait allongé sur un brancard. Il avait repris des couleurs. Le médecin qui l'accompagnait assura qu'en dehors des contusions, il n'avait qu'un bras cassé.

— Nous allons tout de même devoir l'opérer parce que l'humérus est brisé à deux endroits différents, mais les fractures sont belles, si je puis dire. On va lui poser un dispositif résorbable pour les réparer. J'ai expliqué tout ça à votre fils, il est d'accord.

— Je vais être aussi fort qu'Iron Man, lança Malcolm en souriant.

— Tu as mal ?

— Pas trop.

— On lui donne ce qu'il faut pour atténuer la douleur.

Coryn écouta attentivement chacun des mots du chirurgien et regarda au fond de ses yeux. Il avait l'air sincère. Il ajouta que l'opération aurait peut-être lieu très tard dans la soirée ou le lendemain matin.

— On vous tiendra au courant, madame. Votre fils ne souffre pas d'allergie ?

— Non.

Le médecin fut bipé et laissa l'infirmière noter ce que Malcolm avait mangé au goûter. Celle-ci annonça que l'anesthésiste de garde la recevrait dès que possible et Coryn embrassa son fils qui fut emmené pour des radios complémentaires ainsi qu'une IRM. Il disparut de nouveau derrière des portes. Celles-ci se refermèrent sans un bruit et la jeune femme suivit une autre soignante au bureau des admissions.

Elle portait son bébé dans ses bras depuis l'accident et son ventre commençait à lui peser. Il était dur et contracté. Elle aurait aimé s'asseoir et récupérer sa poussette. Où était-elle, d'ailleurs ? L'avait-elle oubliée sur le trottoir ?

— Vous avez pu joindre votre mari, madame ?

— Oui. Il est chez un client à San Mateo. Il va arriver dès qu'il pourra.

— Il a bien pris la chose ?

— J'espère, soupira Coryn en évitant de regarder l'infirmière qui ne releva pas.

Elle la laissa devant un box aux parois de verre, où une secrétaire qui ne portait pas de tenue d'hôpital lui fit signe d'entrer. Elle lui tendit des papiers et dressa un topo précis de tous les documents à remplir.

— Prenez votre temps pour les lire et pour les compléter. Je sais, il y en a trop, mais ils sont tous – malheureusement – essentiels.

Le bébé qui gesticulait et grognait depuis un moment se mit à pleurer franchement.

— Oh ! Mais je vois que votre bout de chou meurt de faim. Vous voulez que j'aille vous chercher quelque chose à grignoter et à boire ?

— Je veux bien. Merci, dit Coryn.

— Je sais ce que c'est ! J'ai eu cinq enfants. Alors dans mon bureau, vous êtes chez vous !

La dame tira un fauteuil pour installer la jeune maman plus confortablement.

— Cinq garçons ! Vous imaginez ! J'ai eu *cinq* garçons ! Le Seigneur n'a pas de cœur, il ne m'a même pas gratifiée d'une seule fille.

Coryn ne fit pas de commentaires. Elle avait une idée précise et imagée des familles nombreuses à dominante mâle.

Elle installa le bébé sur ses genoux et le berça. Avant de s'éclipser, la secrétaire demanda si la radio la dérangeait. La jeune femme secoua la tête et la regarda quitter le bureau dans un flot de paroles. Elle plongea ses yeux dans ceux de la petite. Qui lui sourit. Elle était heureuse. *Encore combien d'années d'insouciance pour ma fille ?* Aussitôt elle pensa à Jack. Qu'allait-il dire ? Comment allait-il réagir en voyant Malcolm ? Il avait été froid et bref au téléphone. Son client devait se tenir à proximité. Coryn ne put réprimer un regard inquiet vers la porte du couloir et fut rassurée qu'elle soit encore close. Elle jeta un coup d'œil à sa montre, fit un calcul rapide du temps qu'il lui restait, pria pour que les embouteillages lui laissent encore un sursis… *Il faudrait que je sache le nom du médecin qui va opérer Malcolm.* Quand des pas précipités retentirent. Elle retint son souffle et la porte s'entrouvrit.

4

Aussitôt le musicien aperçut Coryn et lui fit un signe de la main. Le bébé se redressa, curieux de voir ce que sa mère faisait.

— Est-ce que je peux m'asseoir ? demanda-t-il en désignant la chaise vide dans le coin du bureau.

La jeune femme se recula afin de le laisser passer.

— Les médecins m'ont expliqué pour votre fils, dit-il avec une voix où elle entendit tout son désarroi. Comment allez-vous ?

La question la dérouta. Personne n'avait l'habitude de s'enquérir de ce qu'elle, Coryn, ressentait. Alors elle bredouilla un timide « ça va » en asseyant la petite sur son autre jambe.

— Si vous saviez comme je suis désolé. Je ne sais pas ce qui m'a pris de tourner dans cette rue. Ce n'était pas mon chemin. S'il n'y avait pas eu cet embouteillage sur Preston, jamais...

Coryn leva les yeux et Kyle fut à court de mots.

— J'aurais dû retenir Malcolm, dit-elle. J'ai crié mais il a continué à courir sans m'écouter. Et j'avais la poussette et...

À son tour, elle s'interrompit.

— Je l'ai récupérée. Elle est à l'accueil.

— Merci.

— Je... Je voulais vous dire que je suis... totalement sobre. Les analyses le prouveront.

Coryn inclina légèrement la tête. Sans sourire. Sans dire un mot. Son regard était comme « reparti » ailleurs. Elle se sentait coupable, Kyle aurait pu le jurer. Mais que dire ? Que faire ? Sinon la prendre dans ses bras, comme le chantait Muse[1] à la radio. « *Hold you in my arms.* » Mais est-ce que Kyle pouvait faire ça ? Ce truc dont il avait subitement envie ? Non, évidemment. Tout ce qu'il trouva à dire était qu'il avait rapporté les documents pour les assurances.

— Il faudrait que vous regardiez le croquis et que nous signions ensemble.

Elle acquiesça. Kyle approcha sa chaise du fauteuil de Coryn, repoussa le pot à crayons et le téléphone de la secrétaire, puis posa les feuilles sur le bureau.

— Là, c'est ma voiture, et là, c'est Malcolm.

— Et la croix, ici ?

En une tout autre circonstance, Kyle aurait très certainement affirmé – sans retenir son émotion – que c'était l'emplacement du trésor. Mais il sourit timidement et dit :

— C'est vous.

Coryn se sentit rougir des pieds à la tête. Ou bien de la tête aux pieds, elle ne savait pas trop.

— Ça me semble exact. Je dois signer où ?

Il posa son doigt en bas et elle écrivit un lisible « C. Brannigan » quand la porte du fond s'ouvrit. Elle laissa échapper son stylo en se retournant. Kyle aurait juré qu'elle était inquiète.

— Ah ! J'ai bien cru que je n'allais jamais pouvoir revenir ! soupira la secrétaire en cherchant où mettre le grand verre d'eau sur son bureau. J'ai rencontré mille personnes qui avaient besoin de dix mille choses ! Comme toujours... (Elle coupa la radio, la poussa sur la gauche et posa le verre.) Est-ce qu'il

---

1. Paroles extraites de la chanson *Starlight* du groupe Muse. Voir 1., dans les notes et remerciements, à la fin du roman.

voudrait aussi quelque chose à boire, ce papa-qui-a-l'air-drôlement-chamboulé ?

— Je veux bien, répondit Kyle avec tout le chamboulement qui l'habitait. Mais je ne suis pas...

Sans écouter la fin de sa phrase, la femme tendit un morceau de pain au bébé et fit demi-tour. Elle faillit écraser au passage une drôle de petite araignée marron clair qui fonçait comme si elle ne voulait pas rater le début de son film. Elle finit sa course en roulant et se retrouva quasiment aux premières loges pour voir Kyle lancer un regard à Coryn. Quand ils sourirent. *Se* sourirent.

— Il faut que je complète aussi ce document ? s'empressa-t-elle d'ajouter.

— Oui. Au dos.

Il regarda ses doigts danser sur la feuille et ceux du bambin tout de rose vêtu qui jeta le pain pour arracher le stylo des mains de sa maman. Instinctivement, il se pencha pour prendre le bébé dans ses bras :

— Je peux ? On dirait qu'elle a envie d'écrire à votre place.

— Oui, souffla Coryn.

Depuis sa cachette, la petite araignée marron vit la *baby girl* basculer des bras intimidés de sa mère dans les bras « chamboulés » de Kyle. Et nota avec quel sérieux elle le toisa. Elle vit que le sourire du jeune homme avait un truc à faire fondre n'importe qui. Même les petites *baby girls* aux sourcils froncés. Alors la bestiole à huit pattes soupira, s'allongea et se félicita d'être arrivée à temps.

— Dis voir, tu t'appelles comment, jolie poupée ?

— Daisy, murmura la maman sans lever les yeux.

Oh ! Coryn n'en avait pas clairement conscience, mais le trouble qui lui vrillait l'estomac ressemblait à s'y méprendre à celui qu'elle ressentait enfant dans les manèges. Dans les chenilles... Quand elle rêvait d'un deuxième puis d'un troisième tour. Quand les rêves éclairaient sa vie... Quand...

— Eh bien, Daisy, tu as les yeux de ta maman.

La jeune femme laissa échapper un très discret sourire – mais un sourire tout de même – et continua de s'appliquer à compléter chaque ligne. Elle n'avait pas l'habitude de ce genre de tâche, Jack s'occupait évidemment de tout. Si bien qu'aujourd'hui, en remplissant les cases avec attention, elle avait la crainte de paraître stupide et illettrée.

BENTON Coryn épouse BRANNIGAN. Née à Birginton. Grande-Bretagne.

Kyle dit qu'il était né en mars, deux ans plus tôt.

— Mais à Willington, sur la côte est. Ce n'est pas aussi exotique que vous !

— Oh ! Birginton n'est pas ce qu'il y a de plus exotique. C'est en Angleterre.

— Je m'en doutais à votre accent.

Elle eut un autre de ses discrets sourires. Un peu plus « sourire » que tout à l'heure et qui donna à Kyle l'envie subite de faire du manège.

— C'est où exactement, Birginton ?

— Dans la grande banlieue de Londres.

— Vous êtes en vacances à San Francisco ?

— Non. Nous y vivons depuis plusieurs années.

— L'Angleterre vous manque ?

Coryn releva la tête, surprise.

— Je n'y pense pas. Je n'y suis encore jamais retournée.

— Pourquoi ?

La jeune femme ne sut que répondre et haussa les épaules. Elle pivota vers les documents, Kyle contint sa curiosité et se concentra sur Daisy qui emmêlait ses doigts dans son écharpe.

C'était la première fois qu'il tenait un vrai bébé. La sensation le dérouta mais lui plut. Un bébé. Ça ne ressemble à rien d'autre. Ça vous force à vous demander si, un jour, vous en aurez un. À vous… Et avec la plus grande des stupéfactions, le musicien éprouva une envie forte d'avoir un enfant. Jusqu'alors la question avait été tranchée par un non serein et définitif. Avec la vie qu'il avait… Avec la femme qui la partageait… Avec l'enfance qu'il avait eue… Avec toutes ces impossibilités, le désir n'était encore jamais apparu. Mais Daisy sentait bon le sucre et le lait. Et ne le lâchait pas des yeux, comme si elle s'amusait du remue-ménage qu'elle venait de provoquer. Il n'avait aucune idée de son âge. *Moins d'un an ? Plus de six mois ?* Mais au lieu de le demander, il prit la main délicate dans la sienne et elle enroula ses doigts autour de son index. Le serra de toutes ses forces en continuant de froncer les sourcils. Alors doucement, sans s'en rendre compte, Kyle se mit à fredonner.

Coryn releva la tête. C'était *la* mélodie qu'elle avait entendue avec Jack alors qu'ils quittaient la fête foraine. Juste avant la première gifle. Au cours de ces dernières années, elle avait resurgi dans des supermarchés ou des lieux publics, toujours partiellement. La jeune femme la trouvait belle. Elle-même l'avait fredonnée parfois quand elle était seule. Elle y avait mis ses propres mots. Oh ! Des mots sans grande importance. Kyle croisa son regard. Coryn osa :

— Cette chanson… Est-ce que vous savez qui la chante ?

— Moi, répondit-il avec amusement.

— Oui. Mais vous savez *qui* l'a écrite ?

Kyle sourit largement.

— Je l'ai écrite, il y a plus de dix ans. Elle figurait sur mon premier album.

Coryn ne baissa pas le regard. Dans son coin, l'araignée se redressa sur toutes ses pattes. Le film semblait tenir ses promesses.

— Je... Je suis désolée. Je ne sais pas qui vous êtes.

— Vous avez entendu parler des F... ?

— Peut-être. Oui. Le nom me dit quelque chose, continua-t-elle sur un ton d'excuse. Nous n'avons pas la télévision et je n'écoute que très rarement la radio.

— Vous aimez le silence ?

Coryn murmura un « oui ». Qui la troubla. Elle remit de l'ordre dans les feuillets plats et émotionnellement sans risque. Comment expliquer pourquoi elle n'écoutait plus la radio ? Comment dire qu'elle détestait être surprise dans sa grande maison et qu'elle voulait entendre Jack arriver ? Comment expliquer que son mari aurait insisté et insisté pour savoir pourquoi elle écoutait ceci ou cela, à coups de poing dans le ventre ? Seul Jack mettait cette maudite radio en marche pour ne pas que les petits entendent quand...

Elle sentit le regard de Kyle posé sur ses épaules, alors elle dit avoir grandi au milieu de dix frères.

— Waouh ! Dix frères ! Je comprends que vous ayez besoin de silence !

— Depuis quand chantez-vous ? reprit-elle tout en complétant la date sur le document.

— Depuis que j'ai seize ou dix-sept ans. Je veux dire que c'est à cet âge que j'ai pris la décision d'en faire sérieusement mon métier.

La jeune femme pensa qu'à cet âge-là elle avait épousé Jack. Elle rassembla les feuilles et s'entendit demander s'il jouait d'un instrument.

— Je ne peux monter sur scène qu'avec ma guitare. Mais quand j'étais petit, j'ai appris le piano. Ma mère en jouait admirablement.

— Elle n'en joue plus ?

Il marqua un temps avant de répondre :

— Elle est partie, il y a des années.

— Je suis désolée.

Kyle et Coryn se fixèrent, l'araignée compta les secondes et Daisy poussa un petit cri.

— Ça me plaît que cette chanson ait fait son chemin jusqu'à vous. Une chanson qui dure, c'est, en général, une bonne chanson.

Non, à la vérité, Kyle trouvait merveilleux que cette chanson ait habité Coryn autant d'années et qu'elle lui semble importante. Il ouvrait la bouche pour le lui confier quand des éclats de voix déchirèrent les parois de l'espace-temps qui s'était replié sur eux. La jeune femme réagit à la seconde, attrapa Daisy et se mit quasiment au garde-à-vous.

Jack venait de passer la porte. En quelques pas, il était sur Coryn et lui pressait l'épaule. Il était hors de lui.

5

— Où est Malcolm ? hurla Jack.

— Votre femme n'y est pour rien, coupa Kyle en se levant. C'est moi qui ai renversé votre...

Jack écarta Coryn avec brusquerie et saisit le jeune homme par le revers de son manteau. Le musicien avait beau être grand, Brannigan le dépassait. Il ne baissa pas les yeux et répéta calmement que c'était un accident. Mais le père n'entendait rien. Il était en rage. Et quand il était dans cet état, Coryn savait qu'il ne pouvait pas se contrôler. Alors elle essaya de s'interposer en répétant que Malcolm avait traversé la rue en courant. Que Kyle n'avait pas pu le voir... Jack attrapa son bras et la tira vers lui.

— Comment peux-tu savoir ce qu'il a vu ?

— Eh ! Ne faites pas ça, cria Kyle, sentant une fureur intense l'irradier.

Jack fit volte-face et pointa son doigt sur la poitrine du musicien.

— Toi ! Tu vas me dire exactement ce que tu foutais sur cette route !

— Jack ! Jack ! C'est ma faute !

— Qu'est-ce que tu foutais, espèce de salopard...

Des infirmières et infirmiers jaillirent de toutes parts pour raisonner ce père qui ne cessa pas pour autant de proférer des insultes. Jusqu'à ce que le sergent O'Neal apparaisse, pénètre à son tour dans le bureau bondé, et menace d'arrêter Jack. Purement et simplement.

Brannigan inspira plusieurs fois sans lâcher Kyle et le policier des yeux. Puis il exigea de voir son fils. Un médecin tombé du ciel posa astucieusement la main sur son bras, lui parlant de l'opération qui serait probablement effectuée le lendemain matin. Daisy sortit le nez du cou de sa maman et suivit du regard la drôle de petite araignée marron qui se précipitait hors du bureau. À l'abri de la fureur et des pieds imprévisibles des humains.

— Votre fils se porte bien.

— Comment pouvez-vous dire que mon fils va bien alors qu'il a failli être tué par ce connard !

— Monsieur ! intervint le sergent O'Neal. Vous *devriez* aller voir votre fils.

— Je vous accompagne, dit le médecin.

Jack prit Daisy dans ses bras et Coryn par la main. Le musicien avait le cœur à vif. Il regarda la jeune femme disparaître, saisi par un très mauvais pressentiment. Le sergent O'Neal lui tendit les feuillets qui avaient volé dans tous les sens. Kyle laissa échapper un mouvement de colère. Le policier eut un drôle de sourire.

— Vous n'avez pas de gosse, pas vrai ?

Le musicien secoua la tête.

— C'est *son* gosse que vous avez envoyé au bloc. J'peux pas dire que je ne le comprends pas.

— Ce type est cinglé.

— C'est un sanguin. Avec une carrure d'athlète.

Le chanteur eut envie de hurler au sergent que Jack faisait peur à Coryn. Qu'il fallait le mettre en taule avant qu'il ne soit trop tard. Mais ce n'était guère envisageable. Surtout dans la situation où il était.

— Je vous conseille d'éviter le père dans un avenir proche, dit O'Neal. Gardez vos distances et chargez votre avocat d'intervenir à votre place.

Kyle promit de s'y tenir tout en se demandant comment il pouvait vérifier ses craintes dans le peu de temps qu'il lui restait à passer à San Francisco.

— À propos, je viens d'avoir les derniers résultats de vos analyses. Ils sont aussi négatifs. Vous êtes donc libre de rentrer chez vous. Demain, vous pourrez rejoindre les F... comme prévu.

Le musicien hocha la tête.

— Et vous vous envolez pour où, déjà ?

— On a un concert samedi à Moscou.

— Vous avez une sacrée veine, sourit-il en glissant ses énormes mains dans les poches de son froc. Je n'ai pas pu vous voir la dernière fois.

— Je vous ferais bien parvenir des invitations, mais je ne voudrais pas...

— J'apprécie juste votre gentillesse, *Kyle*. Vous revenez quand par chez nous ?

— Je n'ai pas toutes les dates en tête.

— Que de la musique, c'est ça ?

Kyle nota l'adresse que le sergent O'Neal lui communiqua, signa un autographe pour lui et deux autres pour chacun de ses fils. Le policier lui souhaita un bon concert à Moscou et confia qu'il regarderait des images sur Internet avec ses gosses mais qu'il s'abstiendrait de leur dire comment il avait obtenu les autographes. *Secret professionnel.* Le musicien le remercia et quitta les lieux. Sur le parking, son cœur n'avait toujours pas retrouvé un rythme décent. *Je renverse un môme et l'envoie sur la table d'opération le jour où mon enfoiré de père est enterré et je tombe sur un flic qui est fan. La vie est absurde... Et il faut que je rencontre Coryn.*

Oui, comment Kyle pouvait-il calmer son cœur avec ces idées-là ? À cette minute, il ne pensait pas que Coryn l'avait « renversé » lui aussi. Il pensait à elle. À ce qu'il avait perçu. À ce qui le mettait en rage. À ce qu'il pouvait faire. À ce qu'il avait fait.

Il monta dans sa voiture, démarra, franchit plusieurs rangées, aperçut au loin le panneau « sortie », mit son clignotant et, au dernier moment, fit deux fois le tour du parking au lieu de se rendre chez son luthier. Un véhicule libéra une place. Il s'y engouffra en marche arrière. L'endroit était parfait. Il avait la porte d'entrée du bâtiment principal en pleine mire. Il s'enfonça dans son siège et pria pour que Coryn et son connard de mari ne s'évanouissent pas par une autre sortie. Non, il n'avait pas d'hésitation sur le qualificatif qu'il collait à Jack. Un mec comme lui, c'est définitivement – et dans le meilleur des cas – un connard.

Il se donna une heure et resta appuyé contre le dossier de son siège. De nouveau, il entendit le choc et le silence qui avait suivi. Malcolm n'avait pas crié. Coryn non plus quand elle était tombée à genoux et que ses cheveux avaient glissé sur ses épaules. C'était intolérable.

Il consulta ses messages. Vingt-sept depuis l'accident. *Putain !* se dit-il. *Et si je me barrais au fin fond des bois, en Sibérie ?* Oh oui ! Kyle échapperait au téléphone mais pas à sa conscience. Ni au souvenir de sa mère qui sortait de la salle de bains avec ses lunettes de soleil. Il entendait encore le ton exact de sa voix quand elle disait en passant à côté de lui : « *J'aimerais remonter à l'instant précis où les destins s'entremêlent.* » Quand son destin à lui avait-il viré de bord ? *Aujourd'hui, Maman ?*

Il revit le rouge très sombre qui tachait l'oreiller. Il se souvint de la peau froide et pâle de sa mère. Il entendit *ces maudites sirènes*. Comment un gamin peut-il oublier ça ? Non, Kyle ne pouvait rentrer chez Jane et raconter qu'un môme s'était quasiment jeté sous les roues de sa voiture. Il devait revoir Coryn pour vérifier. Pour s'assurer. Son téléphone sonna.

C'était Chuck Gavin, son avocat. Ils parlèrent longuement et le chanteur le pria d'envoyer un jouet à Malcolm.

— Je ne sais pas si c'est une bonne idée.

— Je veux que tu le fasses.

Chuck lâcha un soupir.

— J'pourrais envoyer vos CD.

— Qu'est-ce que le gosse peut bien en avoir à foutre ? Je t'ai dit un jouet. Des voitures, des camions, des puzzles !

— OK. OK. T'énerve pas !

— Comment veux-tu que je sois cool après avoir buté ce gosse ?

— Renversé. Ça n'est pas pareil, Kyle.

Il soupira.

— Ça ne m'aide pas beaucoup.

— Je sais. Je suis avocat. Pas psy.

— ...

— Kyle ?

— ...

— À défaut d'être un pote ou un psy, j'suis un bon avocat. Alors scanne-moi dès que tu peux une copie du constat.

— Je le ferai depuis le bureau de Jane.

— La balle est dans mon camp maintenant. Je vais faire mon boulot et m'occuper de tout.

— Je te remercie.

— Ça marche. Je t'appelle pour te tenir au courant. Oh ! Et surtout, ne fais rien sans m'en parler.

6

Une heure passa. Chuck ne savait pas que son client était assis dans la voiture en train de surveiller la porte d'entrée de l'hôpital. Bientôt la lumière du jour s'en irait, accentuant encore ses questionnements. Comme beaucoup de nuits quand Kyle ne chantait pas sur scène et qu'il n'était pas assez vidé pour tomber dans un néant de fatigue.

Depuis l'appel de Jane à Bratislava pour lui annoncer la mort du Salaud, depuis l'avion qu'il avait failli rater pour cause d'altercation avec Patsi, depuis son arrivée à San Francisco, le musicien n'avait pas trouvé le sommeil. Oh ! Si Kyle avait pu dormir correctement, rien de ce qui était arrivé cet après-midi ne se serait produit. *Je n'aurais pas failli tuer un enfant. Et je n'aurais pas rencontré Coryn... La vie est absurde.* Le cœur du jeune homme tressauta. Il entendait ses propres battements. Ils résonnaient comme ils n'avaient pas résonné depuis un certain nombre d'années.

Le vent glacial du Pacifique se fraya un chemin jusqu'à l'intérieur du véhicule et Kyle frissonna. Il remonta le col de son manteau. Voilà maintenant une heure trente qu'il attendait. C'était déraisonnable. Mais il ne pouvait faire autrement, il *fallait* qu'il la revoie. Il fallait qu'il sache. Peut-être était-il plus attentif aux hommes et aux choses que la plupart des gens ? Ou peut-être était-ce à cause du matin où sa mère ne s'était pas réveillée ? Allez savoir. Tout était sérieux pour Kyle. Les rires, les tristesses, la musique, les textes, la vie ordinaire ou la vie singulière qu'il vivait avec les F... Les battements de cœur. Tout. *Il faut que je revoie Coryn.*

Il releva la tête et aperçut des cheveux blonds qu'une bourrasque souleva. Et la carrure de Jack à côté, portant la petite. Coryn tenait la poussette vide. Elle marchait la tête baissée, à cause du vent. *Mais peut-être pas...*

Jack fila dans une allée sur la gauche. Le musicien eut peur de les perdre car une série de piliers lui bouchaient la vue. Il hésita à sortir de son véhicule et glissa sur le siège passager juste à temps pour apercevoir le connard installant le bébé à l'arrière d'une Jaguar X-Type Estate blanche. Il s'approcha de sa femme qui repliait la poussette et Kyle eut l'impression qu'elle avait un mouvement de recul.

Le chanteur baissa la vitre mais il était garé beaucoup trop loin pour entendre quoi que ce soit et... son portable sonna. *Merde !* Il s'enfonça sur le siège de peur d'être repéré, l'éteignit sans répondre. Quand il se redressa, un jeune en rollers se tenait à quelques mètres de la Jaguar. Immobile. Face à Brannigan. Que s'était-il passé ? Sans réfléchir, Kyle sortit et se faufila entre les voitures. Le vent soufflait trop fort pour qu'il saisisse quoi que ce soit, mais il vit le colosse avancer vers l'ado qui démarra à toute vitesse.

Le musicien resta dissimulé derrière un 4 × 4 à observer la scène et à se demander ce qui avait bien pu se produire quand subitement le gamin stoppa. Il fit un demi-tour gracieux puis adressa à Jack un ample doigt d'honneur avant de s'élancer. *Merde ! Que s'est-il passé ?*

Brannigan suivit des yeux pendant quelques secondes le gosse qui slalomait entre les allées avec l'aisance de celui qui nargue. Coryn était assise à l'avant. Elle se retourna pour parler à la petite, se pencha et lui caressa la joue. De là où il était placé, Kyle ne pouvait apercevoir l'expression de son visage mais il aurait aimé lire ce qu'elle avait dans ses yeux.

Jack s'installa au volant et démarra. Le musicien regagna sa voiture précipitamment. Sans l'ombre d'une hésitation, il s'engagea à leur suite et prit soin de laisser un écran de quelques véhicules entre eux.

Un truc s'était passé. *Forcément. Mais quoi, putain ?* Jack avait-il levé la main sur sa femme ou avaient-ils eu des mots ?

Kyle maudit l'inconnu qui avait composé son numéro et pensa qu'avant tout il *fallait* des preuves qui démontrent si ses craintes étaient folles ou fondées. Si Coryn était en sécurité alors qu'il était persuadé du contraire. Il pensait *à* Coryn. *Qu'à* Coryn. Oh ! S'il avait écouté son instinct et sa profonde « certitude » au lieu de raisonner, au premier feu rouge, il serait descendu de sa bagnole, aurait ouvert la portière de Jack, l'aurait attrapé par le col de sa veste comme ce salaud l'avait fait à l'hôpital et l'aurait jeté sur le bitume. Il aurait regardé la jeune femme blonde droit dans les yeux et il lui aurait demandé pourquoi elle avait épousé un tel connard.

Malheureusement, la vie est loin d'être aussi simple.

7

Coryn gardait la tête baissée. Comme toujours dans ces cas-là. Elle ne regardait rien précisément. Ses yeux étaient ouverts mais elle était refermée sur elle-même. En position de repli. De transparence.

Pour une fois, elle n'écouta pas Jack injurier tous ces abrutis qui ne savaient pas conduire. Pour une fois, elle pensa à *elle* et se dit qu'*aujourd'hui* sa vie avait subi une petite inflexion qui avait changé la trajectoire de son orbite habituelle. Non seulement elle avait appris qui était l'auteur de *la* chanson, mais elle l'avait rencontré... *Aujourd'hui*, la petite lumière qu'elle croyait morte au fond d'elle avait trouvé un nouveau souffle. Comme si une bouffée d'oxygène pur l'avait ravivée. *Aujourd'hui*, Kyle lui avait demandé comment elle allait, elle, Coryn. Et un gamin s'était arrêté sur le parking de l'hôpital quand Jack l'avait coincée contre la voiture en lui écrasant les bras. Elle se dit, surprise et incrédule, que la Chance existait. Puis la jeune femme tressaillit, horrifiée par ses pensées. Fallait-il appeler « Chance » le fait que Malcolm doive subir *tout ça* pour qu'elle ressente *tout ça* ? Elle évalua le chemin qu'elle avait parcouru pour avoir ce fils-là. À une certaine époque, elle avait cru que la vie ne voulait rien dire. *Aujourd'hui*, elle sut que sans Malcolm, elle se serait éteinte à tout jamais.

Aujourd'hui, Coryn ouvrit la porte de sa grande maison californienne avec la profonde impression qu'elle n'était plus aussi transparente. Elle entraperçut son reflet dans le miroir de l'entrée. Ses cheveux étaient décoiffés mais elle se vit moins pâle que d'ordinaire. Petite, elle ne supportait pas de rougir devant quelqu'un. Quand cela arrivait en classe, elle aurait voulu s'évanouir. *Aujourd'hui,* elle était étrangement contente d'avoir repris des couleurs devant Kyle. Grâce à Kyle ? Elle ne ressentait aucune honte, mais un étrange sentiment. Jack n'était peut-être pas tout-puissant. Sa vie avait un sens. *Enfin, peut-être...*

Du moins, pour ce soir.

8

Jack croyait avoir tout prévu en l'isolant. Et en la privant de télé, de magazines et de contacts. En la fliquant dans ses moindres gestes. Il l'avait emmenée de l'autre côté de l'Atlantique, installée dans une merveilleuse maison, imaginant qu'ainsi Coryn ne penserait qu'à lui. Il croyait qu'elle lui appartenait. Il avait tort.

Quand Jack ouvrit à son tour la porte de leur maison, Daisy hurlait dans ses bras. Elle s'était endormie durant le trajet et n'avait plus envie d'être trimballée. Coryn s'enfuit dans la salle de bains pour la changer. La petite grogna encore quelques minutes, puis se rendormit sur le matelas à langer. La jeune femme la porta dans son lit sans qu'elle s'en rende compte. Elle demeura longuement à l'observer et posa une main sur son ventre. Et jura que jamais, *jamais* elle n'abandonnerait ses enfants. *Quoi qu'il arrive...*

*
* *

Kyle était garé à quelques dizaines de mètres. Au rez-de-chaussée, des lumières étaient allumées tout comme à l'étage. Aucun hurlement ne déchirait l'obscurité.

Il resta à fixer la maison sans trop savoir quoi attendre. Des pensées confuses et troublantes se télescopaient en lui. Son père-le-Salaud, sa mère, sa musique, Jane, son irrésistible ascension avec les F..., Patsi. Ce lien que tissent les événements... Ce lien qui fabrique une vie. Il se dit qu'aujourd'hui son chemin avait subi une erreur d'aiguillage. Perdait-il le nord ? S'éloignait-il de ses rêves ou bien s'en approchait-il ? Quelles avaient été ses véritables ambitions d'homme ?

À cette dernière question, Kyle savait quoi répondre. Les F... étaient la conclusion de ses attentes. La terre entière était devenue leur terrain de jeu. De Singapour à New York, en passant par Paris, Tokyo, Bruxelles et Moscou, il avait atteint et largement dépassé ses premières espérances. Il savait qu'ils avaient eu une chance inouïe de se rencontrer et de croire en eux. Oui, Kyle était convaincu de la réalité de la Chance. Pourtant, il lui était arrivé de se dire qu'autant de Chance ne durerait pas. Ça lui semblait injuste. Parfois... indécent.

« *La preuve, il y a eu Malcolm* », s'entendit-il dire à voix haute. Alors subitement, la peur et la culpabilité – comme l'horreur de ce qui aurait pu arriver – lui tombèrent dessus en cascade. Bien plus violemment qu'au moment de l'accident. Kyle songea qu'il aurait suffi d'un timing un poil plus cruel pour que l'enfant heurte de plein fouet sa voiture. Il n'imagina pas que la Chance avait modifié la trajectoire de la petite balle à cause de laquelle Malcolm avait lâché sa mère, il murmura : « *La vie...* »

La porte du garage s'ouvrit et le musicien reprit pied dans le présent. Il s'enfonça instinctivement dans son siège. Jack Brannigan sortait ses poubelles. Il ressemblait à n'importe quel père de famille aisée. Car pour rouler dans une telle voiture et vivre dans une maison aussi page-glacée-de-magazine-publicitaire, il fallait gagner sa vie au-delà du correct.

Un voisin qui promenait son chien s'arrêta près de lui. Les deux hommes se serrèrent la main puis échangèrent quelques paroles. Il était clair que Jack racontait qu'un enfoiré avait renversé son gosse. Ses gestes étaient explicites. Le voisin mit une tape amicale sur son épaule et dut lui dire d'embrasser l'adorable Malcolm de sa part avant de rentrer dans sa maison idyllique. Brannigan remonta son allée les mains dans les poches. Nul doute que pour tout le quartier, il était un homme ordinaire, voire sympathique. Il s'arrêta sous son porche et attendit un instant. *Il reluque quoi, ce con ?* Kyle n'aurait pas aimé que Jack regarde les étoiles. Ou même y pense. Qu'il ait un soupçon de poésie dans sa tronche de businessman-qui-sort-tout-de-même-de-ses-propres-mains-les-poubelles. Mais non, le Connard tourna les talons et referma sa porte.

Les lumières s'éteignirent une à une, forçant Kyle à démarrer et à quitter la rue de Coryn. Il pensa à ce qu'il craignait pour elle. À son sourire, à ses traits délicats, au rose qu'avaient pris ses joues et à sa voix étonnamment calme. À ses cheveux souples et brillants. Il eut envie de les toucher. De les sentir avec ses mains. Oh oui ! Avec de telles pensées, il valait mieux que Kyle rentre chez Jane ! Qu'il ne s'égare pas dans un monde enivrant et dangereux... *Je perds la boule.* Il était temps qu'il quitte San Francisco. Peut-être que, maintenant, Patsi aurait envie d'avoir un enfant... Allez savoir...

Allez savoir pourquoi, Kyle se rendit au cimetière.

9

Trouver la tombe de ses parents ne lui prit que deux minutes. Deuxième allée, septième tombe sur la droite. Sous le nom de Clara Bondera épouse Jenkins, celui de Buck Jenkins était fraîchement gravé. Le Salaud avait demandé dans son testament à rejoindre sa femme et ils n'avaient pu l'interdire. Quelle absurdité, toutes ces procédures. Jane avait affronté de multiples difficultés pour rapatrier le corps de leur mère depuis Willington et voilà que sans l'ombre d'un souci son assassin venait de la rejoindre... Pour l'éternité. Et pour la première fois, le musicien se demanda ce qu'il ferait graver sur sa propre tombe. Kyle Jenkins ou Kyle Mac Logan ? Le nom de son géniteur ou son nom de scène ? *Je l'ai renié, pourtant il existe toujours. Je ne veux pas mourir avant de m'être débarrassé de ce Salaud.*

Le vent froid soulevait les pans de son manteau. Le musicien resta immobile de longues minutes à fixer les lettres et les chiffres. Pourquoi sa mère avait-elle accepté et enduré tout ça ? Pourquoi ne s'était-elle pas révoltée et pourquoi n'avait-elle pas fui ? Pourquoi n'avait-il pas pu la protéger, lui ? Pourquoi... pourquoi et pourquoi et pourquoi et pourquoi ? *Pourquoi ?*

Mon Dieu, faites que ce ne soit pas par amour.

Kyle leva les yeux... Il aperçut la pleine lune éclatante sur laquelle se détachaient les branches d'un bouleau. L'image était précise. Belle. Elle le décida à rentrer.

10

Jack pénétra Coryn sans demander si elle avait mal au ventre, si elle était fatiguée ou même si elle en avait envie. Il roula sur le dos, caressa celui de sa femme, remercia le ciel que Malcolm n'ait qu'un bras cassé et se leva pour rejoindre *son* fils.

— Je serai auprès de lui quand ils l'emmèneront en salle d'opération.

Elle n'écouta pas sa voix apaisée. Pas plus qu'elle n'avait écouté les insultes qu'il avait débitées à la seconde où la porte s'était refermée derrière lui. Les murs de la grande maison blanche étaient bien trop épais pour laisser échapper quoi que ce soit. Cette nuit, au lieu de réciter des listes de mots, la jeune femme fredonna pour elle deux ou trois notes. Car *aujourd'hui*, des choses avaient changé. Elle observa la course de la lune tandis que celle-ci traversait sa fenêtre. Elle était ronde et pleine. Éclatante. Coryn pensa à la face que l'astre ne montrait qu'aux étoiles. *Quelle astucieuse audace...*

Elle songea à *son* fils endormi par les somnifères dans sa chambre d'hôpital, le sentit dans ses bras, lui chanta quelques notes et pria sainte Dextérité d'être généreuse avec le docteur Stein.

*
* *

— Te voilà enfin ! Je t'ai laissé au moins dix messages !

Kyle passa la porte et, à la lumière implacable des néons du couloir, Jane comprit qu'il s'était passé quelque chose. Elle trembla intérieurement et attendit que son frère s'asseye à la table de la cuisine.

— J'ai envoyé un gosse sur une table d'opération.

Il n'ajouta rien d'autre et Jane repassa les mots dans sa tête. Un à un. Ce n'était peut-être pas si grave. *Enfin... Merde, Kyle ! Qu'est-ce que tu as fait ?* pensa-t-elle.

— Et ?

— Quand je t'ai quittée cet après-midi, je suis resté bloqué des heures sur Preston Boulevard et il y avait ce putain de feu qui devenait rouge toutes les deux minutes et ça n'avançait pas et...

Il s'interrompit. Puis secoua la tête.

— Alors j'ai déboîté sur la droite pour rejoindre Maine Street sans réfléchir. Je suis passé du soleil à l'ombre...

Il leva ses yeux vers Jane.

— ... Je n'ai pas vu le gosse qui courait sur la route.

— Il est gravement blessé ?

— Il a une double fracture de l'humérus. Et des contusions.

— Et à part ça ?

— Quoi à part ça ? J'envoie un gosse directement sur la table d'opération, et toi, tu demandes « à part ça » ?

Jane laissa échapper un soupir qui exaspéra encore plus son frère. Il pouvait enfin verbaliser les choses. L'atrocité des choses.

— Putain ! Jane ! Tu ne te rends pas compte ? Ce môme qui était en pleine forme va se trimballer avec un truc dont j'ai oublié le nom pendant je ne sais combien de temps et tout ça à cause de moi ! Je ne te parle même pas des risques de l'anesthésie et des éventuelles complications. Si le Salaud n'avait pas choisi de crever, jamais je ne serais rentré et jamais...

Il se leva et ajouta que leur mère avait raison de se demander quand les destins s'entremêlaient. Jane ne dit rien. Ça ne servirait pas à grand-chose qu'elle ajoute que ce n'était pas si « grave » ou que c'était horrible ou même que Kyle était un pauvre type irresponsable... Ou encore qu'il était temps qu'il se libère de son père. Elle n'aurait jamais dit ces derniers mots. Elle savait combien il est impossible de se défaire de son enfance. Des bonnes choses comme des mauvaises. On fait avec. Le passé et le présent. Qui ont tous les deux le potentiel de foutre en l'air le futur.

Elle sortit la bouteille de whisky du buffet et s'en versa deux doigts. Kyle but une longue gorgée à même le goulot. Il la reposa sur la table, se rassit sans un mot, mais Jane aurait pu le jurer, ses yeux disaient qu'il y avait autre chose.

— Et ?

Elle fixa son frère en haussant les sourcils. Kyle se leva de nouveau, vira son manteau et le balança en travers d'une chaise qui bascula sur le sol. Il les regarda un moment comme si les deux machins pouvaient décider de se remettre en place seuls puis avala une seconde gorgée, debout.

— Malcolm... le gosse que j'ai renversé... était avec sa mère. Il lui a lâché la main pour courir après je ne sais quoi... Il a dit qu'il y avait un écureuil mais le flic a trouvé une balle.

— C'est important ?

— Jane ! Putain !

Il arpenta la pièce bouteille à la main en disant qu'on se foutait de savoir après quoi Malcolm courait.

— Il y a eu le choc et je suis descendu et j'ai vu les petites chaussures... Putain ! J'ai cru que tout s'arrêtait. Je suis tombé à côté du gosse. J'ai écouté s'il respirait et...

Kyle marqua une pause.

— ... alors sa mère s'est agenouillée près de lui.

Alors... Kyle se rassit. Il revoyait Coryn qui tombait près de l'enfant. Ses cheveux qui glissaient sur ses épaules, lui cachant le visage. Ses mains qui tremblaient et surtout la tonalité de sa voix.

— Et ?

Il reprit une nouvelle gorgée. Plus longue que les précédentes. Jane lui arracha sèchement la bouteille des mains, la reboucha et partit la ranger. Il allongea ses longues jambes. Plaça ses mains derrière sa tête. Et ferma les yeux.

— Elle... On aurait dit qu'elle sortait tout droit d'un rêve.

— Belle ou extrêmement belle ?

Kyle rouvrit les yeux. Sa sœur nota qu'ils étaient rouges.

— Jane, je n'ai jamais vu une femme comme elle.

— Dois-je comprendre que tu es tombé amoureux ?

Il baissa ses mains et les rangea dans ses poches. Lui qui les utilisait toujours pour toucher, décrire et jouer préférait, ce soir, les contenir.

— Que j'en sois tombé amoureux ne serait pas très grave. Mais (il fixa Jane) elle est mariée à un type qui doit mesurer un bon mètre quatre-vingt-dix... Dont elle a peur.

Jane exigea des faits. Oh ! Elle faisait confiance au ressenti de Kyle. Là n'était pas la question, mais elle savait de par son métier et ses rapports avec toutes ces femmes battues et opprimées que les *faits* comptent légalement plus que les ressentis. La justice se fout des ressentis, parce que ce n'est pas une preuve tangible alors qu'un bleu, une lèvre enflée, une côte cassée, une constatation médicale ou encore un corps sans vie étendu en travers d'un lit est un *putain de fait*.

Il raconta l'arrivée de Jack, les regards de Coryn vers la porte, le jeune en rollers sur le parking de l'hôpital.

— Tu vois que je ne suis pas le seul à avoir senti ça.

— Et s'il avait éraflé la voiture de ce type ?

Kyle secoua la tête.

— Je pense plutôt que ce gosse a vu un truc ! Et si c'est le cas, il a eu un de ces crans...

— ... que tu aurais aimé avoir. Arrête de te torturer. Dans la situation où tu étais, tu ne pouvais rien faire de plus.

— Mais je *veux* faire plus. Je crois que Coryn est en danger.

— Oh ! Tu l'appelles déjà Coryn...

Kyle sourit et – d'une voix qui émut Jane – ajouta qu'il n'avait jamais encore rencontré de « nana qui s'appelle Coryn, avec un Y comme dans Kyle ».

— Je vais en parler à Dan demain.

— Tu ferais ça ?

— Tu sais bien que oui. Dan ira traîner ses guêtres de flic par chez eux. On ne sait jamais. Il se pourrait qu'il soit chanceux comme ton gamin du parking et qu'il voie un truc qui ne devrait pas être. Mais *toi*, l'avertit Jane, *toi*, je te déconseille formellement d'entreprendre quoi que ce soit.

Kyle promit et embrassa sa sœur.

— Je repars demain soir. Qu'est-ce que je pourrais bien faire ?

Elle le dévisagea longuement. Soupira, disant qu'elle était et serait toujours sa grande sœur. Ce qui se traduisait par « *Je suis celle qui te connaît le mieux.* » Oui, Jane était l'aînée et tenait sa place. Elle ne l'avait jamais laissé tomber ni trahi. Les papiers officiels les désignaient comme demi-frère et demi-sœur. *Quelle absurdité. Jane est toute ma famille. Ma seule famille.* Lui non plus ne la trahirait jamais, mais il ne put s'empêcher de penser à ce qu'il ne devrait pas faire... tout en regardant sa silhouette frêle disparaître dans le couloir.

Jane se dévêtit, enfila son vieux pyjama et se démaquilla sans vraiment se regarder. Elle n'avait pas assez de temps pour ça. Les années avaient passé sans qu'elle les compte. Bien sûr, Dan l'emmenait dîner pour son anniversaire, mais à une date qui n'était pas forcément la bonne. Qu'est-ce que ça pouvait faire après tout ? Kyle, ce soir, avait évoqué Coryn. Et à cette minute, devant son miroir, Jane pensa *une femme de plus*. Sa gorge se noua, elle eut une subite envie de pleurer. *Je suis fatiguée.*

Elle avait tant de choses en elle. Entendu tant d'horreurs qu'elle essayait de contrecarrer de toutes ses forces. Elle était en guerre et, dans la vie des femmes que La Maison abritait, elle était une île. Son équipe et elle avaient sauvé des vies. Kyle aurait aimé faire autant qu'eux. Il pensait qu'il ne faisait qu'écrire et chanter et jouer. Sa sœur répondait que son chèque annuel et « ça », c'était déjà beaucoup.

— L'important est de créer une brèche... Les artistes peuvent faire ça. À mon sens, c'est peut-être même leur devoir, lui avait-elle confié quelques années plus tôt lors d'une de leurs nombreuses conversations nocturnes.

Ce soir, elle savait que rien n'était jamais suffisant. Pour Coryn, Jane attrapa son téléphone malgré l'heure. Dan répondit à la première sonnerie. Il l'écouta et promit de faire une ronde, faute de pouvoir sonner chez elle et lui demander si son mari la tabassait en ce moment même. Pour Coryn, Kyle aurait aimé faire plus qu'une chanson qu'elle avait retenue. Oui. Que pourrait-il bien faire ? De plus... ? *De mieux... ?*

11

Kyle ouvrit un œil à neuf heures cinq. Il avait mal à la tête. Migraine était bien réveillée et d'attaque. Et pas seulement à cause du whisky. Il pensa que son avion n'était qu'à seize heures vingt. Avant, il devait s'arrêter chez son luthier, récupérer une tenue de Patsi, parler encore avec son avocat et rendre la voiture… Jane avait laissé du café au chaud et un mot : « Je passe la journée au tribunal. J'ai parlé à Dan. » Le musicien avala trois tasses de café et deux muffins. Il consulta son portable. Un message de Chuck Gavin confirmait la bonne réception de son mail de la veille et résumait la déclaration aux assurances.

— Pas de mauvaise nouvelle. Je vais prouver qu'en aucun cas tu ne pouvais l'éviter, ce môme sans cervelle.

À son tour, Kyle écrivit un mot à Jane : « Hier, tu m'as dit de faire d'une pierre trois coups. Un truc qui fasse de ma vie une vie *nouvelle*. C'est réussi. » Puis il le déchira. C'était un mot dicté par la rage. Il reprit une feuille : « Je serai là le 24. Je t'aime. K. »

Sa sœur comprendrait. Le 24 ne pouvait signifier que le 24 décembre. Leur rendez-vous annuel. Dans exactement neuf mois.

La douche ne lui apporta aucun bienfait. Pas plus que le temps, la réflexion et ses quelques heures de sommeil médiocre. Les choses lui paraissaient identiques à la veille. *Il faut que je la voie.*

Kyle se vêtit et songea que si rien n'avait changé, la géographie non plus n'aurait pas évolué en l'espace d'une nuit. Il téléphona à Janice, la couturière fétiche de Patsi, pour qu'elle fasse livrer la nouvelle tenue chez son luthier. Il fit son sac en trois secondes et, sans plus attendre, sans réfléchir, il se rendit directement à l'adresse de Coryn. En tournant dans sa rue, il aperçut la grande maison blanche et *no white* Jaguar dans l'allée. Il se gara à quelques dizaines de mètres, comme la veille. Allait-il téléphoner ? Il avait mémorisé leur numéro. Mais l'idée était loin d'être brillante car la voiture du Connard pourrait être rangée dans le garage et Jack n'apprécierait certainement pas d'entendre Kyle à l'autre bout de la ligne.

Il resta à ruminer un bon moment. À se demander si la jeune femme n'était pas déjà au chevet de son fils. Qu'avait-elle dit, la veille ? Rien en ce sens. Et s'il sonnait et prétendait que l'avocat avait besoin d'un renseignement… C'était aussi risqué que ridicule. Le musicien se persuada qu'il devait y avoir une autre solution. *Et pourquoi ne pas tout simplement prendre des nouvelles de Malcolm ?* se dit-il à l'instant où Coryn sortait de la maison avec la poussette. *La Chance ?* Le musicien ressentit une drôle de pointe au cœur.

Il eut la présence d'esprit de ne pas descendre mais de suivre la jeune femme à distance. Elle marcha sur deux ou trois cents mètres, puis traversa une rue en direction d'un petit supermarché. « *Merci* », dit-il à voix haute.

Il attendit qu'elle disparaisse derrière la vitrine pour sortir de la voiture non sans avoir vérifié si Jack-le-Salaud ne rôdait pas dans les parages. Un vent froid le saisit. Il s'engouffra à son tour dans le magasin. L'énorme pendule publicitaire indiquait en chiffres lumineux bleus onze heures trois et une température extérieure de 50° Fahrenheit. Il chercha la silhouette de Coryn dans les premiers rayons puis aperçut ses cheveux qui glissèrent sur le côté quand elle se baissa pour attraper un pack de yaourts.

12

— Bonjour. Comment allez-vous ?

— Oh ! Bonjour, répondit la jeune femme en regardant aussitôt autour d'elle.

Kyle comprit. Il avait eu raison de penser qu'elle craignait Jack.

— Il faut que je vous parle.

— Pas ici, murmura-t-elle.

— Où vous voulez.

Coryn hésita puis dit doucement :

— En sortant du magasin, à trois rues sur la droite, il y a un parc pour enfants. Tout au fond, vous trouverez un renfoncement avec des balançoires.

— Je vous y attends.

Il parcourut à pied – et le cœur battant – le trajet indiqué par Coryn. Il compta les rues. Traversa le parc. Les balançoires étaient effectivement à l'abri des regards. Les feuilles printanières faisaient écran au bac à sable et aux toboggans. À cette heure-ci, aucune mère de famille n'y était assise. Kyle choisit le banc du fond, le plus protégé. Il guetta les bruits. Puis éteignit son portable. Il n'aurait probablement que quelques minutes à passer avec la jeune femme et s'en voudrait de les écourter par un appel inopportun. Il releva la tête, certain d'avoir entendu le sable crisser au loin. Quelques secondes plus tard, Coryn apparut. Le vent souleva ses cheveux. Ils s'enroulèrent sur son visage et elle les écarta d'une main pour les lisser sur un côté. Elle dégageait un truc qu'il n'aurait pu décrire qu'en musique mais sa raison lui rappela que si elle lui donnait rendez-vous ici, à l'écart, c'était aussi une preuve. Elle ne voulait pas être vue en compagnie d'un autre homme. *Mais est-ce que ça veut dire qu'elle n'aime pas Jack ?*

— Bonjour, dit-elle.

Kyle se leva. Il lui tendit la main par politesse alors qu'il voulait juste la prendre dans ses bras... *Voilà.* À cette nanoseconde, exactement comme la veille, il eut de nouveau cette sensation très limpide et cette irrépressible envie de la prendre dans ses bras. *Hold you in my arms...* C'était ça qui l'avait retourné et qui le retournait encore, mais il répondit, troublé, heureux, anxieux et souriant :

— Rebonjour.

Ils s'assirent ensemble, Kyle demanda des nouvelles de Malcolm. Elle dit que l'opération qui avait eu lieu tôt dans la matinée s'était déroulée sans problème, *a priori* il n'aurait pas à subir de nouvelle intervention. Jack y était reparti tard la veille après les avoir déposées, elle et Daisy, et elle irait le relayer en début d'après-midi. Les médecins avaient assuré que son fils se remettrait rapidement.

— Je me sens coupable, dit le musicien.

— Moi aussi.

Puis elle ajouta très vite :

— C'est un accident.

Kyle la fixa. Elle soutint son regard.

— Vous voulez qu'on déjeune ensemble ?

Comme la veille, Coryn rougit et baissa la tête.

— Je ne crois pas que ce soit convenable.

— Je suis désolé. Je ne voulais pas vous mettre dans l'embarras, bredouilla-t-il, furieux contre son audace.

— J'aurais bien aimé, souffla-t-elle, surprise de son audace.

Elle leva les yeux vers lui et il se raccrocha comme il put à... ce qu'il put. La vérité. Il expliqua ce qu'il avait ressenti. Que Jack avait peut-être un « comportement non autorisé » envers elle. Elle écouta sans rien laisser paraître et ne dit rien. Alors il poursuivit :

— J'étais sur le parking de l'hôpital, hier soir, quand le jeune en rollers s'est arrêté devant votre voiture. Que s'est-il passé ?

— Jack était en colère parce qu'il était anxieux à cause de Malcolm et...

— Coryn, la coupa Kyle.

C'était la première fois qu'il disait son prénom en sa présence.

— Mon père tabassait ma mère. Il l'a tuée. C'est... Il ne put terminer. Les mots ne sortirent pas.

— Je comprends, répondit-elle, si troublée et déstabilisée qu'elle s'entendit articuler que Jack travaillait beaucoup, qu'il avait une très bonne situation, qu'il était un bon mari...

— ... il aime ses enfants et il m'aime.

— Et vous ?

— Moi ?

— Vous aimez votre mari ?

Il y eut du bruit dans les branches derrière eux et la jeune femme se leva précipitamment. Des oiseaux s'envolèrent.

— Il faut que je rentre, dit-elle.

Kyle n'osa pas reformuler la question et para au plus pressé. Il tendit la carte de Jane et expliqua ce que faisait sa sœur. Que le centre qu'elle dirigeait abritait des femmes quand elles en avaient besoin, le temps qu'elles se reconstruisent. Qu'elles y étaient à l'abri. Qu'on les écoutait et les comprenait... Coryn la prit entre ses doigts et la regarda deux secondes avant de la lui rendre.

— Vous devez me trouver déplacé ?

Elle secoua la tête.

— En d'autres circonstances, vous auriez accepté de déjeuner avec moi ?

Coryn sourit légèrement, Kyle chavira.

— Et vous m'auriez parlé de ce que vous aimez ou même d'ailleurs de ce que vous n'aimez pas ?

Elle sourit encore, en se baissant pour remettre le bonnet que la petite Daisy avait réussi à retirer. Il ajouta que, lui aussi, il aurait aimé déjeuner avec elle, et de peur qu'elle ne s'envole avec le vent, il demanda ce qu'elle préférait dans ce parc.

— Les branches de ce bouleau.

Elle s'enfuit et Kyle retomba sur le banc. Il resta immobile. Comme s'il venait de prendre une flèche en plein cœur. Coryn n'avait pas hésité. Comment une chose pareille était-elle possible ? Comment est-ce qu'on se remet de ça ?

Il ferma les yeux et attendit que le vent de mars le glace pour refaire surface. *Hold you in my arms.*

Comment est-ce qu'on se remet de ça ?

13

Coryn avait les jambes qui tremblaient comme jamais. Comment avait-elle osé tout cela en si peu de temps ? *Moi ?* Elle consulta sa montre et fit un décompte précis. Onze heures trois, elle rencontre Kyle au rayon yaourts du Sweety Market. Onze heures quarante-six, elle ouvre sa porte. Quarante-trois minutes intenses. *Les plus intenses de ma vie ?*

Elle avait poussé Daisy avec une délectation aussi douce qu'inconnue. Non, hier, elle ne s'était pas leurrée. Kyle avait senti les « choses ». Il lui avait parlé *d'elle*. Il avait vu clair *en elle*. Et… il aurait aimé déjeuner *avec elle*. Pendant quarante-trois minutes, elle avait eu une vie complètement indépendante de la volonté de Jack.

Coryn était loin d'être stupide. Elle avait bien compris que le musicien vivait avec la culpabilité de la mort de sa mère. Elle avait également compris qu'en *d'autres circonstances*, ils auraient pu déjeuner ensemble. Mais il aurait fallu un sacré nombre d'autres circonstances pour que leurs destins se nouent différemment. *Trop. Beaucoup, beaucoup trop.*

Dans cette vie-là, dans ce présent-là, ce n'était rien d'autre qu'un souhait dans le vide. Dans cette dimension-là, dans cet univers-là, la vraie vie éloignait Kyle et Coryn. Dans cette vie-là, à cette minute-là, la jeune femme voyait la détresse terrible de Kyle,

116

mais pas la sienne. Elle ne savait plus trop ce qu'elle avait dit. Ou pourquoi elle l'avait dit.

La petite Daisy gazouilla dans sa chaise haute. Coryn lui murmura que sa purée serait bientôt prête. Oui, sa réalité était là. Devant elle et dans son ventre. Elle pensa en caressant la joue du bébé qu'une porte s'était entrouverte grâce à Kyle… *Mais ce genre de porte conduit à un monde qui n'existe que dans les romans. Dans la vraie vie, ce genre de porte se referme.* Le micro-ondes ouvrit la sienne. Dans une petite heure, Coryn pousserait celle de Malcolm et *je prendrai mon fils dans mes bras.*

*

* *

Pourtant, ce qu'elle avait entrevu en l'espace de quarante-trois minutes continuerait de la hanter. Des jours entiers.

14

Kyle prit deux avions. Parcourut des milliers de kilomètres et plusieurs fuseaux horaires. Il se sentait vidé. Comme dans un cauchemar, lorsqu'on s'arrête au bord d'un gouffre noir sans fond et qu'au moindre faux mouvement, c'est la chute fatale.

— Excusez-moi, monsieur, je peux vous demander un autographe, s'il vous plaît ? C'est pour ma fille.

— Oui, bien sûr, sourit-il poliment.

Un père de famille habillé en businessman lui tendait une photo : en short hawaïen et tongs au bord de la mer, il tenait d'un côté sa femme et de l'autre sa fille.

Kyle sourit encore. Il aurait aimé être ce père, tongs et short compris.

— Elle s'appelle Coryn.

Il leva les yeux et eut un regard perdu.

— Co... Comment l'écrivez-vous ?

— C.O.R.I.N.N.E. Ma femme est française. Merci. Vous êtes un chic type.

Kyle serra la main vigoureuse et songea qu'il avait eu de la chance que ce type soit dans cet avion.

La Chance... Coryn...

Alors brusquement, les notes vinrent. D'un seul élan, il attrapa son calepin et écrivit les bases de trois mélodies. Elles sonnaient juste. Restaient les paroles, mais Kyle était trop confus pour les voir. Elles allaient devoir mûrir en lui avant une éventuelle récolte. Le cycle de la vie en somme. Mars est au printemps, n'est-ce pas ?

*
* *

Patsi n'était pas à l'aéroport et Kyle le regretta. Steve lui expliqua qu'elle avait vu rouge. Il eut une vision claire de Patsi-voyant-rouge.

— Elle dit que chaque fois que tu vas à SF, c'est la merde après.

— Je n'avais pas prévu que j'allais renverser ce gamin !

— Kyle. Cool, OK ? J'suis pas Patsi. J'aime pas gueuler pour rien. Et pour l'accident, on en discutera plus tard. En attendant, vu ta tronche, prends un taxi et va dormir.

— Tu vas où ?

— Répéter.

— Vous y êtes tous ?

Steve fixa Kyle.

— Elle est où ?

— Où ça lui chante... Mais elle nous rejoint plus tard.

— Je viens.

— Non. Tu as plus besoin de dormir que de répéter.

— T'es sûr ?

— Aussi certain que la migraine qui t'assomme.

Il s'empara de ce que son ami avait rapporté.

— J'espère que t'as pas oublié sa nouvelle tenue ?

Kyle secoua la tête, ajouta qu'il s'était débrouillé pour la récupérer et qu'il avait aussi un cadeau de la part de Billy. Une nouvelle basse qui s'annonçait comme une vraie merveille.

— Et ta guitare ?

— Mes astres se sont montrés moins cléments que ceux de Patsi.

— Va te coucher dès que tu arrives.

Steve lui mit une tape dans le dos et le chanteur partit en direction des taxis.

— Hey, Kyle ! Tiens !

Il tendit les bras pour attraper le machin que Steve lui lançait. C'était mou et poilu. Inerte. Il eut envie de le balancer loin de lui, mais Steve lui fit signe de s'en coiffer.

— Ça pèle pire qu'à Bratislava ! Depuis qu'on est arrivés, il est tombé un mètre cinquante de neige !

Les trottoirs de Moscou étaient en effet encombrés d'une neige grise et sale. Le ciel couvert se confondait avec le bitume. Kyle avait encore l'étrange impression d'être dans l'avion. Ballotté par cette espèce de sensation de mouvement qui poursuit jusqu'au fond du lit. Il n'aurait pu dire avec certitude le jour et l'heure. Le taxi roulait comme un fou. Slalomant au milieu de la route. L'estomac de Kyle se noua et il s'avança pour exiger du conducteur qu'il ralentisse. Le type haussa les épaules, baragouina un truc incompréhensible et se mit au pas. Le trajet jusqu'à l'hôtel prit plus d'une heure. Mais Kyle s'en fichait. À Moscou, il y avait forcément des gosses qui lâchaient la main de leur mère pour courir après on ne sait quoi...

À peine Kyle fut-il descendu que le chauffeur démarrait en trombe, faisant jaillir une gerbe de neige et d'eau noirâtre qu'il évita de justesse. Il s'engouffra dans le hall. Chambre 312. La suite était déserte quand il y pénétra. Il jeta ses vêtements sur un fauteuil de la chambre avant de s'effondrer sur le lit. Il était si frigorifié qu'il s'endormit avec la chapka sur la tête.

15

— Quelle heure il est ?
— Midi, dit Patsi.
Elle était assise sur un fauteuil, face à lui, les jambes croisées, ses pieds posés sur le bout du lit. Ses bottes étaient sales et humides. Mais elle n'en avait rien à battre de ce genre de détail. Elle le dévisagea pendant que lui fixait le plafond très haut et très blanc. Beaucoup plus éclatant que la neige de la veille et beaucoup moins que le lustre monumental en cristal sur lequel toutes les ampoules fonctionnaient à pleine puissance. Tout comme Patsi. Que Kyle trouva très belle. Sans le quitter des yeux, elle dit que l'hôtel datait du XVIIIᵉ siècle et que la rénovation des moulures du plafond entreprise par des artisans français avait coûté la peau du cul au propriétaire milliardaire qui trouvait utile de le mentionner sur la première page de la brochure.
— Sans parler des fresques du hall et des couloirs restaurées par des Italiens. Mais vu ta gueule, j'imagine que tu n'as pas pu les apprécier.
Kyle ne releva pas, il dit :
— Tu n'as pas dormi ici.
Elle le fixa.
— Non.
— T'étais où ?
— Je ne suis pas femme à attendre.
— Ça, je le sais déjà, Patsi.

— Pourquoi attendre quand je sais que je vais récupérer un zombie ?

— Tu penses vraiment que j'aurais pu m'abstenir d'y aller ?

— Ça changeait quoi ? T'es même pas allé à l'enterrement.

— Fallait que je me rende à San Francisco.

— Réponse à la con, Kyle. Je répète : ça changeait quoi que tu y ailles ? Jane aurait très bien pu régler les papiers à ta place. Elle a ta procuration.

— Il fallait que je voie de mes yeux son nom sur la tombe.

— Comme si c'était urgent.

— Patsi, merde ! On n'a pas raté de concert ! On n'a rien manqué…

— Non. Mais tu reviens avec ta gueule des bons jours.

Kyle attrapa la chapka qui traînait à côté de lui et la lui lança. Elle s'en coiffa et dit qu'il serait professionnel de répéter un minimum avant le concert de ce soir.

— T'étais où ? redemanda-t-il.

— Où ça me chante, comme a dû te le dire Steve. Et ça ne regarde que moi.

— Je vis avec toi.

— Je vis avec une ombre, répondit-elle du tac au tac.

Kyle s'abstint de rebondir. Elle avait raison. Depuis quand n'avaient-ils pas eu d'échanges ? De réels échanges ? Oh ! Bien sûr, le sexe marchait entre eux. L'alchimie de leur travail, aussi. Mais à cette minute, en disant qu'elle vivait avec une ombre, Patsi appuyait du doigt sur le truc précis qui s'était insidieusement glissé entre eux quand ils se retrouvaient tous les deux. En tête à tête. Kyle préférait le silence à l'opposition. Elle préférait les clashs et les réponses aux questions auxquelles il savait que répondre était dangereux. Alors oui, par moments, dans certaines circonstances, Kyle devenait l'ombre de lui-même. Et la musicienne n'aimait pas donner des coups dans le vide. Elle se leva.

— Si tu m'avais écoutée, tu ne serais pas allé à l'enterrement et t'aurais pas renversé ce gosse. *Forcément.*

Kyle se redressa.

— Patsi, je t'en prie. C'est la dernière chose que j'aie envie d'entendre.

— Moi aussi, figure-toi. J'espère seulement que les parents ne vont pas nous faire une pub mortelle.

— C'est pas le genre.

Il n'était pas offusqué. Il était normal que Patsi pose la question. Elle parlait au nom des autres et résumait le gros de leurs conversations pendant son absence. Il sortit du lit et fila dans la salle de bains. Elle le talonna.

— Je crois que ces gens ne savent pas *qui* on est et ce qu'on fait. On n'existe pas pour eux, dit-il.

Patsi eut un regard surpris. Kyle lui répondit par miroir interposé.

— Ça remet les pendules à l'heure. Et ça nous arrange par la même occasion.

Elle fit demi-tour et dit qu'elle rejoignait les autres.

— Fais-moi monter un café.

— Merde !

Après sa douche, Kyle enfila deux pulls, ramassa le chapeau abandonné par terre et gagna la suite de Steve qui faisait toujours office de salle de réunion. Un bilan s'imposait. La fresque colorée du très long couloir s'imposa. Des angelots grassouillets assis sur des nuages encore plus grassouillets livraient un drôle de combat avec des diablotins rococo sous le regard d'une jeune bergère et d'un chasseur en collant à la tignasse rousse et frisée. Kyle songea que les restaurateurs italiens avaient de l'appétit parce que les joues de la jeune fille étaient plus rondes et roses que des pêches. Son estomac se noua pour réclamer une tasse de café brûlant. Il activa le pas et enfila la chapka.

*
* *

Les trois autres membres du groupe regardaient un débat politique russe, les bras croisés et les yeux dans le vide. Excepté Patsi dont les pieds étaient également croisés sur la table basse.

Kyle s'installa dans le fauteuil libre et raconta. Tout. Tout ce qu'il n'avait pas évoqué par téléphone. Il fut précis sur les détails. Sur le vert du blouson de Malcolm et sur ses chaussettes Spider-Man ornées d'une belle araignée bleue sur fond rouge. Il parla du sergent O'Neal et de sa ceinture qui devait lui étouffer les intestins. De l'odeur âcre qui régnait dans la salle où les infirmières lui avaient pompé un litre de sang. Tout. Sauf ce qu'il avait ressenti pour Coryn. Ce qu'elle avait chamboulé au fond de lui. Ça, c'était classé secret défense. Un dossier immergé au fin fond d'un couloir de son cœur, sans nom inscrit dessus. Un dossier qui n'appartenait qu'à elle et à lui. *Notre secret.*

— Et pourquoi il a lâché la main de sa mère, ce sale môme ? lança Jet.

— Il dit qu'il a vu un écureuil. Mais le flic a trouvé une balle.

— Le gosse est un menteur ? demanda Patsi.

— On se fout de savoir après quoi il a couru.

— Tu veux dire : « tu » te fous de savoir après quoi le môme a couru, corrigea-t-elle en montant d'un ton.

— On n'a qu'à liquider tous les écureuils de la terre, comme ça les mômes ne seront plus en danger, intervint Steve pour tenter une diversion.

— Putain, Steve !

— Quoi ? Pourquoi faut-il toujours que tu gueules, Patsi ?

— Parce que tu t'imaginais que, là, je...

— La presse ne sera pas informée, coupa Kyle, si c'est ce qui vous tracasse. Le sergent O'Neal m'a assuré qu'il serait discret.

— Et le personnel hospitalier ?

— Je n'ai pas distribué de photos dédicacées et personne en dehors du flic...

— Qu'en pense Chuck ? coupa Jet.

Le chanteur ne répondit rien mais les regarda un à un. Il songea aux chaussettes de Malcolm et sut ce qu'il aurait dû faire envoyer. Steve reprit la parole :

— Chuck pense gros chèque.

— Il n'est pas question que vous soyez impliqués. J'étais seul dans cette voiture. Vous pouvez imaginer ce que vous voulez, mais aussi malheureux que ce soit, c'était juste... un putain d'accident. Et, quand bien même la presse s'en emparerait, il n'y aurait rien de scandaleux à dire. J'étais à jeun, et d'après les conclusions du flic, il y avait peu de chances que je puisse l'éviter. Chuck sait ce qu'il a à faire. Je lui fais confiance.

— Donc pas de procès.

— Non. *A priori* pas.

— *A priori* ? insista Patsi.

— C'est dans l'intérêt de personne. Cet accident me concerne. Point barre.

Leur interrogatoire et leurs divagations ne choquaient nullement Kyle. Un groupe, c'est une entreprise. Avec une image à respecter, des réunions, des confrontations et des débats pour avancer ensemble.

— Bon. Si maintenant on parlait des choses qui *nous* concernent, conclut Jet en virant les pieds de Patsi. T'as pas dit que tu avais eu deux ou trois idées ?

— Si.

— Fais voir un peu ce qui t'est passé par la tête.

Kyle partit à grands pas récupérer son calepin dans sa chambre. Il revint avec sa guitare. Il s'installa sur une chaise et joua le premier morceau qu'il avait composé dans l'avion. Puis les deux autres.

— T'as écrit ça où ? demanda Steve.

— Dans l'avion. On peut en tirer quelque chose, d'après vous ? demanda-t-il, inquiet.

— Le un, oui, affirma Patsi en se levant. Le deux, peut-être. Mais le dernier, rien. Trop, *troooop* triste. Non, *troooop larmoooooyant*.

— Je ne suis pas d'accord, dit Jet. J'aime bien les deux premiers. Le trois... le trois mériterait un bon... lifting.

— Lifting poubelle ! Ou chiotte, confirma Patsi. Moi vivante, je ne jouerai jamais ça.

Les autres ne relevèrent pas mais se sourirent avec connivence et amusement. Les « moi vivante » de leur collègue, ils les connaissaient par cœur. Tous. Ils en avaient des rayons entiers. « Moi vivante, je ne porterai jamais de rose. Excepté sur mes grolles », « Moi vivante, je ne ferai jamais la cuisine et encore moins la lessive », « Moi vivante, je ne repasserai jamais une fringue en dehors des miennes »...

— Et toi, Steve ? demanda Kyle en se tournant vers le sage du quatuor.

— J'aime bien les trois morceaux. *Même* le trois. Je pense qu'on peut tirer un truc de ce...

— Steve, t'es une gonzesse.

— Pas encore. Mais je pense *aux* gonzesses. C'est le genre de musique que les nanas aiment. Enfin les « normales », pas les Patsi-qui-nous-bassine-de-ses-moi-vivante-depuis-des-années...

Elle lui balança un sourire à faire tomber un régiment et annonça qu'ils avaient de la chance qu'elle ait plus d'humour que la plupart des nanas dites « normales » et qu'il était temps de se mettre en route. Que l'heure passait et que le concert de ce soir ne reculerait pas. Ils se tournèrent vers Kyle.

— Ça ira. Je suis en forme.

— Reprends une douche et un litre de café.

— Je crois que j'ai surtout besoin de manger, dit-il.

— Tu as envie de quoi ?

— M'en fous. Du moment que ça cale. Vous avez mangé quoi de bon ?

— Des raviolis froids ! répondirent-ils en riant.

— Il en reste ?

Tous se préparèrent pendant que Kyle avalait à la va-vite un truc qu'il avait fait monter de la cuisine. Il aurait presque préféré une boîte de raviolis à cette espèce de bouillie de viande indéfinissable et de pommes de terre infâmes.

— Dis voir... demanda Steve en se penchant vers son oreille quand ils se retrouvèrent seuls dans le couloir.

— Quoi ?

— Tout à l'heure, quand Jet t'a demandé ce qui t'était passé par la tête, il s'est gouré, ça t'est pas passé par la tête. Mais par le cœur.

— C'est une question, Steve ?

Il sourit.

— Depuis quand j'ai besoin de te poser des questions ?

— Tu crois que c'est exploitable ?

— Ça l'est.

— Patsi ne sera jamais d'accord.

Steve rit.

— Depuis quand on ne se branle plus des « Moi vivante... » de Patsi ? Allez, grouille ! Ils nous attendent.

16

Le compte à rebours avait commencé. Dans quelques minutes, il serait *l'heure*. Chacun des membres suivait son rituel de préparation avant la montée sur scène. Chacun respectait celui de l'autre. Steve lisait paisiblement dans un fauteuil à l'écart. Le livre était le même depuis leurs tout débuts et personne n'avait jamais pu obtenir de lui s'il le relisait encore et encore ou s'il faisait semblant. Ses réponses variaient d'un jour à l'autre, si bien qu'ils avaient cessé de le harceler. Quand Steve avait décidé de se taire, il pouvait être plus muet qu'un mort. Et tout aussi têtu que Patsi qui, elle, irradiait. Qu'elle ait dormi dix heures ou zéro, avant chaque concert, elle exultait dans une nouvelle tenue. Elle exigeait deux miroirs en pied pour admirer son n'importe-quoi-élaboré-avec-précision, de face comme de dos. *La scène est ma vie.* Plus l'heure avançait, plus elle était sereine, alors que Jet paniquait à l'idée de ne pas avoir suffisamment de baguettes de rechange. Comme si une chose pareille était possible. Comment des cartons remplis de baguettes neuves auraient-ils disparu ? Il en vérifiait la qualité sous toutes les coutures et, en supplément de celles qui étaient placées sous son tabouret sur scène, il en glissait toujours une paire dans sa poche arrière.

— Il faut toujours vérifier sa roue de secours pour le cas où...

— Pour le cas où quoi, Jet ?

— Ben, *pour le cas où*, s'énervait-il.

Oui, pour être capable d'affronter la foule, le batteur avait besoin de cet épisode de nervosité et de vérifications, quand Kyle au contraire faisait entièrement confiance aux autres. Il savait que ses guitares seraient préparées selon ses consignes. Posées à leur emplacement exact. Avant l'explosion, il restait assis sur le perpétuel canapé des loges et se massait les tempes en fermant les yeux. Il se repassait l'ordre des chansons, se demandant s'il les savait encore. Et s'il se trompait de notes ? *Si j'avais un trou ?* Kyle faisait confiance aux autres mais paniquait, en silence, quand il s'agissait de lui. Et pour se calmer, il visualisait une porte. *La* porte. Celle qui le conduisait au vide absolu. Il n'avait aucune idée de la façon dont il s'y prenait, mais, dans ces moments d'extrême concentration – même plongé au beau milieu de la nervosité des autres –, il parvenait à trouver un chemin pour atteindre l'endroit sombre et vide où il pouvait tout oublier.

L'itinéraire était toujours le même. *La* porte était située juste après la peur de ne pas être capable de faire le show. Selon les jours, la peur était un sas de transition ou un combat à mener. Mais dans tous les cas, en dépassant cette terreur, Kyle Jenkins devenait *le* Kyle-Mac-Logan-des-F... L'homme de scène. Qui ne vivait que pendant les deux ou trois heures de spectacle.

Et comme quasiment tous les soirs, Migraine s'était invitée. En pleine extase. Elle déversait sa douleur. Il connaissait les règles du jeu et savait qu'elle l'irradierait de façon violente jusqu'à la seconde où il poserait un pied sur la scène. Où là, par miracle, elle disparaîtrait. Peut-être partait-elle bavarder avec la Peur ou bien s'installait-elle dans le public pour écouter et profiter du spectacle ? Puis, satisfaite – ou non, d'ailleurs –, elle revenait « chez elle » jouir de sa place de lunatique.

Steve regarda sa montre et tapa dans ses mains à la façon d'une maîtresse d'école. Les trois autres avec le même réflexe se suivirent dans les sous-sols labyrinthesques de la salle moscovite. Ç'aurait pu être n'importe quelle salle de la planète. Tous les sous-sols se ressemblent. À croire que sous terre, tous les architectes du monde n'ont qu'une seule et même idée.

Comme de coutume, Steve ouvrait la marche à grandes enjambées pendant que Patsi et Jet parlaient, chahutaient et riaient. Le chanteur se plaçait toujours en dernier, silencieux. Concentré. Avec l'impression de parcourir des kilomètres dans les entrailles de béton avant de se faufiler, comme un clandestin, vers les bras de la liberté.

Quand l'obscurité se faisait totale au bout d'un couloir, ils savaient qu'il ne restait que l'éternel escalier métallique avant la scène. Kyle n'entendait pas ses chaussures résonner sur les marches, mais seulement les battements de son cœur jusqu'à ce que les applaudissements et les cris éclatent avec l'apparition de Jet et de Steve. Ils couvraient tout le reste. Patsi attendait dix secondes avant d'apparaître les mains levées vers le ciel. Elle déchaînait des hurlements jubilatoires, saisissait sa basse et faisait jaillir des notes placées à sa façon. Alors entrait Kyle. D'un regard et avec une joie aussi profonde qu'infinie, Kyle Mac Logan embrassait la foule. À elle seule, cette seconde durait une éternité et suffisait à expliquer pourquoi il faisait ce métier. *Juste pour ça.* Cet instant de magie pure, cette rencontre unique entre l'attente de milliers de cœurs et l'énergie qu'il avait à donner.

Il glissa jusqu'à son micro qu'il saisit d'une main et brandit de l'autre sa guitare.

— Bonsoir Moscou ! Est-ce que vous allez bien ?

Des hourras et des cris les enveloppèrent. Jet frappa ses baguettes trois fois et le show s'enflamma. Il suffirait d'un regard échangé avec Patsi, Jet et Steve pour allonger à souhait un morceau. Pour moduler ce qui avait été prévu et partager à quatre l'imprévu et l'intensité du présent. La musique les faisait fusionner. Peut-être plus encore, certains soirs. *La liberté est sur scène.*

Ce soir-là, à Moscou, personne ne soupçonna ce que Kyle avait sur le cœur et dans le cœur. Lui ne cessa de ressentir le mouvement des cheveux de Coryn qui glissaient sur ses épaules... Il ferma les yeux un peu plus que de coutume, sa voix fut plus grave et il s'accrocha à son micro plus fermement. Pour ne pas dériver... *Puisque chavirer, c'est déjà fait.*

Il sut qu'il avait rarement atteint une telle intensité d'émotion. Pour être à ce niveau-là, le travail ne suffisait pas, le talent et l'harmonie non plus. Il fallait que certaines blessures personnelles s'ouvrent plus profondément et le transportent dans une autre dimension. Le concert de Moscou fut presque mystique. Et devint mythique. Il s'était passé un truc qui le lendemain fut qualifié d'exceptionnel par la presse. Les journalistes écrivirent que le spectacle avait été « un moment de grâce. Mémorable. Le groupe atteint une sorte de maturité et explore avec subtilité des pistes nouvelles. Kyle Mac Logan est définitivement un géant ». Le journaliste avouait ne pas trouver d'autre qualificatif pour retranscrire ce qu'il avait vécu.

Même Patsi en quittant la scène avait senti la différence. Elle avait glissé à l'oreille de Kyle que, finalement, aller à San Francisco lui avait été bénéfique. Il l'avait rattrapée par le bras.

— Et si on avait un enfant ?

— Qu'est-ce qui te prend ? T'es malade ? avait-elle dit en s'écartant.

Puis elle s'était immobilisée, inquiète et paniquée.

— Je suis sérieux, Patsi. Épouse-moi et donne-moi un enfant.

Elle avait eu un drôle de sourire et avait murmuré qu'elle réfléchirait... D'ordinaire, elle ne réfléchissait jamais avant de donner sa réponse ou son avis. À la vérité, elle était si stupéfaite qu'elle n'avait pas pensé à demander pourquoi. Pas encore.

Peut-être que ce soir-là, Kyle aurait dit la vérité. Il lui aurait avoué qu'un enfant le lierait à elle pour la vie. Il aurait une bonne raison de ne plus jamais penser à Coryn.

Mais était-ce une bonne raison ?

17

L'avocat de Kyle traita avec celui que Jack avait sollicité en douce. Conclusion : il n'y aurait pas de procès. Dans les faits, Malcolm avait causé l'accident. C'était bien lui qui avait traversé sans regarder au beau milieu de Maine Street, en dehors du passage pour piétons. Il avait été prouvé que Kyle n'aurait pu l'éviter. Que sa vitesse et sa trajectoire étaient normales. Chuck Gavin avait clairement expliqué qu'un procès ternirait la carrière américaine de M. Brannigan de façon définitive et qu'il avait plus à perdre que le chanteur. Jack avait pesté derrière les murs de la belle maison mais accepté les voitures, les puzzles et la figurine de Spider-Man, ainsi que l'argent versé par ce connard de musicien. Il le plaça sur le compte de son fils. Il aimait être réglo avec les chiffres. Il était comme ça. Juste, généreux et, en même temps, quand sa femme ne portait pas sa progéniture, il lui collait des pains. Il pouvait vivre avec « ça » sans que « ça » le perturbe.

Il demandait pardon, pas vrai ? Il offrait des cadeaux, pas vrai ? Ses cours d'éducation religieuse lui avaient appris que le pardon fait du bien à *tout* le monde. *Au pardonné comme au pardonneur*, disait sa mère. Ce truc était resté en lui comme une vérité qu'on se transmet de génération en génération.

— Pardonne-moi, mon amour. Je t'aime. Oh ! Si tu savais comme je t'aime. Je mourrais sans toi,

Coryn. Je ne le fais pas exprès. C'est à cause de toi, tu le sais bien. Je t'aime, je ne recommencerai pas... Bla bla bla, bla bla bla, bla bla bla... Je t'offre ces perles...

Combien de fois Coryn avait-elle pardonné à tort ? Assurément, trop. Elle avait ignoré la petite voix qui susurrait que tout « ça » c'était de la connerie. Car il est des choses et des individus qui ne changent jamais. Jack n'en avait nullement l'intention. Il demandait un nouveau pardon à chaque nouvelle gifle. Un peu comme l'on s'acquitte du prix de quelque chose... Un peu comme s'il n'y avait pas de conséquences aux actes...

Comment Coryn aurait-elle pu envisager sa vie ainsi ? Une succession de grossesses, de tartes dans la gueule, de coups dans le ventre, de jambes écartées, de questions précises, le tout mêlé de douces promesses, de cadeaux, de confort haut de gamme ? C'était tout simplement impossible. Pourquoi ? Parce que les choses sont progressives et ne se déroulent jamais hors de leur contexte. Les journées se succèdent les unes aux autres et chacune apporte son petit truc qui construit une histoire bourrée d'horreurs. Demain reste porteur d'espoir. D'autant que pendant les grossesses de Coryn, Jack se comportait normalement. Enfin, les coups ne pleuvaient pas. Il laissait échapper des mots. Des mots abominables mais moins douloureux que son poing dans l'estomac, puisque la jeune femme ne les écoutait pas.

Et puis, il y avait le chamboulement hormonal et émotionnel intense de la naissance de ses enfants. Toutes les joies quotidiennes. Leur odeur. Leurs petits bras autour de son cou. Leur peau contre la sienne. Leurs sourires... Les promesses de Jack, son amour... Coryn savait qu'elle était isolée, dépendante et à la merci de son mari. Mais elle ne s'était jamais demandé s'il était *normal* d'accepter « ça ».

Pourtant, sensible et fine comme elle l'était, elle aurait dû se douter que les choses ne cesseraient pas et que Jack promettait ce qu'il ne pourrait jamais tenir. Seulement, y croire aurait sonné comme une condamnation irrévocable... Il y avait les enfants. Et maintenant, il y avait la voix de Kyle demandant : « *Vous aimez votre mari ?* »

Valait-il mieux écouter un Jack qui promettait ce qu'il était incapable de tenir ? Ou un Kyle qui lui demandait de déjeuner avec lui et qui ne pourrait pas le faire ? *Qu'est-ce que ça veut dire de déjeuner avec un inconnu ? Est-ce que ça veut dire qu'il aurait eu envie de me tenir dans ses bras ?*

18

Coryn résista plusieurs mois. Puis, un jour où Malcolm était en classe et Jack en visite chez des clients à Los Angeles, elle poussa la porte de la bibliothèque du quartier, fila au rayon musique et trouva rapidement les CD des F... Elle donna une pile de livres illustrés à la petite Daisy qui s'émerveilla et s'assit dans un des fauteuils. Elle prit le premier disque au hasard, le plaça avec soin dans l'appareil et appuya sur « play ». Chez elle, à Birginton, elle adorait écouter de la musique... Ses parents et ses frères adoraient ça aussi. En particulier quand elle hurlait plus fort qu'eux. Mais pas Jack... *Non, pas Jack. Surtout ne pas penser à Jack, maintenant.*

Coryn garda les yeux ouverts et écouta attentivement. Avec toute sa concentration. Elle ne savait pas trop si elle entrait dans la musique ou si c'était la musique qui vivait en elle. Elle sourit, changea de CD lorsqu'une dame aux cheveux blancs assise un peu en retrait s'approcha.

— Une fois, j'ai entendu un personnage dans un film dire : « C'est ça, la beauté de la musique. On ne peut pas te l'enlever[1]. » C'est drôlement vrai, n'est-ce pas ?

---

1. Voir 2., dans les notes et remerciements, à la fin du roman.

— C'est joliment dit, rétorqua la jeune femme blonde, mal à l'aise d'avoir été surprise.

La vieille dame lui toucha la main.

— À mon âge, malheureusement, on perd la mémoire et on ne se souvient pas où on a lu ou entendu les choses. Au début, j'étais très déçue d'être trahie par mon corps. Et puis finalement, je me suis convaincue que ce n'était pas si important que ça. Ce qui compte, c'est ce qui se passe là, dit-elle en posant sa main quelque part vers son estomac. Je vous souhaite une belle journée, madame. Et un beau bébé à venir...

Coryn confia que c'était pour le mois prochain et la vieille dame la salua avec une grâce élégante. La jeune femme se demanda, un court instant, si elle avait rêvé cette apparition. Ou non. Elle consulta sa montre. Le temps s'était enfui à toute allure. Ne restait qu'une chanson. Elle appuya sur « play » et retint son souffle dès qu'elle entendit les notes que Kyle avait fredonnées à l'hôpital.

Est-ce que j'aime Jack ?

Elle retira son casque. Elle ne pouvait écouter la suite. C'était trop. Beaucoup trop, et des larmes montèrent. Ces saletés de larmes qu'elle contrôlait en permanence. Elle qui pensait n'avoir de pouvoir que sur ses propres larmes, voilà maintenant qu'elles la submergeaient. Alors elle se pinça le nez et inspira pour les refouler dans le plus profond des abîmes.

19

La jeune femme blonde remonta les rues en direction de sa maison en poussant Daisy. Le vent de ce matin ressemblait à s'y méprendre au vent du printemps. Au vent de mars. La météo à San Francisco est déroutante... Elle gomme les saisons comme Coryn avait cru qu'il était possible d'oublier le musicien.

Pourquoi suis-je entrée dans cette bibliothèque ?

Comme elle s'en voulait ! Tant d'efforts pour *rien*. Absolument rien. Des journées entières à taire son cœur pour aller se noyer dans son propre chagrin. Elle n'aurait jamais dû entrer. *Oh ! Je n'aurais jamais dû...* Puis brusquement, Coryn se plia en deux. Son ventre devint aussi dur que la pierre.

Déjà ?

*
* *

En fin d'après-midi, quand Jack atterrit à San Francisco, il ralluma son portable et constata qu'il avait reçu quatre messages. Dont un de Katy, leur voisine. *Pourquoi cette grosse vache me téléphone ?* Réponse de la grosse vache :

— Bonsoir Jack ! Je vous appelle pour vous prévenir que Coryn est partie en urgence à la maternité. Vous allez de nouveau être papa ! Félicitations ! Oh !

J'oubliais de vous dire que Malcolm et Daisy sont chez moi. Ne vous inquiétez pas, je les ferai dîner !

Il récupéra sa voiture et fila dare-dare à l'hôpital.

*
* *

— Pourquoi tu n'as pas appelé toi-même ?

Jack venait d'entrer dans la chambre 432. Avant même de demander si le bébé allait bien ou comment sa femme se portait, il posa cette maudite question chargée de mots inappropriés et Coryn eut un sombre pressentiment.

— Je n'ai pas eu le temps. C'est arrivé très vite.

Elle s'empressa d'ajouter que c'était une deuxième fille. Qu'elle attendait qu'il soit là pour lui donner un prénom. Jack prit subitement conscience que le bébé était dans un berceau à côté du lit. Il se pencha pour regarder la petite qui dormait les poings serrés contre sa bouche.

— Elle est brune comme moi, mais elle est belle comme toi.

Coryn frissonna. Elle pria de toutes ses forces pour que la petite ne lui ressemble pas plus tard.

— Christa ? C'est toujours ça ?

Elle hocha la tête.

— Tu étais où quand ça t'a pris ?

Voilà. C'est reparti. Elle choisit ses mots avec prudence et se remémora rapidement ses faits et gestes. Avait-elle rencontré qui que ce soit qui pourrait la trahir ? La petite vieille aux cheveux blancs, bien sûr. Mais Jack n'était jamais entré dans une bibliothèque de toute sa vie.

— Daisy n'arrivait pas à s'endormir, alors je suis sortie pour la promener avant d'aller chercher Malcolm. Et mon ventre est devenu dur.

— Tu étais où ?

— Près de l'école.

139

— Pourquoi tu ne m'as pas appelé ?

— Tu étais à Los Angeles !

— Oui. Mais pourquoi tu n'as pas appelé ?

— Je n'ai pas pu, Jack. Quand je suis arrivée chez nous, je ne pouvais quasiment plus marcher. Par chance, Katy m'a vue. Elle a téléphoné aux secours. C'est allé très très vite. J'ai perdu les eaux avant même d'arriver.

Jack soupira et demanda pourquoi Christa était née en avance.

— Comment veux-tu que je le sache ?

— Pour les deux autres, tu avais dépassé le terme. Je ne pouvais pas me douter en partant ce matin que tu allais accoucher dans la journée.

— Je le sais, Jack. C'est comme ça, elle va très bien.

La petite grogna et le nouveau papa l'attrapa dans ses bras.

— J'aurais bien aimé que ce soit un garçon.

Coryn se figea. *Oh non ! Plus d'enfant.* Elle ne voulait pas devenir comme sa mère. Elle n'avait pas encore trente ans et avait *déjà* trois enfants !

— Je *veux* un autre garçon, affirma son mari comme s'il avait entendu ses pensées.

Coryn murmura « oui, Jack », les yeux baissés.

— Ils te gardent jusqu'à quand ?

— Je peux sortir après-demain matin.

— Je serai là à neuf heures. Elle pèse combien ?

*
* *

À dix heures quarante-huit, Coryn poussa la porte de la grande maison blanche sans regarder le miroir. Jack ne demanda jamais comment l'accouchement s'était passé ni si les douleurs avaient été plus supportables que les précédentes. Katy sonna aussitôt, ramenant Malcolm et Daisy. Ils lui parurent immenses. Devant l'amabilité de son voisin, la grosse vache ne s'attarda pas mais prit le temps de s'enquérir de la violence des contractions.

— Juste pour me rappeler d'être prudente et de ne pas oublier ma pilule ! dit-elle en caressant la joue de Christa.

Jack écouta sans entendre. Il s'octroya trois jours de congé et la vie reprit son cours.

La jeune femme blonde ressentit encore de vives douleurs dans le bas-ventre. Plus intenses que les fois précédentes. Mais elle n'y fit pas attention. À l'hôpital, on lui avait dit que ça pouvait arriver pendant les premiers jours post-délivrance. Sauf que cette souffrance persista et devint intolérable quand Jack la força le lendemain soir. Elle lâcha un cri qui réveilla le bébé et contraria Jack. Il se leva pour attraper Christa et la porta dans les bras de sa femme. Avec un regard de reproche. Puis, en une fraction de seconde, Coryn vit qu'il se reprenait. Il déposa un baiser sur la joue de la merveilleuse-petite-princesse-qui-ressemblait-de-plus-en-plus-à-sa-maman et murmura à l'oreille de sa merveilleuse-petite-femme :

— C'est bon de te retrouver.

Il contourna le lit de nouveau, se coucha et ronfla à la seconde. Heureux et satisfait. Christa finit de téter. Elle aussi s'endormit aussitôt. Coryn, non. Son ventre lui faisait horriblement mal. De plus en plus mal. Même lorsqu'elle se leva pour aller aux toilettes. Ce fut pire au moment où elle s'allongea. Une violente douleur la traversa et elle sentit une chaleur humide se déverser en cascade entre ses jambes. Coryn n'eut que le temps de déchirer l'épaule de son mari avant de sombrer.

Les secours conduisirent la jeune femme aux urgences du SF General Hospital où Malcolm avait été opéré. Elle perdait beaucoup de sang. Elle flottait entre deux mondes et sentait sa vie filer entre ses doigts. *Non, pas maintenant. Je ne veux pas...* Un médecin avec des lunettes rondes en métal se présenta. Il expliqua qu'il lui injectait un produit pour l'anesthésier. Qu'il ferait effet dans une ou deux minutes. Qu'elle pouvait compter à rebours avec lui. Il dit « 20, 19, 18... » mais Coryn ne compta pas. Elle vit Kyle demander : « *Et vous ?* » Puis son propre reflet dans les lunettes du médecin. Elle était l'autruche que Jack avait gagnée au tir à la carabine et, si le néant ne l'avait pas engloutie, elle aurait répondu :

— Non, je n'aime pas Jack comme j'ai rêvé d'aimer.

20

Patsi réveilla Kyle. Il faisait encore nuit. Des klaxons hurlaient au loin dans une ville dont il n'avait aucune idée du nom. Ni de celui du pays ou du continent sur lequel ils avaient joué la veille. Car ils avaient donné un concert. Ça... il le savait. Mais à quelle heure étaient-ils rentrés ?

— Je ne veux pas d'enfant.

— Quoi ?

Il ne savait pas, non plus, s'il était en plein cauchemar ou violemment projeté dans la réalité. Mais une chose était certaine, Patsi était debout, à moitié à poil, les bras croisés sur sa poitrine, et le fixait droit dans les yeux.

— Je réponds à ta question.

— Mais quelle question ?

— Celle que tu m'as posée à Moscou.

— Patsi ! Je dors !

— Eh ben, réveille-toi.

Elle s'assit à ses côtés et le secoua sans ménagement.

— Écoute-moi bien. *Je n'aurai pas d'enfant*. Et je n'en adopterai pas.

Kyle se redressa.

— Pourquoi ?

— Je ne veux pas qu'un connard l'écrase le jour où il me lâchera la main pour courir après un putain d'écureuil. Je serais une mère indigne, insupportable, ingérable, irresponsable. Tu me vois, Kyle ? Regarde-moi. *Moi !* J'ai bien réfléchi. C'est tout simplement impossible.

— Et moi ? Si j'étais capable d'être un bon père ?

Patsi lui prit la main.

— Tu es *Kyle Mac Logan*. Tu fais partie des F... Tu es en permanence plongé dans tes musiques, dans tes pensées, dans ton monde où je ne veux pas que tu m'entraînes... Où est-ce que tu caserais un gosse ? Sois honnête ! Reconnais-le !

Kyle se laissa retomber sur son oreiller et regarda le plafond.

— On est sur la route quatre-vingt-dix pour cent du temps, poursuivit-elle. Où mettrais-tu un enfant ? Je ne descendrai pas de scène pour aller l'allaiter et je ne laisserai ma place à personne, tu entends !

Elle s'allongea près de lui. Posa sa tête sur son épaule et ajouta que oui, elle avait *très bien réfléchi.*

— Un gosse. C'est pas possible. Ni pour toi. Ni pour moi. Enfin si on ne change pas de vie. Et moi, en aucun cas je ne le ferai.

Il savait que Patsi n'avait pas tort. Elle n'avait pas que des qualités, mais elle était authentique et réaliste. Sûre de ses choix. C'était même pour ça que Kyle l'avait aimée. Elle n'avait atterri dans son lit que lorsqu'elle l'avait décidé. Elle avait dit qu'elle ne promettait rien. Ni sur la durée. Ni sur rien...

— Quand j'en aurai marre de toi, je me casserai.

— Ça ne marche pas toujours comme ça, avait-il répondu alors.

— Si. Je l'affirme. On couche. On se casse. On s'aime. On reste un moment. Puis on se casse. C'est la roue qui tourne.

— Et « toujours », ça n'existe pas pour toi ?

— Non. Enfin si. C'est possible quand tu tombes amoureux à quatre-vingt-dix ans et que tu as un cancer généralisé.

144

— Je ne suis pas d'accord.

— Ce sont les stats. Les « toujours » ont *toujours* une fin. Ne serait-ce que parce qu'on crève...

— Je te prouverai que le « toujours » existe.

— Si tu savais comme je m'en fous !

21

Kyle remercia Patsi de son honnêteté. Elle s'endormit sur-le-champ comme toutes les nuits pendant qu'il restait à contempler le plafond de cette chambre dont il ne savait toujours pas à quelle ville elle appartenait. Des ombres se formaient au gré des phares des voitures qui passaient. Comme les nuages en plein jour, elles dessinaient des visages et des formes cauchemardesques. Il se tourna vers la fenêtre, mais leur chambre se trouvait au vingt-deuxième étage. Ça, il en était sûr. C'était lui qui avait appuyé sur le bouton de l'ascenseur en rentrant. À cette hauteur, aucune chance pour qu'un arbre vienne le récupérer dans ses branches. Il repensa au bouleau du parc de Coryn.

Puis… à la jeune femme blonde.

Le « toujours » existe-t-il ? Putain, qui sait si Patsi a raison ? Ses pensées divaguèrent indéfiniment et il supplia Migraine de le distraire. Mais telle une maîtresse capricieuse, elle joua les invisibles. Ne restait que Coryn… *Et s'il n'y avait qu'elle ?*

Peut-être avait-elle déjà accouché ? Son ventre renflait son pull, mais Kyle n'aurait pu dire de combien de mois elle était enceinte. Il n'avait aucune idée sur la question. Tout ce qu'il savait, c'était que l'accident

avait eu lieu le 23 mars et qu'aujourd'hui c'était...
Quel jour, merde ? Il fixa le plafond sans moulure. Il
était plus bas et plus moderne que celui de Moscou.
Les meubles de la chambre aussi. Ça, il le voyait. Il
ressentit la douceur de cette nuit quand le taxi les
avait déposés. *On est en juin.* Mais le jour lui échappait toujours. Quatorze. Quinze. *Seize ?* Il n'y avait
pas de notes de musique qui s'appelaient ainsi. Des
enfants, non plus. Serait-ce un garçon ou une fille ? Il
se demanda ce que ça faisait d'accoucher. De porter
un enfant. Il aurait vraiment aimé en avoir un, oui.
Pourtant ce n'était ni raisonnable ni possible. Coryn
n'était pas une option raisonnable... *Ni possible.*

22

Cette nuit-là, plus que toutes les autres, Kyle eut envie de la voir. De voir ses yeux, de plonger dans son regard. Quand il s'avoua enfin qu'après tout ce temps les choses n'avaient pas évolué d'un pouce et qu'il avait encore cette irrésistible envie de la tenir dans ses bras, il s'endormit. Pour se réveiller en sursaut une heure plus tard. Couvert de sueur. Ses visions cauchemardesques le quittèrent dès qu'il ouvrit les yeux mais le malaise perdura. Lui laissant la très désagréable impression d'être entouré de sang. Comme si la mort approchait. Kyle s'assit pour évacuer les images et se frotta les tempes. Il aurait voulu que Patsi se réveille. Mais elle dormait calmement à côté de lui, la tête enfouie sous les draps, laissant juste dépasser quelques mèches rousses ébouriffées.

Le jour allait bientôt se lever. Kyle sortit du lit et s'approcha de la fenêtre. Le soleil apparaissait timidement derrière des nuages de pluie. Des enseignes de toutes les couleurs brillaient dans les rues. Des enseignes avec des idéogrammes. Il se souvint tout à coup. *Je suis à Osaka.* Il enfila son jean et le T-shirt qui traînaient sur le fauteuil puis resta à contempler le ciel. Plus aucune étoile n'était visible, et pourtant elles n'avaient pas fui de l'autre côté de la galaxie. Elles étaient bel et bien là. Seul l'environnement était différent. *Non, les choses n'ont pas changé.*

Et ce cauchemar ne le quitterait pas. Il avait toujours eu un sommeil léger, difficile, parfois entrecoupé de rêves abominables. Ils étaient comme Migraine. Il ne luttait plus contre eux puisque ça ne servait à rien.

Il avait déjà rêvé de cris dans le vide, de hurlements muets, de meubles brisés, de la classique chute depuis une falaise, de coups, mais rarement de sang. C'était inhabituel. *Pourquoi du sang ?* Il consulta la montre que Patsi avait laissée sur le comptoir. Cinq heures du matin à Osaka. Midi à San Francisco. Il composa le numéro de Jane qui répondit à la première sonnerie. Elle était au volant et lui demanda de ne pas couper pendant qu'elle se garait. Elle entendait son frère aussi clairement que s'il avait été assis sur le siège passager.

— Tu as mal à la tête ?

— Non.

— À ta voix, soit tu n'es pas couché, soit tu n'arrives plus à dormir.

Kyle ne parla pas du cauchemar. Sa sœur aurait été inquiète.

— Quel temps à San ?

— Enfin meilleur. Vous êtes toujours en Asie ?

— Osaka précisément.

— Quelle veine !

— Viens.

— Dans une autre vie.

Il resta silencieux et Jane se lança. Elle se doutait bien de la raison pour laquelle il appelait. Quand il se taisait ainsi, elle savait ce que ça voulait dire. Elle trouvait déjà qu'il s'était montré extrêmement patient. D'ordinaire, pour tout autre sujet, Kyle l'aurait harcelée sans cesse.

— Dan continue ses rondes, tu sais. Il a traîné ses guêtres dans le quartier le soir et la journée et, *a priori*, il n'a rien constaté d'anormal.

— Tant mieux, dit Kyle. Tu le remercieras de ma part.

— Je n'y manquerai pas.

— Et toi, ça va ? enchaîna-t-il.

— Oui. Plutôt pas trop mal.

— Oh ! Une étape serait-elle franchie ?

— Ce soir, Dan me présente aux futurs beaux-parents de sa fille Amy.

Kyle émit un long sifflement.

— Waouh ! C'est une officialisation, ça !

— Ça y ressemble.

— Tu es heureuse ?

— Ouais, souffla-t-elle. Comme une adolescente qui va rencontrer la famille de son copain.

— Il y aura l'ex de Dan au mariage ?

Jane laissa passer une brassée de secondes. Qui pesait une tonne. Qui avait le poids exact de ce qu'elle avait consenti pour vivre son amour avec Dan. Le fait d'avoir été sa maîtresse, le divorce éprouvant toujours en cours, les exigences d'Arla qui ne voulait pas que ses enfants mettent un pied dans La Maison...

— Elle ne veut pas me voir depuis sa place à table et, finalement, je trouve que c'est une bonne idée.

— C'est pour quand ce mariage ?

— Dans deux semaines ! Et je n'ai pas encore choisi ma tenue ! D'ailleurs, j'étais en route...

— Tu féliciteras Dan pour sa fille et tu le remercieras aussi pour ses rondes. Il n'a pas prévu de les arrêter ?

La voix de Kyle eut un truc qui ne surprit pas Jane. Elle faillit lui dire qu'il vaudrait mieux qu'il oublie Coryn... mais s'abstint. *Toujours savoir la boucler à temps.*

*
* *

À Osaka, le jour franchement levé promettait des nuages. Kyle ferma les yeux, le cauchemar avait la vie dure. Il fit défiler son répertoire. S'arrêta à la lettre S. Descendit au SF General Hospital. Fit partir l'appel. Puis raccrocha en toute hâte comme si Patsi l'avait pris sur le fait. Il se resservit du café et but une longue gorgée. Il resta debout à hésiter... À peser le pour et le contre... Il consulta de nouveau la montre. *Midi dix*. Le courage ne lui manquait pas tant que ça d'ordinaire. Il était plutôt direct. Posait des questions claires. Pourquoi hésiter et perdre un temps capital quand on sait que la vie est toujours courte – même quand elle est longue ? Alors il posa sa tasse et rejeta sa mèche, s'empara de nouveau de son téléphone. Appuya sur le dernier numéro composé et une opératrice répondit. Il demanda à parler à Mme Coryn Brannigan.

— Quelle chambre ?
— Je ne sais pas.
— Quel service ?
— Maternité, je crois.

La communication fut lancée et avant que Kyle ait le temps de réfléchir à ce qu'il faisait, une seconde personne lui redemanda le numéro de la chambre. Il répondit qu'il ne le connaissait pas. La femme annonça que sur ses listes des patientes de la journée, elle n'avait personne à ce nom. Il allait raccrocher, mais elle l'informa qu'elle le transférait en gynécologie.

— On ne sait jamais. Il arrive qu'on manque de lits en maternité et qu'on place nos patientes en gynéco. Ne quittez pas, s'il vous plaît. Oh ! Vous savez quand madame Brannigan a accouché ?

— Ces jours-ci.

Réponse idiote, se dit Kyle, désemparé. Pourtant l'infirmière ne fit aucun commentaire et bascula l'appel. Une fois encore, il resta suspendu à son téléphone. Sans penser. Surtout, il ne fallait pas qu'il raisonne. Une troisième femme – qu'il imagina, au son de sa voix, vieille et fatiguée – le fit de nouveau patienter. Il répéta ce qu'il avait précédemment énoncé et entendit le cliquetis des touches. Enfin la voix annonça avec le même ton plat :

— Vous l'avez ratée de peu. Madame Brannigan vient de rentrer chez elle.

— Elle a accouché ?

— Ça, monsieur, je ne peux vous le dire. Je vois juste sur mon écran qu'elle a quitté notre service dans la matinée.

Kyle s'empressa de dire qu'il était un ami très proche et qu'il n'arrivait pas à la joindre parce qu'il travaillait à l'autre bout du monde, à Osaka et que... La dame n'écouta pas la fin.

— Je ne devrais pas vous le dire, mais votre amie est arrivée pour une hémorragie.

— Une hémorragie ? répéta-t-il, stupéfait. Après son accouchement ? Et le bébé ?

La femme hésita un instant puis dit que l'enfant et sa mère se portaient bien.

— Vous en êtes certaine ?

— Monsieur, nous ne laissons sortir les gens que lorsqu'ils sont guéris !

— Merci. Merci beaucoup.

Le musicien s'empressa de raccrocher avant qu'on lui demande son nom. *L'enfant et sa mère se portent bien.* Il ne put retenir un sourire. Il avait toujours pensé que les échanges entre les hommes ne se résumaient pas qu'à des paroles. À des gestes. Ou encore à des regards. Que les communications n'étaient pas uniquement synonymes de réseau routier, téléphonique ou d'Internet. Était-ce ce qu'il avait dit, le ton qu'il avait employé, ce que cette femme avait en elle ou bien l'alchimie de tout cela qui l'avait poussée à lui confier cette information ?

Comme tout le monde, Kyle n'avait pas besoin de preuve mais adorait en recevoir. Et voilà bien une preuve que, malgré la distance, Coryn et lui restaient liés. Il se dit que si seulement il n'avait pas raccroché à sa première tentative, il aurait pu entendre sa voix. *Et puis quoi ?*

Et puis une terreur le saisit, et si Jack apprenait qu'il avait appelé ? Kyle regarda l'horizon et sentit, exactement comme lorsqu'il sentait sa musique, que le Connard ne le saurait pas. *Jamais.*

23

Coryn avait oublié sa barrette dans la chambre qu'elle venait de quitter. À l'instant où elle s'en rendit compte, elle planta son mari devant les portes de l'ascenseur et partit la rechercher à grands pas dans le dédale des couloirs. Jack cria, elle répondit qu'elle revenait tout de suite. Elle passa devant le comptoir des infirmières. On l'interpella.

— Madame Brannigan ?

— Oui, dit Coryn en se retournant.

— C'est bête, je vous croyais déjà partie.

— Oh ! J'ai oublié quelque chose dans la chambre.

— Si j'avais su, j'aurais dit à ce monsieur, à votre ami, précisa-t-elle, de patienter.

— Mon ami ?

Aucun ami – ni aucune amie – ne l'appelait jamais. Même pas ses parents qui attendaient qu'elle téléphone.

— Votre ami d'Osaka.

— Oh ! rougit Coryn. Merci.

L'infirmière leva les sourcils.

— Il voulait savoir si vous aviez accouché et j'ai dit que…

— Oh ! Ce n'est rien, la rassura Coryn en partant aussi vite qu'elle le put en direction de la chambre qu'elle avait occupée. L'esprit trop agité pour calmer son cœur. *Mon ami d'Osaka…* Elle remercia saint Oubli d'avoir fait en sorte qu'elle laisse sa barrette

– et surtout d'avoir abandonné Jack derrière elle avec la valise, Daisy à la main et Christa dans les bras. Elle poussa la porte et se dirigea vers la table de chevet. Elle extirpa le dernier magazine du tiroir du bas. Page trente-deux. La photo était légèrement floue, Coryn la trouvait parfaite. Elle avait été amusée que la bibliothécaire de l'hôpital lui donne *ce* magazine-là parmi un choix impressionnant.

Elle avait tourné les pages en lisant chacun des articles, elle avait regardé les dossiers mode et s'était demandé à quoi elle ressemblerait dans des tenues aussi bizarres qu'élégantes. Elle avait esquivé les recettes de cuisine – *par pitié, pas de recettes...* – pour tomber sur une photo. Ses mains étaient devenues moites. Voilà comment Kyle travaillait. La photo montrait les F... sur scène. On apercevait la foule qui levait des milliers de bras. On voyait la passion et l'énergie du concert.

Elle avait lu le reportage consacré au groupe. Elle avait appris quand et comment il s'était formé. Et quand le succès les avait touchés du doigt. Elle avait regardé les quelques photos de leur ascension, avait lu que Kyle et Patsi étaient « ensemble » depuis quatre ans. Elle l'avait trouvée magnifique. Patsi respirait la liberté, et la jeune femme blonde se surprit à envier la jeune femme rousse.

D'ailleurs, elle enviait toutes celles qui savaient s'imposer. Elle se demandait où elles trouvaient le courage dont elle manquait cruellement. Oui, Coryn avait envié Patsi pour ça. Et pour tout un tas d'autres raisons... *Forcément.*

Elle avait dissimulé ce magazine avec d'autres dans le dernier tiroir de la table de chevet coincée derrière le berceau de Christa. Elle avait bien conscience que c'était un petit acte de résistance – *de liberté ?* – qui était plus facile que de taire ce qui résonnait en elle. Le bien comme le mal. La musique comme les cris.

Si Kyle avait la chance d'avoir son talent, sainte Nature avait doté Coryn d'une excellente mémoire... *C'est mon seul vrai cadeau de la vie*, se disait-elle secrètement. *Et quel cadeau ! Je ne sais rien oublier.* Elle refusait de voir sa beauté parce qu'elle la considérait comme responsable de son destin. Elle croyait que si elle avait été un peu moins belle, ou même carrément moche, son père n'aurait pas eu à la marier si jeune à Jack... Les choses auraient été différentes. Elle aurait eu un petit copain gentil avec qui elle se serait installée à Birginton. Ils auraient eu un enfant. Peut-être un deuxième. Elle aurait continué à travailler au *Teddy's*. Elle aurait ri des blagues des cuistots et organisé des soirées avec ses copines. Oui, elle aurait eu des amies avec qui elle aurait vidé des pintes de bière. Elle serait allée voir des concerts... *Je n'aurais pas rencontré Kyle.*

Coryn jeta un regard par la fenêtre. *Quelle vie...* pensa-t-elle, ne sachant pas trop si elle évoquait celle du musicien ou la sienne. *Quel temps fait-il à Osaka ?* À San Francisco, le vent fouettait les arbres. Elle attacha rapidement ses cheveux en une espèce de chignon et jeta un dernier coup d'œil à la photo. Elle sourit en relisant la légende. « Concert pharaonique des F... à Singapour. Le groupe terminera sa tournée asiatique à Osaka. » Ils étaient donc arrivés. *Quelle heure est-il à Osaka ?*

Elle ne se demanda pas pourquoi Kyle avait téléphoné. Seul comptait qu'il l'ait fait. Oui, il avait appelé et lui avait demandé de déjeuner avec lui. *Peut-être est-il mon seul ami ?*

24

Le musicien posa son téléphone et resta cloué sur le canapé. Il attrapa sa guitare débranchée et la tint contre lui. Il joua dans le vide. Il joua ce qu'il avait écrit dans l'avion. Le morceau « trois ». Ce truc était bon. Il le savait. Il était juste et il savait pourquoi il ne plaisait pas à Patsi. Ce matin, Kyle s'en moquait. Une seule et unique pensée l'empêchait d'avoir mal à la tête : *Coryn va bien.*

*
* *

S'il existait dans l'univers un comptable chargé de relever le nombre de fois où, à des milliers de kilomètres de distance, Coryn et Kyle avaient « senti » l'autre, il aurait eu le tournis en faisant l'addition finale.

Tous les deux rêvaient de l'autre comme d'être avec l'autre. Mais tous les deux se le refusaient. À leur façon. Avec leurs propres mensonges.

Ils ne voyaient qu'un monde d'« impossibles » entre leurs vies et pourtant un pont avait été jeté. D'une manière ou d'une autre, leur rencontre avait engendré des liens puissants. Déstabilisants. Terribles. Si... tentants. Cette femme avait poussé Kyle dans ses retranchements et cet homme avait ouvert une brèche chez elle.

25

Coryn rejoignit Jack qui, toujours planté là où elle l'avait laissé, demanda sèchement pourquoi elle avait mis autant de temps. Elle répondit qu'elle avait dû chercher la barrette partout dans la chambre.

— Qu'est-ce qu'elle a de particulier ?

— Malcolm me l'a fabriquée pour la fête des Mères ! dit-elle sans ajouter le « tu ne te souviens pas ? » qui lui démangeait les lèvres.

Mais ce genre de remarque aurait assurément vrillé les nerfs fragiles de son mari.

La jeune femme blonde retrouva leur maison avec les choses à leur place habituelle. Aucun soignant n'avait demandé ce qui s'était véritablement passé, puisqu'une révision utérine avait été réalisée dans l'urgence à son arrivée à l'hôpital. Tout le personnel s'était concentré sur l'évolution positive de la situation et le bien-être de l'adorable bébé comme celui de sa maman. Coryn n'avait rien dit non plus...

Son mari revint tous les samedis soir avec des fleurs fraîches. Il offrit à sa belle une montre avec deux diamants incrustés à l'extrémité des aiguilles. Elle la trouva moche, mais remercia. Jack évita les relations sexuelles comme l'avait fermement ordonné le médecin. Il se montra patient... *Forcément.*

Il attendit les six semaines indiquées. Pas un jour de plus, et se rattrapa. Exigea de nouveau que sa femme-au-visage-de-poupée-et-à-la-peau-de-velours se soumette. Pour la première fois de toute sa vie, elle pria sainte Fécondation avec toute l'énergie possible pour ne plus *jamais* tomber enceinte et, un soir d'extrême courage, un soir où elle repensa à la photo de Patsi sur scène, Coryn dit « pourquoi ? » quand Jack mit la radio en marche en déboutonnant son pantalon.

Sans plus d'explications, il l'attrapa par les cheveux et l'envoya se fracasser contre le mur opposé de la cuisine. Coryn tomba à genoux. Sa lèvre supérieure se déchira sur ses incisives, laissant échapper une goutte de sang rouge sombre. Elle explosa sur le carrelage immaculé. Suivie de dizaines d'autres gouttelettes. Jack s'agenouilla. Implora son pardon. Avec une douceur infinie, il éponge a le sang et articula clairement au milieu d'un torrent d'excuses qu'elle lui appartenait et que *parce qu'elle* lui appartenait, il pouvait *tout* décider de sa vie. Pour son bien.

— Je ne voulais pas te faire de mal, mais tu m'y as obligé. Je t'en supplie, pardonne-moi. Oh ! Mon amour, si tu savais comme je t'aime.

Coryn dissimula sa coupure sous son rouge à lèvres, baissa un peu plus la tête dans la rue et dit à Malcolm qu'elle s'était cognée en voulant ramasser une cuiller. Son fils sourit et repartit jouer. La jeune femme songea qu'il n'avait rien vu, au lieu de penser qu'elle lui avait menti. Et le quotidien reprit son cours. Elle ne demanda plus jamais « pourquoi ». Ne dit plus jamais « non ». Les choses restèrent désespérément identiques et la jeune femme attendit que les journées meurent.

Jusqu'à quand... ?

26

Les F... profitaient de quelques jours de relâche dans un hôtel au bord de la splendide plage de Palm Beach près de Sydney. Il leur restait quatre jours avant de remonter sur scène en Thaïlande. Depuis deux nuits, Patsi avait mis les voiles chez « une amie », laissant Kyle seul dans sa luxueuse chambre.

— Parce qu'on finit par se marcher sur les pieds dans ces piaules ! Parce que tu me fais chier ! Parce que je suis de l'avis de Steve et de Jet, j'ai envie de m'installer à Londres.

— J'ai dit oui ! avait-il lancé.

Elle l'avait fixé droit dans les yeux.

— Tu dis oui, mais tu penses non.

Sur ce, elle avait claqué la porte. Peut-être était-ce Londres qui la gonflait ? Peut-être était-ce autre chose ? Comme dans toute relation, les choses commencent à déraper quand A veut un truc dont B ne veut pas entendre parler *alors que* pour A c'est capital. Les conseillers matrimoniaux appellent ça un bug naturel dû à la routine du quotidien. De n'importe quel quotidien. Les psys disent que c'est lié à un différend plus profond qui ressurgit dans un moment d'endormissement des sentiments. Les sexologues expliquent qu'une série de dessous en dentelle noire pour Madame seraient la solution ou éventuellement un voyage à Venise avec des valises remplies de sex toys et autres délices. D'autres expliquent, preuves à l'appui, que, de toute façon, c'est la faute de leurs mères respectives. Les plus sages, comme Steve, concluent par un réaliste « *shit happens* » résumant efficacement la situation.

Leur producteur, Mike Beals de Crank Label, avait récemment proposé de mettre à leur disposition exclusive le mythique studio The River de Londres qu'il venait d'acquérir. Ce qui était extrêmement tentant. Les musiciens auraient là toute la liberté nécessaire pour créer à leur guise.

Kyle avait été le seul à émettre des réserves.

— Mais on a déjà tout !

— Non. Il nous manque le temps. Chaque fois qu'on enregistre, on se plaint du manque de temps. Combien de fois on a prié pour avoir notre propre lieu ? avait rappelé Jet.

— Ça me plaît bien, cette pression. J'aime travailler avec cette espèce d'urgence.

— T'as pas toujours dit ça, Kyle !

— …

— Je t'entends encore gueuler que t'aurais fait mieux si tu avais eu plus de temps !

— Peut-être... Et pourquoi on ne deviendrait pas carrément producteurs...

— Tu es prêt à t'en occuper ?

Kyle et Jet s'étaient tus. S'étaient fixés. Patsi, qui appliquait sa troisième couche de vernis rouge, avait soufflé sur ses doigts et regardé Steve. Jet s'était tourné vers lui.

— Toi qui sais compter au-delà de trois zéros, avait lancé Jet avec impatience, rappelle à notre coéquipier ce que le contrat de Londres représenterait s'il devenait une réalité.

Steve avait soupiré. Il détestait qu'on le mette en position d'arbitre. Mais il avait repoussé sa casquette à carreaux en arrière, placé ses mains dans ses poches et, sur le ton le plus neutre possible, avait résumé :

— Travailler à Londres représente la liberté de créer à notre guise et aussi pas mal de dollars en plus.

— On sera payés en dollars ?

— Kyle ! Putain, avait réagi Jet, tu le fais exprès ? Faudrait être con pour refuser une offre pareille !

Le musicien avait interrogé Steve du regard.

— Moi aussi, je suis partant. Je mentirais si je disais que je n'en rêve pas.

— Ouais. Mais de là à s'installer définitivement où ça caille...

— Ça caille pas plus qu'à San.

— Y a pas l'océan à Londres.

— Y a la Taaaamise, avaient répondu les deux garçons en chœur.

— Tu parles d'un océan !

— Merde, Kyle ! Crank nous offre un studio ! *Rien que pour nous*. Et tu sais quel studio, n'est-ce pas ?

— Financièrement, on est méga-gagnants, avait insisté Jet.

Exceptionnellement, Patsi avait gardé le silence pendant toute la conversation. Kyle avait touché ses bottes à talons vertigineux du bout des siennes. Elle mâchait son chewing-gum et éclatait ses bulles avec fracas, les yeux fermés. Elle n'avait pas soulevé les paupières quand il avait dit :

— On pourra y aller vraiment *quand* on veut ?

— Ouais. C'est dans le pré-contrat que tu n'as pas lu, dit Steve.

— Vous l'avez très bien fait pour moi apparemment, avait-il rétorqué, regrettant aussitôt ses mots et le ton qui les avait emportés trop vite.

— Il ne tient qu'à toi de t'intéresser à notre évolution, Kyle, avait repris Jet, cinglant.

— C'est pas « à nous », mais on aura les clés de façon permanente. Si ça peut te rassurer, c'est écrit noir sur blanc. Là. Tu peux vérifier.

Steve avait pointé son doigt sur la liasse de papiers qui trônait sur ses genoux. Kyle aurait juré qu'il l'avait apprise par cœur.

— Et si on a envie d'enregistrer ailleurs ? Dans d'autres pays ? Si l'inspiration ne vient pas dans leur putain de studio ?

— J'vois pas pourquoi ! T'as toujours dit que tu te foutais de l'endroit où tu créais ! Qu'est-ce qui te prend ?

Patsi avait soulevé ses faux cils d'une tonne. Les avait fusillés du regard en tirant sur ses boucles avec agacement.

— Il a que c'est *loin* de Jane, avait-elle lancé en crachant son chewing-gum dans la poubelle.

Elle s'était levée. Avait traversé la pièce et était sortie sans claquer – exceptionnellement – la porte. Jet et Steve avaient fixé Kyle. Ils le comprenaient, mais comprenaient également la musicienne. Elle ne savait rien concernant Coryn mais avait, cependant, très bien assimilé que San Francisco avait encore des résonances.

— Ben, on dirait que ça chauffe en ce moment.

— J'sais pas si ça chauffe ou bien si ça refroidit.

— Moi je dis *shit happens*. Point barre, avait asséné Steve.

— Ce serait pour quand ?

— Quand on veut, Kyle. Mais septembre semble le moment idéal. On entamera une série de dates européennes.

— Et ta Lisa ? Qu'est-ce qu'elle en pense ?

— Lisa tourne deux films par an et adore Londres, avait rétorqué Steve. Quant à Jet...

... Il leur avait adressé un doigt d'honneur qui se voulait un point final. Le batteur venait de mettre un terme à cinq ans de « problèmes » et n'avait aucune intention de rouvrir le dossier.

Steve avait raison. Ils passaient le plus clair de leur vie sur les routes ou dans les avions. Kyle, lui-même, en arrivait à ne plus savoir les lieux et les dates. À cet instant, si on lui avait posé la question, il aurait eu un véritable doute sur la couleur des meubles de sa cuisine à Los Angeles. Enfin, de la cuisine de la maison qu'il avait achetée avec Patsi et où, apparemment, elle n'avait plus envie de foutre les pieds. Londres ou Los Angeles ne faisait finalement pas beaucoup de différence. Il répondit que Londres était *la* ville de *la* musique.

— T'en profiteras pour revoir ta garde-robe, s'était réjoui Steve avec un regard vers Jet.

Tous les deux avaient eu le même rire que lorsqu'ils sortaient du lycée et qu'ils filaient à la plage avec leurs guitares et leurs surfs. Tous les deux avaient cédé à la mode, à ce que la fille qui les accompagnait leur faisait porter. Tous les deux, mais pas Kyle. Il enfilait ce qui lui tombait sous la main. Les miroirs, c'était comme les photos ou les articles, il ne les regardait jamais. Ça prenait trop de temps… À quoi bon s'attarder sur ce qui ne peut être changé de toute façon ?

À vrai dire, cette fuite du temps l'obsédait en permanence. Même à trente ans, il trouvait qu'une vie ne serait jamais assez longue pour *tout* voir et *tout* faire, *tout* ce dont il rêvait. Et pourtant… lui avait de la chance. Il en avait conscience. D'autres étaient moins gâtés. *Et Coryn ?*

*
* *

— Kyle ! Putain ! Lève-toi.

— Quoi ? Qu'est-ce qui se passe ?

Steve se tenait à cinquante centimètres de lui. Sa carrure immense semblait combler toute la chambre.

— Mike Beals est arrivé pour la signature.

— Merde ! dit le chanteur en s'éjectant d'un bond du lit.

— Patsi est dans ma piaule. Le café, aussi.

Kyle enfila son jean, son T-shirt blanc, ses Converse.

— Elle... ? demanda Kyle.

— ... a pris un coup de soleil. *Shit happens* ! dit-il avec un clin d'œil.

Kyle emboîta le pas à Steve. Le couloir vert vif lui sauta aux yeux comme s'il le voyait pour la première fois. Le short à fleurs de son ami, aussi. Patsi était en grande conversation avec Mike Beals. Ils riaient. Elle ne jeta pas un seul regard dans la direction de Kyle qui attrapa la tasse tendue par Jet. Tous prirent place autour de la table. Mike relut avec eux le contrat. Le chanteur ne posa aucune question. Ils signèrent et sortirent déjeuner dans un restaurant sur la plage. Le soleil était aussi énergique que le vert vif du couloir. Le jeune homme ne quitta pas ses lunettes de soleil et se maudit d'avoir mis un jean. Les autres se moquèrent de lui.

— Ce n'est pas moi qui programme des dates dans cette région du monde à cette période de l'année.

— À propos de dates, la prochaine fois, Mike, ne nous colle pas un trou d'une semaine dans *cette* région du monde, lança Patsi.

— Pourquoi ? Ils n'ont pas la bonne crème solaire ?

27

Patsi réintégra leur chambre et leur lit. Ils firent l'amour. Sans un mot. Sans une explication. Ils refirent leurs bagages et reprirent des avions pour jouer encore. Le travail leur réussissait mieux que les jours *off*.

*
* *

Jane trouva que Londres représentait une chance formidable.

— Ça ne t'empêchera pas de revenir à Noël, n'est-ce pas ?

— Non.

— Tu as l'air fatigué.

— Je rentre du boulot.

— Et tu ne dors pas...

— Comment s'est passé le mariage d'Amy, au fait ?

Jane évoqua le sourire radieux de Dan tandis qu'il donnait le bras à sa fille et le regard assassin d'Arla dans les toilettes lorsque les deux femmes s'étaient malencontreusement croisées. Le menu de bon goût, le dernier Woody Allen qu'elle avait adoré et, comme toujours depuis ces derniers mois, sans que Kyle pose la question, elle l'informa des rondes ponctuelles dans la rue de Coryn.

— Il l'a vue sortir de chez elle avec ses trois enfants. RAS, Kyle.

Il n'ajouta rien et se dit que Londres était donc une bonne option. Même une excellente. Elle l'éloignerait de San Francisco et de la tentation, les jours de solitude... Les jours de vent dans les branches... Parce que le cauchemar ensanglanté d'Osaka n'avait toujours pas été balayé. Si bien que, de temps à autre, le rouge sombre, presque noir, revenait. Identique. Angoissant. Froid. Kyle n'arrivait pas à le mettre en musique pour s'en débarrasser. Pas plus qu'il n'arrivait à parler à Patsi. Le courage lui manquait. Il avait l'estomac noué et peut-être perdu deux ou trois kilos. Le musicien aurait tant voulu être un homme bien. Sans se forcer. Être *naturellement* bien. Mais ces derniers temps, il avait cette désagréable impression de n'être... *qu'un type qui attend et qui n'a pas le cran de parler franchement à Patsi. Ou à Coryn.*

Pourtant, quitter Patsi, était-ce à ce moment envisageable ? La réponse tenait en trois petites lettres. N-O-N. Et appeler Coryn l'était encore moins. Son intuition déroula la flopée de mauvaises raisons. Il y avait d'abord la liste des numéros appelants détaillés clairement sur les factures, les horaires de Jack, les questions qu'il pourrait poser sur tel indicatif ou tel autre, les conséquences des questions... Kyle ne pensait qu'à la protéger. À la tenir dans ses bras. Appeler la mettrait en danger.

Oui. Si Londres était une chance, il y avait cependant une chose que Kyle Mac Logan n'arrivait pas à remettre en question. Ce qu'il avait ressenti à propos de Brannigan.

Quoi qu'ait pu dire Coryn dans le parc.

28

Quand Jack revint en début d'après-midi ce jour-là, Coryn trembla en entendant la voiture se garer dans l'allée. Elle se précipita auprès de Christa et la réveilla pour qu'elle tète. Comme un rempart. La petite se laissa faire, surprise. Elle regarda sa mère et sourit. *Mon Dieu, comme je t'aime*, pensa Coryn.

Son mari ouvrit la porte de la chambre, vainqueur. Il brandissait des documents au bout de sa main tendue. Pourtant, ce fut son sourire que Coryn vit en premier.

— Devine un peu ce que c'est ?

— D'ici, je ne vois pas.

— Ces cinq morceaux de papier sont en réalité cinq billets d'avion.

— Oh ! murmura-t-elle, abasourdie.

— Tu ne demandes pas pour où ?

— Si. Si.

Jack plongea ses yeux dans ceux de sa femme.

— Alors, dis-le.

Coryn prit sa respiration. Aujourd'hui, Jack avait envie de jouer. Si quelqu'un lui avait demandé quand avait commencé ce drôle de jeu, elle n'aurait su dire si son mari l'avait instauré dès le début ou bien si elle ne s'en était rendu compte que récemment. Mais dans tous les cas, elle n'avait pas d'autre choix que d'y participer. Alors elle demanda :

— Quelle est notre destination ?

— Londres et Brighton.

— Vraiment ? Londres...

Elle entendit Jack annoncer qu'il était le « meilleur vendeur de l'année » de tout le réseau mondial de la marque Jaguar. Il allait être décoré officiellement à Brighton pour le congrès annuel.

— J'ai gagné. Et je vous emmène avec moi.

— Nous tous ? demanda-t-elle avec une inflexion dans la voix qu'elle regretta aussitôt.

Jack tira le pouf et s'assit en face de Coryn. Il caressa sa joue et sa nuque.

— Tu n'imagines pas que je vais te laisser *seule* dans ce pays de sauvages. Vous venez avec moi et nous en profiterons pour voir la maison de mes parents.

— Nous allons y dormir ?

— Coryn ! Tu sais très bien qu'elle est louée.

Les yeux de Jack ne disaient pas que sa femme était idiote, non, ils attendaient qu'elle demande *où* ils allaient dormir.

— Où allons-nous loger ?

— Dans un très bel hôtel.

Coryn prit soin d'articuler la question à mille points que son mari voulait entendre.

— Lequel ?

Jack récolta les points et sourit.

— À Londres, le Barley House, celui que tu trouvais si beau.

— Oh ! Le Barley House, répéta Coryn sans quitter les yeux de Jack qui attendaient maintenant la question à dix mille points.

La jeune femme la voyait clairement danser dans le noir de ses iris. Elle eut une fulgurante envie de ne pas la poser et d'affirmer « Formidable ! J'irai voir mes parents et mes frères ! » Mais ce genre de rébellion pouvait faire très mal. Alors, comme une gentille petite femme, elle demanda avec un joli point d'interrogation qui lui noua la gorge :

— Est-ce qu'on pourra rendre visite à ma famille ?

— On pourra, effectivement.

Coryn sourit. Elle y mit tous les points qu'il attendait. Il embrassa ses lèvres.

— Tes parents n'ont encore jamais vu les filles. Et Malcolm est si grand maintenant.

Et puis, exactement sur le même ton, il ajouta : « Tu me pardonnes ? » Coryn dit « oui ». Ces trois petites lettres valaient deux millions de points. Elle baissa la tête pour gazouiller la bonne nouvelle à Christa. Jack dut s'agenouiller pour voir les yeux de sa merveilleuse-petite-femme. Il était aussi sûr de lui que lorsqu'il avait demandé sa main... Coryn élimina aussitôt toute idée de rébellion parce que *je n'ai pas assez de cran pour changer de vie*. Elle remercia son mari.

— Nous partons quand ?

— Dans deux semaines.

— Malcolm va rater l'école.

— Et alors ? Il sait déjà lire et compter !

— Tu veux l'annoncer à sa maîtresse ou tu veux que je le fasse ?

Jack dit que c'était à lui de s'en occuper et partit sourire aux lèvres dans son bureau. Coryn eut la subite envie de voir son visage et ce qu'il avait dans les yeux quand il était seul. Puis elle se reprit et pensa à ses parents. Elle eut un frisson. N'était-ce pas eux qui l'avaient mariée à Jack ? Le meilleur pour elle. Qui se révéla le pire. Pourtant, la joie de revoir Timmy l'emporta. Oui, si Londres était une récompense pour son mari, pourquoi ne serait-ce pas un cadeau pour elle ? *Revoir Timmy sera mon cadeau, j'ai tant à lui raconter.*

29

Quand le Boeing de la famille Brannigan se posa sur le sol anglais, celui de Kyle venait d'arriver de Bangkok peu de temps auparavant. Pour une raison mystérieuse et qui agaça quatre-vingt-dix-sept pour cent des passagers du vol de Coryn, ces derniers furent contraints de patienter dans leur avion. Certains, comme Jack, exigèrent de descendre sur-le-champ.

On fit semblant de les écouter, cependant ils ne furent invités à sortir que lorsque l'équipage eut reçu le feu vert de l'aéroport. Tous se dirigèrent vers la douane de manière accélérée. Des enfants pleuraient. Des femmes âgées menaçaient de porter plainte et des hommes d'affaires juraient qu'ils résilieraient leur abonnement annuel. Mais pas Malcolm, Daisy ou Christa. Ils avaient hérité de la patience de leur mère et savaient attendre. Ils suivirent en silence le flot jusqu'à l'Immigration où, brusquement, les passagers du vol San Francisco-Londres aperçurent une foule survoltée plus loin, de l'autre côté des vitres. Très vite, il fut question de « star »…

Les précédentes revendications s'évanouirent, remplacées par de la curiosité. Des noms passaient de bouche en bouche. Coryn entendit Sharon Stone, Angelina Jolie et même George Clooney. Tous cherchaient à savoir *le* nom pour pouvoir le répéter de toutes les façons possibles et imaginables. Ce fut impossible, les agents officiels restèrent muets. Ils invitèrent courtoisement les passagers à récupérer leurs bagages.

— Quelle bande de cons ! lança Jack en poussant Coryn devant lui. Attends-moi là avec les enfants.

Elle obéit. Elle était de plus en plus stressée à l'idée de revoir sa famille.

Depuis que son mari lui avait annoncé leur voyage, elle avait élaboré mille plans pour se préparer à toutes les déceptions possibles. Les joies... Pas besoin de les réviser. On peut les accueillir par surprise. Mais les anti-joies... Mieux vaut les anticiper pour les digérer. C'est comme les claques dans la gueule. Les plus dures sont celles qu'on n'a pas vues venir.

Jack reparut avec le chariot chargé de toutes les valises. Y compris la poussette double qu'il ne déplia pas parce que le bébé dormait profondément dans les bras de Coryn. Il chargea Malcolm, puis Daisy qu'il installa confortablement entre les jambes de son frère, et la famille franchit la douane en un temps record. Jack les laissa seuls pour aller récupérer les clés de la voiture *auprès de l'imbécile qui est incapable de brandir sa pancarte correctement* ! Le meilleur vendeur avait été gratifié de la plus grosse. De la plus belle. De la plus blanche. *Et de la plus introuvable.*

La jeune femme demeura avec les enfants et les bagages dans le hall, trop contente de s'asseoir cinq minutes. Elle se sentait subitement exténuée. Ces deux dernières semaines, elle n'avait pu dormir plus de deux heures d'affilée. Et à cet instant, avec le décalage horaire, elle avait les jambes coupées. Daisy dormait à moitié sur son frère, *qui dans deux minutes va faire de même*, songea Coryn quand, au loin dans l'aérogare, des cris et des piétinements retentirent de nouveau. Des policiers, des agents, des badauds entouraient... *Entouraient qui ?* Elle pensa un instant à Kyle et à son groupe, mais chassa aussitôt cette pensée. *Ridicule. Mais romantique.*

Malcolm demanda ce qui se passait. Elle caressa sa joue et dit en se penchant vers lui qu'elle ne savait pas. Ses lourds cheveux glissèrent dans son dos...

Et Kyle eut l'impression – non, à la vérité, il aperçut entre les épaules qui faisaient écran une chevelure blonde, longue et fluide. Il s'immobilisa. Un des géants qui les cernaient posa une main sur son épaule et le contraignit à avancer. *Que ferait Coryn ici ?* se dit-il en souriant intérieurement. *Ridicule. Mais romantique.* Il eut un pincement à l'estomac. *Je viens ici pour ne plus penser à elle et, à la première fille aux cheveux blonds, je me dévisse le cou.*

30

On avait réservé pour le champion des vendeurs de voitures la meilleure suite dans l'hôtel extrêmement confortable qu'il avait « exigé ». *Pour ma femme.* Coryn remercia Jack de son attention, défit les valises et le regarda partir au bureau de Londres. Il avait évidemment refusé qu'elle aille seule chez ses parents mais avait accepté qu'elle prenne l'air avec les enfants dans l'après-midi. Il avait repéré sur Internet un parc à proximité, il saurait ainsi où la trouver si jamais... Patsi aurait demandé « si jamais quoi ? », mais pas Coryn. De toute façon, elle tombait de fatigue, les enfants tombaient de fatigue, il venait de se mettre à pleuvoir et tous s'endormirent avant même que Jack ne passe la porte.

Par chance, Clark Benton téléphona et sut convaincre son gendre de les conduire chez eux le plus tôt possible pour qu'ils profitent de leurs petits-enfants. Au maximum.

— C'est que j'ai cette réunion au siège...

— Eh bien, tu viendras quand tu auras fini ! On dînera en famille.

Quand Coryn descendit de voiture, elle eut un peu de mal à reconnaître Lewis et Jessy, les jumeaux de Brian, le numéro deux de la fratrie Benton. Sa femme Jenna avait succombé peu de temps après leur naissance d'un cancer de l'utérus. Il avait mis des années à s'en remettre. Ses enfants avaient trois ans de plus que Malcolm et pour l'occasion avaient été dispensés de classe. Ils accoururent, les cheveux emmêlés. Ils dégoulinaient de transpiration à force de jouer dans le jardin qui ressemblait plus à un champ de mines qu'à la pelouse parfaitement entretenue des voisins. Il aurait été impossible de donner la couleur exacte de leurs baskets, mais leurs joues étaient à croquer. Ils sentaient l'air frais, la sueur et l'herbe. Leurs yeux étaient bien ceux des Benton. Bleus, profonds et vifs. *Ils ressemblent à Malcolm*, se dit Coryn en les embrassant.

— Tu viens jouer ?

— Je peux ? demanda le petit garçon en regardant son père.

— Pourquoi tu demandes ? lança Clark en poussant le gamin avec les autres.

Clark serra sa fille contre lui. Enfin, comme il put, puisque Christa se blottissait contre sa maman. Le grand-père s'approcha en gazouillant. Elle lui lança un regard noir mais ne pleura pas quand il la porta à bout de bras. Il rit. La petite ouvrit ses grands yeux et le toisa. Puis sourit. Le grand-père se tourna vers Coryn, la félicita d'avoir bien « travaillé » puis s'émerveilla en se baissant vers Daisy.

— Bonjour, ma belle. Tu es aussi blonde que ta sœur est brune.

— B'zour, Papi.

— Mais tu parles drôlement bien !

— Coryn s'occupe très bien de nos enfants.

Clark se redressa et dit :

— Ça, fils, je n'en ai jamais douté.

Le papi partit en direction de la voiture – le dernier modèle – avec le bébé dans les bras, Daisy sur ses talons et Jack dans leur sillage qui attrapa la main de Coryn. Les deux hommes s'extasièrent sur les finitions. Le beau-père regarda son gendre avec tout le respect qu'il lui portait, eut un clin d'œil en direction de son voisin préféré qui avait pris du plomb dans l'aile depuis que sa fille avait, *elle*, divorcé. Coryn demanda comment allait Brian.

— Il remonte la pente et je crois qu'il voit quelqu'un...

— Et les autres ?

Clark fit un point précis sur chacun de ses fils. Ils travaillaient tous, même si aucun n'avait poursuivi d'études supérieures.

— Le boulot, c'est beaucoup pour un homme. Même Timmy, avec ses articles de journaux, arrive à s'en sortir sans nous.

Il ajouta que tous viendraient, ce soir, excepté Ben qui vivait à Manchester ainsi que Jamy qui avait suivi une rousse-avec-un-caractère-de-vieille-fille à Dublin.

Les neveux de Coryn accompagnés de Malcolm – qui avait déjà les cheveux emmêlés – s'attroupèrent autour de la voiture de Jack comme des aimants.

Jack regarda sa montre. Il devait partir pour le siège. Il voulut aller embrasser sa belle-mère mais Clark expliqua que l'infirmière était en train de pratiquer les soins pour ses jambes et que, de toute façon, il la verrait pour le dîner.

— Coryn ! Tu restes chez tes parents ? commanda-t-il plus qu'il ne questionna.

— Où veux-tu qu'elle aille ? Je n'ai pas vu ma fille depuis si longtemps !

Brannigan posa une main sur la nuque de sa femme. Il l'appellerait dans la journée. Elle dit « d'accord », pensa *comme d'habitude* et son père lui glissa à l'oreille :

— Tu vis loin de la famille mais tu as une sacrée chance d'avoir trouvé ce Jack, n'est-ce pas ?

Les mots que Coryn avait espéré dire restèrent englués dans sa gorge. Elle avait pourtant révisé des tonnes de répliques. Elle les savait par cœur. Elle s'était même entraînée à répéter : « Jack me frappe, Papa. » « Jack me force quand je ne veux pas, Maman. » « Jack joue à un jeu étrange, Timmy. » Mais à cet instant, elle sut qu'aucun des sons qui auraient pu former ces mots ne sortirait jamais. De détresse, elle sourit au bonheur de son père. Et baissa les yeux. Il l'entraîna derrière la maison.

— Venez, les enfants, je vais vous montrer l'endroit préféré de votre maman quand elle avait votre âge.

— Oh ! Il est toujours debout, dit Coryn en se mordant l'intérieur des joues devant le vieux saule pleureur.

Quand les bûcherons avaient été sur le point de le scier, Timmy avait piqué une telle crise que le père de Coryn les avait stoppés. Il leur avait demandé d'élaguer la partie malade et de soigner l'arbre que tous croyaient voué à une mort certaine. Il s'était battu. Avait résisté à ce qui voulait le détruire et au vent terrible de l'hiver. Au printemps suivant, trois misérables feuilles d'un vert argenté avaient surpris tout le monde...

— ... Et depuis, regarde, dit Clark en écartant un bras, on dirait qu'il va nous enterrer !

Coryn caressa les longues feuilles veloutées.

— Je te revois quand tu avais cinq ou six ans et que tu te balançais aux branches. Tes cheveux volaient avec le vent.

La jeune femme se réfugia sous le feuillage qui tombait jusqu'au sol. Elle posa sa main sur le tronc. Tant de fausses routes... Son père n'avait cherché qu'à la protéger. Comment aurait-elle pu lui en vouloir ? Elle-même n'était-elle pas traversée par les mêmes craintes ? Comment brise-t-on les rêves de quelqu'un ? *De quel droit ?*

Elle n'avait pas ce courage-là. Pas à cette minute-là où la voix stridente de Mme Benton leur parvint.

— Coryn ?

— Je... Je vous rejoins, lança-t-elle.

Son père partit avec Daisy par la main et Christa dans les bras. Elle s'adossa contre le tronc. Son cœur battait à tout rompre. *Comment faire pour m'en sortir ?*

Ce fut la toute première fois que Coryn formula cette idée. Oui, sa vie avait bel et bien subi une légère inflexion depuis l'accident de Malcolm. Depuis Kyle. L'orbite qu'elle parcourait jour après jour déviait de façon quasi imperceptible mais les scientifiques qui savent mesurer ce genre de choses auraient pu le prouver, calculs à l'appui. Elle sortait bel et bien de sa course, et si ces messieurs avaient levé le nez de leurs cahiers remplis de chiffres, ils auraient conseillé à la jeune femme de se pencher un peu plus et de lancer des appels au secours pour accélérer les événements.

Mais c'était sans compter avec la mère de Coryn.

31

— Ma fille, tu as une mine merveilleuse. Le mariage et San Francisco te réussissent. Tu es encore plus belle qu'avant.

Hé oui ! Certaines choses demeurent strictement inchangées et à la même place. Coryn avait eu beau fantasmer qu'elle pourrait parler à sa mère et que celle-ci l'entendrait, maintenant elle pouvait conclure que le temps et la distance sont des traîtres. Ils déforment les souvenirs. La réalité reste ce qu'elle est.

— Viens me montrer un peu le truc qui se cache dans tes bras !

Depuis deux ans, Mme Benton était clouée dans un fauteuil roulant. Les articulations de ses genoux définitivement anéanties par les innombrables kilos accumulés grossesse après grossesse. Ses jambes étaient boursouflées et ses varices la torturaient. Mais elle ne se plaignait pas. Elle disait qu'être femme, c'était savoir souffrir. *Tous les mois, son corps la torture. C'est dans l'ordre des choses, geindre n'arrange rien.* Pour elle, c'était aller contre la volonté de Dieu. Coryn savait très bien qu'il était impossible de démontrer à sa mère que Dieu n'existait pas dans le véritable monde des hommes. Mme Benton avait la foi et sa fille ne l'avait pas. Elles ne parlaient pas la même langue. *Alors, à quoi bon déchaîner la guerre ?*

— Comment vas-tu, Maman ?

— Comme une vieille femme ! Suis-moi, dit-elle en actionnant son fauteuil avec dextérité. Nous avons du travail devant nous. Ce soir, c'est la fête, les enfants !

À peine Coryn eut-elle franchi le seuil de la cuisine que sa mère énonça le programme qu'elle lui avait réservé. Elle avait dit à Jenny de prendre sa journée.

— Puisque tu es là, je ne vais pas payer quelqu'un à te regarder faire. Tu vas nous préparer ces deux magnifiques dindes, comme avant. Tu te souviens ?

Tu parles, si je me souviens des heures que j'ai passées dans ta cuisine ! Non seulement les choses n'avaient pas changé, mais il était inutile et désespérant d'imaginer qu'elles changeraient *some day*. Il était impossible de corriger l'image qu'ils avaient de Jack. Tout comme il était ridicule que Coryn dise qu'elle avait rêvé d'une tout autre vie... où tous les Jack du monde étaient expulsés à l'état d'embryon par la sainte Sélection naturelle.

— Pourtant, au début, tu l'aimais ? aurait répondu Mme Benton les poings serrés et les yeux chargés comme des kalachnikovs.

Oui. C'était vrai. Coryn était tombée amoureuse de Jack. Oui, elle avait succombé comme son père, sa mère, Wanda, ses frères et tout le monde. Elle n'avait pas prêté attention aux réflexions de Lenny, le cuistot du *Teddy's*. Son mari était... inespéré. Oui, elle s'était convaincue que l'amour était ce qu'il y avait entre Jack et elle. Et puis, sans que ce soit prévisible, il y avait eu l'accident. Elle avait rencontré Kyle... *Comment faire pour m'en sortir ?*

— Quelle chance quand même ! dit la mère en attrapant sa main gauche où brillaient les diamants de la montre et celui de la bague de fiançailles.

Elle chaussa ses lunettes, joua avec les reflets puis ajouta que si Jack avait fait un contrat de mariage, il la couvrait toujours de splendides bijoux.

Je dirai à mes filles de se méfier des diamants. Qu'il vaut mieux un type qui donne un vulgaire caillou ramassé dans son jardin. Même un qui parte à la pêche avec ses potes des jours durant, même un qui rentre pété comme un coing et sale comme un porc en riant.

— Est-ce que tu as dit à Timmy que j'étais là, aujourd'hui ?

— Oh ! Ton frère réalise un reportage au nord de Londres mais il a promis de venir ce soir. Les autres aussi. Enfin ceux qui peuvent.

— Avec leurs copines ?

— Non. Ceux qui viennent n'ont pas – ou plus – de copines.

— Et Timmy ?

— Timmy ne parle pas. Tu le sais bien.

C'était faux. Il était celui qui parlait le plus, mais il ne lui parlait pas, *à elle*. Il ne parlait *qu'à ceux* qui savaient l'écouter. Et il avait la chance d'être né dans cette famille avec un sexe mâle.

— De tous nos enfants, en dehors de Brian qui-le-pauvre-a-perdu-sa-femme-paix-à-son-âme, tu es la seule à s'être mariée « dans les règles ». Tu es la seule à m'imiter.

Coryn ouvrit la porte du frigo et chercha ce qu'elle n'y trouverait jamais.

— C'est pas pour autant qu'on ne sera pas nombreux, ce soir, continua sa mère en refermant le réfrigérateur d'un geste sec. D'ailleurs, tu devrais accélérer. Faut que ces belles dindes soient cuites et bien dorées !

Coryn déposa Christa au creux de son cosy dans un coin de la pièce puis se tourna vers les deux énormes volailles qui reposaient sur la table. Elles semblaient l'attendre depuis des années. Sans un mot, elle enfila l'immense tablier et entreprit de peler les kilos d'oignons. Des larmes lui échappèrent. Mais des larmes d'oignon, *ça ne compte pas*.

Mme Benton s'installa à la table et commença à éplucher la montagne de pommes de terre tout en racontant la vie du quartier. Mme Machin faisait ceci, Mme Bowie commentait ainsi, Mme Z... Coryn se fichait pas mal de ce qui pouvait bien lui être arrivé en allant au supermarché, mais elle écoutait. Parce que sa mère glissait des « tu ne penses pas ? », « tu ne crois pas ? » auxquels il lui fallait répondre, sinon elle levait ses yeux interrogateurs et réprobateurs. Le tout sans cesser de balancer du pied le cosy de Christa.

Coryn songea qu'étrangement, sa mère avait conservé une certaine finesse des chevilles même si ses mollets étaient parcourus de milliers de veines dont la vue lui arrachait une envie de hurler. Elle songea aussi qu'elle la regardait comme on le fait avec une étrangère. *Tant de fausses routes...*

Ils déjeunèrent rapidement, parlèrent des magasins où Coryn faisait ses courses, de l'école. « Tu prends un bus jaune ? » Malcolm répondit qu'ils y allaient à pied. « L'école et la crèche ne sont pas loin de la maison. » « Tu travailles bien ? », « Elle est gentille, ta maîtresse ? », « Oh ! Elle est très vieille ? », « Madame Bowie dit que la maîtresse de son petit-fils est trop jeune », « C'est quand même bien d'avoir de l'expérience... »

Le restant de la journée fut noyé dans des questions sans importance, des odeurs de farce et de cuisson. John arriva le premier. Coryn fut désorientée de le découvrir avec trente kilos de plus. « Trente-huit », glissa-t-il. Il la serra contre lui et, comme tout le monde, lui dit qu'elle avait eu de la chance de s'être sortie de là. Il travaillait comme cuistot dans un restaurant bas de gamme de Londres. Aujourd'hui était relâche, alors il l'épaula dans la cuisine pour préparer les éternels crumbles puisque leur mère avait un show à ne pas manquer à la télé. Ils ne dirent plus rien d'autre que des trucs du genre « passe-moi le beurre », « t'as mis assez de sucre ? », « ouvre le four ». John n'avait plus de copine depuis...

— *Forcément...* dit-il. Elle m'a quitté parce que j'étais trop gros et du coup j'ai repris du poids.

— Tu en souffres ? demanda Coryn.

— De quoi ? De mes kilos ou de l'autre pouffe ?

— C'est à toi de le dire.

— Je crois que finalement je préfère bouffer, dit-il en fuyant dans la salle à manger.

32

Jack arriva assez tard, en même temps que ses autres beaux-frères. Ils restèrent un moment dans le jardin à discuter des exploits professionnels de Brannigan puis rentrèrent avec les enfants qui crièrent qu'ils avaient faim et soif ! Il régna subitement tant de bruit que Coryn dut monter Christa dans sa chambre sous les toits pour l'allaiter. La petite ne cessait de s'agiter. *Que fiche Timmy ?*

Elle gravit l'escalier de bois et ferma autant de portes que possible derrière elle. L'odeur de poussière et les effluves tenaces de cuisine étaient les mêmes que dans son souvenir. À mesure qu'elle montait, les images cascadaient. Les cris, les courses-poursuites du sous-sol au grenier, les rires, les pleurs, les joies, les chaussettes dépareillées à ranger... Christa s'endormit, Coryn la déposa dans le couffin que ses parents avaient préparé. Elle s'assit sur son lit et se dit que son enfance avait été heureuse. Que Jack avait été *un accident*...

Et puis la porte s'entrouvrit, Timmy passa la tête. D'un bond, elle se leva et serra son frère contre elle. Ils restèrent longtemps ainsi. L'un contre l'autre. Il avait pris quelques centimètres et était, lui, d'une maigreur excessive.

— Tu ne manges rien ?

— Pas le temps ! J'cours toute la journée !

— Après quoi ?

— Le fric. Comme tout le monde.

Christa se tortilla mais n'ouvrit pas les yeux. Timmy et sa sœur se rassirent et se regardèrent longuement. Il parla à voix basse et émue pour dire qu'il n'était, pour le moment, que simple pigiste au *Times* mais qu'il ne désespérait pas de devenir un de ces jours une référence. Il courait dans tous les sens pour couvrir tous les domaines.

— J'sais pas si c'est bien, mais je fais mon possible pour qu'on me voie partout. Et qu'on se rappelle de moi.

— Tu as l'air heureux.

— J'adore ce que je fais. Je me sens libre. Comme le vent dans notre vieux saule.

Coryn ne releva pas.

— Et tu as une copine ?

Il sourit en coin.

— Tu vois des filles ?

— Qu'est-ce que tu crois ? Évidemment ! Mais je choisis mes cibles.

— Purement sexuelles.

— Exclusivement sexuelles, renchérit-il. Je veux profiter de ma jeunesse.

Coryn allait dire combien elle l'enviait quand la porte s'ouvrit sur Jack. Elle se baissa pour remonter la couverture de Christa puis sortit sur le palier en sentant le regard de Timmy. Son mari fit une adroite diversion. Il félicita le jeune homme pour son ambition vantée par son père et demanda combien ses mots lui rapportaient par mois.

— Tu parles en livres sterling ou en plaisir de faire ce que j'aime ?

— Tu sais bien que, moi, je ne parle que de pognon, comme tous les vendeurs.

— On dit que tu es le meilleur de l'année ?

— Je le suis. Et j'attends tes félicitations, Timmy !

Quand ils arrivèrent à table, Malcolm était en train de raconter sa fameuse opération du bras.

— Il paraît que c'est le chanteur des F... qui t'a renversé ? lança le journaliste en s'installant à côté de lui.

Coryn retint son souffle.

— Ouais. Mais j'm'en souviens pas, répondit l'enfant.

— On dit « oui », Malcolm, et pas « ouais », corrigea Coryn.

— Et toi ? Tu l'as vu ? demanda encore Timmy en se tournant vers sa sœur.

— Qui ? répondit-elle.

— Kyle Mac Logan ! *Le* Kyle Mac Logan !

— Oui. Mais je ne savais pas qui c'était.

— Putain, j'y crois pas ! Ma sœur aurait pu m'avoir un autographe de mon groupe préféré et elle ne sait même pas qui est Kyle Mac Logan. T'es nulle ou quoi ?

— Coryn n'est pas nulle ! Elle se fout de ce genre de cons, intervint Jack.

— T'aurais peut-être voulu lui péter la gueule ? rebondit Timmy, très en forme.

Le regard noir de Jack s'attarda sur son beau-frère qui continua à sourire comme un gosse.

— Ça m'aurait soulagé, effectivement.

— En tout cas, il m'a envoyé plein de jouets ! lança Malcolm.

— Il peut toujours se rattraper comme il peut. N'empêche que c'est un con.

— C'est qui, ça, les F... ? demanda John. Sont pas anglais ?

— Ce sont des branleurs qui font le tour de la planète en chantant, répondit Jack.

— « Branleurs » peut-être, rétorqua Timmy, mais qui gagnent plus de fric que tu ne le feras jamais.

Jack accrocha de nouveau ses yeux à ceux de son jeune beau-frère, insaisissables et joueurs. Coryn eut l'impression qu'un vent frais lui balayait le visage. Elle aspira une bouffée d'air vivifiant mais se contenta de grignoter son pain en fixant son assiette pour ne pas exploser de rire.

— Ça ne durera pas !

— Je m'en fais pas pour eux.

— Moi aussi, je les aime bien ! lança Jessy. J'ai eu leur dernier CD pour mon anniversaire et vous savez quoi ?

— Putain ! Mais c'est qui ? continua John. Ils chantent quoi ?

— Va sur Google et tu verras, lança Jack.

— Oh ! Tu as lancé une enquête !

Le sang de Coryn se glaça.

— Qu'est-ce que tu crois ? J'allais quand même pas avaler les dires de son avocat sans vérifier. Pour ton info, John, le type qui a renversé *mon* fils est le chanteur...

— ... guitariste et compositeur...

— ... d'un groupe de rock. Trois mecs et une soi-disant gonzesse.

— Patsi est géniale !

— Elle ne fait pas envie en tout cas. Ne rêve pas, Timmy, elle est mariée avec le chanteur.

— Non. Patsi est contre le mariage. Mais tu as raison. Le chanteur et elle sont ensemble. Depuis des années.

Un des neveux de Coryn demanda si Malcolm avait eu des sous. Mme Benton, M. Benton, John, Brian, Mark et quasiment tous les autres articulèrent :

— Combien ?

— Une belle somme que j'ai placée sur un compte bloqué. Malcolm l'aura à sa majorité.

Non seulement Coryn découvrait des choses que Jack s'était bien gardé de partager, mais elle n'aimait pas du tout la tournure que prenait cette conversation.

187

— Ils ont acheté votre silence ? s'enquit le père de Coryn.

— Mon fils a provoqué l'accident, répondit Jack en marquant une pause qui démontra combien ce truc l'agaçait. C'est un enfant et les expertises ont démontré que l'autre connard roulait à la vitesse autorisée. Et malheureusement, il n'y a eu aucun témoin.

— T'as rien vu, Coryn ?

Jack répondit qu'elle était trop loin.

— Vous auriez dû faire un procès ! On ne sait jamais...

— Pot de terre contre pot de fer, commenta Timmy.

Brannigan se tourna franchement agacé vers le journaliste.

— Personne n'a intérêt à voir sa carrière ternie. Ni eux ni moi. Ni toi. Alors j'apprécierais que vous teniez, tous, votre langue comme je m'y suis engagé.

— C'est une conversation familiale, Jack, se défendit Timmy.

— C'était ma faute, intervint la jeune femme pour éviter tout dérapage. Je n'ai pu retenir Malcolm.

— Non, coupa l'enfant. C'est moi qui ai lâché la main de Maman.

— Mais pourquoi ? demanda le grand-père.

Malcolm se tourna vers lui.

— J'ai vu un écureuil et j'ai couru après. Mais c'est ma faute, affirma-t-il encore avec une autorité qui fit que tous le regardèrent fixement. Je l'ai dit au policier.

— Et pourquoi t'as couru après cet écureuil ? demanda Jessy. C'est complètement con, un écureuil !

— Jessy ! Ton vocabulaire !

Malcolm haussa les épaules et dit qu'il ne savait pas.

— Clark ! Tu ne dis rien ?

Clark continua à jouer les sourds.

— Bon ! Puisque votre grand-père est définitivement sourdingue, dit la mère Benton en tapant du plat de la main sur la table en signe d'ultime impatience, est-ce qu'on peut enfin parler d'autre chose ? Parce que tout ce qui compte, c'est que le p'tit aille bien. Coryn ! Va chercher les dindes !

— Enfin ! dit Clark retrouvant subitement l'ouïe.

La jeune femme s'exécuta pendant que la mère se plaignait auprès de Jack que son mari n'était pas dur d'oreille *mais* devenait prématurément sénile.

— Je t'accompagne, dirent simultanément Timmy et John.

Tous les trois s'affairèrent pour placer les volailles grillées à souhait dans de grands plats et furent accueillis par des hourras affamés. Les cliquetis des couteaux et des fourchettes remplacèrent les paroles pendant de longues minutes, jusqu'à ce que Timmy lance avec un air taquin :

— Si vous voulez un scoop, il paraît que les F... s'installent en Angleterre.

— Comment tu sais ça ? rétorqua Jack.

Coryn serra ses doigts autour de son couteau et le jeune homme sourit, angélique.

— Figure-toi qu'ils sont arrivés le même jour que vous.

— Ah ! C'était donc ça tout le bordel à l'aéroport ! Ben putain ! J'aurais dû en profiter pour aller lui péter la gueule ! ajouta Jack, sarcastique. Et comment se fait-il qu'ils déboulent le même jour que nous ?

Timmy eut son regard de vainqueur, celui qui lui avait valu bon nombre de calottes quand il était gamin.

— Tu penses qu'ils ont calqué leur calendrier sur le tien ?

Jack dut faire non de la tête. Forcément. *Il* avait choisi les dates, pris les billets et organisé le voyage.

— C'est, en somme, une sorte d'accident d'agenda.

— Mais, dis-moi, Timmy-le-pigiste, pourquoi, toi, tu n'étais pas à l'aéroport ?

Le pigiste en question lâcha un long soupir de dépit.

— Figure-toi qu'ils n'ont pas médiatisé leur arrivée. Je l'ai su par hasard tout à l'heure en rentrant au journal. Mais j'espère bien avoir la chance de les interviewer un de ces jours.

— Et pour leur demander quoi ?

— Si la dinde de ta femme était bonne, par exemple ! lança John.

Il y eut un éclat de rire général. Jack posa ses couverts. Le père de Coryn mit une main sur son bras puisque son gendre était celui à qui on avait réservé la place de droite. Clark Benton lança d'une voix qui imposait le respect à tous :

— Tout le monde se fiche de savoir *qui* a envoyé Malcolm au bloc. Malheureusement, ça peut arriver à chacun de nous ici. Toi compris, Jack. Ce qui compte – et la seule chose qui compte d'ailleurs, comme l'a judicieusement souligné ma femme –, c'est que le petit aille bien.

— Et ce qui me ferait plaisir, poursuivit Mme Benton, c'est que vous félicitiez ma fille, que j'ai bien éduquée, pour ces merveilleuses dindes ! Y a des amateurs pour une seconde tournée ?

John avança son assiette le premier avec un « moi » gourmand, la bouche pleine. Un vrai « moi » qui fit taire les mauvais esprits.

Tous admirent que Coryn n'avait pas « perdu la main » et Brannigan garda ses humeurs sous contrôle. Mais il était contrarié. Coryn savait déjà ce qu'il allait dire dès qu'ils auraient pris le premier virage au bout de la rue. Cette visite serait la dernière. Il se taisait par pure politesse, car s'il tabassait sa femme quand ses nerfs le poussaient à bout, il respectait les aînés et le savoir-vivre. Il ne donnerait pas de seconde occasion au père de Coryn de le ridiculiser. Demain, il prétexterait que les enfants devraient se reposer au calme à l'hôtel plutôt que de venir jouer ici... Alors, la jeune femme regarda chacun de ses frères avec une attention particulière. Quelque part au fond d'elle, elle savait qu'elle ne les reverrait probablement pas avant... *une sainte éternité.*

La conversation reprit un cours normal. Coryn vit Jack consulter plusieurs fois sa montre avec discrétion, cherchant un prétexte pour rentrer, mais Timmy eut l'idée de génie de demander s'il pouvait l'interviewer et écrire un papier sur sa carrière. Comme le corbeau de Jean de La Fontaine, Jack succomba sans résistance à la flatterie et le journaliste prit rendez-vous pour le lendemain au bureau de Londres.

— J'admire ton habileté, glissa Coryn qui rinçait la vaisselle à la cuisine. Tu es très fort.
— Ça n'a rien à voir avec la force. Je n'ai encore jamais rencontré personne qui refuse de voir son image étinceler dans le journal.
Timmy attrapa l'assiette que Coryn lui tendait et ne put s'empêcher de demander ce qu'elle avait pensé de Kyle.
— Rien, répondit-elle à voix basse.
— Tu lui as bien parlé, non ? Il est sympa ? Il a l'air d'un type sympa.
Coryn sourit devant le sourire de son frère. Elle fit attention aux mots qu'elle choisit. Non parce qu'elle ne lui faisait pas confiance, mais parce que des gaffes ou des glissements involontaires étaient toujours envisageables.
— Je crois que c'est un homme... bien.
Jack ouvrit la porte de la cuisine.
— Qu'est-ce que vous complotez tous les deux ?

— On complote rangement, dit Timmy en lui collant une pile d'assiettes sales dans les mains. Quelle heure t'arrange demain ?

Coryn dit qu'ils se débrouilleraient très bien sans elle. Elle empoigna le premier crumble et fila dans le brouhaha rassurant de la salle à manger.

— Je crois que c'est la première fois qu'on mange un gâteau pour une occasion autre qu'un anniversaire ! dit Mark.

— Je ne sais pas comment sainte Nature s'est débrouillée, lança le père Benton, mais il a fallu que tous mes enfants naissent soit en décembre soit en janvier.

— C'est pas la Nature et encore moins le Bon Dieu ! dit une voix que personne n'eut le temps d'identifier.

— Pas de blasphème à table ! coupa la mère. D'ailleurs, Coryn est née en mars.

— Coryn est une exception, dit Jack en embrassant sa main. C'est une princesse. Ma princesse.

Tout le monde applaudit. Bravo. *Jack est vraiment très fort*. Il apparaissait et apparaîtrait toujours aux yeux de sa famille comme celui qui avait non seulement réussi une carrière outre-Atlantique mais qui avait aussi transformé la servante en...

La jeune femme s'excusa et quitta la table. Elle monta quatre à quatre les escaliers pour se réfugier auprès de Christa.

33

Quand Coryn sortit démaquillée de la salle de bains de leur magnifique chambre londonienne, elle découvrit sans surprise son mari l'attendant à poil sur le lit. Il dit en souriant qu'il n'avait pas pris de dessert. Qu'il ne raffolait pas du crumble. Il lui fit l'amour en silence. Enfin, à sa façon de Jack, pendant qu'elle songeait à tout plein de choses en vrac et, pour la première fois... à l'avenir. À un avenir qui serait à elle. Jack éprouva son plaisir, et elle, un tout nouveau. Mais aussi fugace que celui de son mari.

Oui, *partir* était la réponse à la question qu'elle s'était posée cet après-midi. C'était une réponse facile. Difficile à mettre en œuvre. Car il faudrait une destination. Un abri. Un point de chute. *Où ?* En tout cas, pas chez ses parents ni chez ses frères car ils la renverraient sur-le-champ auprès de son merveilleux prince. Et comment subviendrait-elle à ses besoins ? À leurs besoins ? Parce qu'elle ne laisserait pas ses enfants. *Jamais.* Quand bien même elle arriverait à divorcer, elle ne savait rien faire. Et pire encore, si Jack lui refusait la garde des enfants... *Oh ! Non ! Pas ça.*

Mais peut-être Timmy... Aurait-il la solution ? Ou même *une* solution ? *Non. Timmy a ses rêves.*

Restait Kyle. *Et s'il n'y avait que Kyle ?* Elle frissonna, Jack remonta la couverture sur elle. *Non.*

Il n'y a que sainte Coïncidence qui s'amuse avec ses pions sur son échiquier.

Coryn ne trouva pas le sommeil et fut presque soulagée de se lever à quatre heures du matin pour faire téter Christa quand celle-ci grogna. Malcolm ronflait, ses boucles encore emmêlées. Autant que celles de Daisy qui tenait serré au creux de son bras son lapin vert. Après avoir changé son bébé, la jeune femme le reposa dans le berceau de l'hôtel. La petite regarda les dessins sur le ciel de lit étoilé comme si elle le voyait pour la première fois. Elle agita ses jambes et ses bras, puis, contre toute attente, ferma les yeux dès qu'elle sentit la couverture sur elle. Ses cils noirs s'étiraient à l'infini. Coryn bâilla. Le sommeil voulait-il enfin d'elle ? Elle glissa sous ses draps et rêva de comètes et de Vénus. De planètes et de calculs de trajectoire. De nombres interminables tracés à toute vitesse avec une craie bleue sur une carte gigantesque par ses neveux qui riaient pendant que sa mère comptait et recomptait les livres sterling et les paquets surprises que Malcolm sortait de valises gigantesques.

34

Comme prévu, Jack fila au bureau. Sa journée s'annonçait chargée et il se réjouissait de faire une « belle » interview. Dans l'après-midi, Coryn sortit dans le parc proche de l'hôtel. Il avait répété « celui-là ». Elle rasa les murs en tenant sa poussette et exigea de Malcolm et de Daisy qu'ils s'y accrochent. Elle marcha doucement. Il faisait un temps radieux, le ciel était comme on l'aime en septembre. Les enfants foncèrent au toboggan, elle tomba sur un banc. *Que ferait Kyle dans un parc pour enfants ?* se demanda-t-elle quand une maman d'à peu près son âge s'installa juste à ses côtés. Elle avait des cheveux ultra courts coiffés en pétard, une jupe noire à peu près aussi courte et un collant d'un rose étincelant. Elle vit le regard discret de Coryn sur ses jambes et lança avec un sourire assuré que...

— ... c'est pour ça qu'aujourd'hui le soleil est de bonne humeur !

La jeune femme engagea rapidement la conversation et raconta avec un humour inattendu comment elle s'était retrouvée seule après avoir annoncé *la* nouvelle au papa qui lui avait laissé deux options au choix : 1/ avorter ou 2/ regarder la vitesse à laquelle il allait tracer.

— J'ai coché le 3. En chier toute seule.

Coryn laissa échapper un rire.

— Je sais. On est tous plus ou moins seuls sur cette drôle de planète, mais quand même... J'aurais bien aimé offrir une vraie famille à mon fils. Et ton mari, il travaille dans quelle branche ?

Oh ! Mon mari ? Eh bien, il... Son portable sonna et Jack annonça qu'il serait bientôt de retour à l'hôtel. « Avec Timmy. »

— Il faut que j'y aille. Mon mari va bientôt rentrer.

— Déjà ? Mais on vient à peine d'être copines !

— Il faut pourtant que j'y aille.

— Tu reviens demain ?

— Demain, je pars.

— Déjà ?

— Jack, mon mari, nous emmène à Brighton.

— Vous avez de la famille là-bas ?

— Non. Il y suit un séminaire.

— Cool ! Ça, ça veut dire bonne bouffe !

— Pas pour nous.

— À cause du bébé ?

Coryn acquiesça.

— Tu reviens à Londres ensuite ?

— Oui, mais on reprend l'avion pour San Francisco.

— Waouh ! Tu y vis, c'est ça... dit la jeune femme en bondissant sur ses pieds. Je te raccompagne.

Coryn essaya d'évaluer le temps que Jack mettrait pour les rejoindre. Elle se détesta et jeta ses craintes d'autruche dans la première poubelle qu'elle croisa. Elle écouta sa nouvelle copine raconter qu'elle s'appelait Mary Twinston et qu'elle était née à Glasgow un 14 février, à sept mois et sept jours. « Étrange, non ? »

Elle ajouta mille trucs drôles et pathétiques sur sa vie. Son travail de graphiste qui lui permettait de rester auprès de son fils allergique à tout, les livres qu'elle dévorait, sa copine Julia modèle dans une école d'arts... Elle trouvait que Londres était la ville la plus cool au monde même s'il faut se battre pour faire son trou quand on est une mère célibataire.

— Si seulement mes parents n'étaient pas repartis pour Glasgow ! Mais... Est-ce que je te saoule ? demanda-t-elle en s'interrompant en pleine phrase.

— Non. Tu es drôle. Enfin... tu es... courageuse.

— Pour une fois que *quelqu'un* s'en rend compte !

Coryn s'arrêta. Elles étaient arrivées devant son hôtel. Mary leva les yeux et resta carrément bouche bée en contemplant la façade.

— Putain ! Quelle classe ! Tu ne m'as toujours pas dit ce que faisait ton mari pour te payer un tel endroit !

— Il vend des voitures de luxe.

— Merde ! Vive les bagnoles ! Tu sais que tu as de la chance ?

— Je penserai à toi, dit Coryn en ajoutant qu'elle aurait aimé la revoir si elle était restée plus longtemps.

— Moi aussi. On serait devenues super copines et je t'aurais emmenée dans des expéditions shopping de *vraie* Londonienne. Tu te serais acheté des bijoux de pacotille *à la mode*. Pas comme ton bracelet. Remarque ! dit-elle en lui saisissant le poignet, il doit représenter une petite fortune.

Coryn haussa les épaules. Ce bijou avait la valeur exacte de son premier coup de poing dans l'estomac.

— Je t'aurais fait écouter de la vraie musique en buvant de la bière. De la bonne bière anglaise qui t'enivre comme nulle autre et...

— ... on aurait fêté les anniversaires de nos enfants ensemble... continua Coryn.

— ... et je t'aurais parlé de mes galères et toi des tiennes. Car j'imagine que tu en traverses aussi. Même si ta vie de princesse me fait envie.

— Oui, souffla Coryn. J'aurais aimé être amie avec toi.

— Qu'est-ce que tu dis ? On est déjà amies, non ?

— Si !

— Merde ! San Francisco, quand même ! répéta Mary en lui donnant un coup de coude.

— Le temps est froid et humide. Beaucoup plus qu'on ne le croit.

— Finalement, j'ai de la chance d'être ici, pas vrai ?

— Plutôt, sourit Coryn en regardant Mary farfouiller dans son immense sac.

Elle en sortit un vieux livre sans couverture dont la tranche portait encore des lambeaux de multiples adhésifs. Elle tourna les pages comme si elle les connaissait par cœur et le déchira à un endroit choisi. Elle tendit la première partie à Coryn qui, par réflexe, regarda si Malcolm avait vu. Mais il était accroupi à quelques mètres avec Daisy, le nez collé au sol.

— Tiens. Je veux que tu gardes ça en souvenir de moi. En souvenir de notre loooongue amitié !

La jeune femme blonde lut : *Rita Hayworth and Shawshank Redemption* de Stephen King[1].

— C'est une belle histoire. Et t'as l'air d'une fille qui aime les *belles* histoires.

Coryn se surprit à prendre Mary contre elle. D'un geste rapide, elle laissa tomber dans la poche de celle-ci le bracelet en or lourd et étincelant. Et trop grand. Elle n'aurait jamais eu le courage de le « donner » autrement. Sa nouvelle amie était fille à comprendre le message. Et si Jack se mettait à poser subitement des questions, Coryn dirait qu'il était sûrement quelque part dans la grande maison de San Francisco. Quitte à prendre un autre coup de poing dans l'estomac. Celui-là en vaudrait le prix.

— Lis ce truc. Et pense à moi. Et pense à Andy Dufresne.

---

1. Voir 3., dans les notes et remerciements, à la fin du roman.

— Qui est Andy Dufresne ?

— Tu verras... Un mec bien.

Coryn glissa le livre dans son sac à main. On ne refuse pas le cadeau d'une amie. Mais elle pensait déjà à trouver une planque idéale que Jack ne soupçonnerait pas. Elle appela ses enfants et tous les quatre entrèrent dans le hall de l'hôtel. Malcolm dit que les fourmis de Londres étaient plus grosses que celles de San Francisco.

— Ah oui ? répondit-elle en le regardant droit dans les yeux.

Son fils sourit en retour et entra dans l'ascenseur. Un couple de personnes âgées leur demanda de retenir la porte. Ce que le petit garçon fit, émerveillant M. et Mme Watson. Malcolm répondit avec efficacité à la double avalanche de questions de ces deux anciens maîtres d'école qui n'avaient pas encore la joie incroyable d'être grands-parents.

Quand Coryn referma la porte de leur chambre, son fils se tourna vers elle, écarquilla ses grands yeux, souleva ses sourcils et dit qu'il espérait que Mamie et Papi Benton n'allaient pas le « mitrailler comme ça la prochaine fois qu'ils reviendraient ». Coryn répondit qu'il y avait peu de chances que les questions soient du même ordre et se retint à temps de lâcher « ou qu'il y ait une prochaine fois ». Le petit garçon se jeta sur le canapé, s'empara de la télécommande et fit dérouler les chaînes. Puis, sans détacher les yeux d'un programme animalier, il dit qu'il aimerait bien avoir la même télé à San Francisco, quand son père entra, tout sourire, suivi de Timmy.

35

Après avoir embrassé Coryn et les enfants, les deux hommes continuèrent à papoter comme de vieux potes et n'écoutèrent pas Malcolm raconter que les pigeons anglais couraient drôlement vite dans le parc. Qu'il n'arrivait pas à les rattraper avec Daisy et que les fourmis...

Coryn entraîna d'urgence son fils dans la salle de bains et le doucha pour la deuxième fois de la journée. Il demanda « pourquoi ? »

— À cause de la pollution... prétexta-t-elle.

— C'est pire qu'à San Francisco ?

— Oui. Et demain, je n'aurai pas le temps avant qu'on parte pour Brighton.

— Maman...

— Oui, dit-elle distraitement en le savonnant.

— Maman...

Sa voix était descendue d'un ton. Elle leva les yeux, Malcolm avait l'air grave. Avait-il vu que Mary lui avait donné le livre ? Mais il se jeta à son cou et la serra très fort :

— Je t'aime, Maman.

Coryn fut troublée. Son fils était troublé. Sentait-il des choses ? Il grandissait. *L'enfer est une gangrène. Il va atteindre Malcolm. Puis Daisy. Christa...* Elle eut la chair de poule et la porte s'ouvrit sur Jack.

— Dépêchez-vous. Je vous emmène au restaurant.

— Pourquoi ? demanda Malcolm.

— Pour remercier mon beau-frère.

Ce qui impliquait que celui-ci s'était montré bien plus subtil et surtout beaucoup plus habile que Coryn n'avait pu le supposer. Elle finit de préparer les enfants. Malcolm, à l'écart, dans la chambre. Malcolm qui lui sourit, apaisé. Comme si son trouble n'avait jamais existé. Elle reprit son masque habituel et participa avec naturel à la conversation.

Au dessert, Timmy annonça qu'il avait décidé de partir comme correspondant de guerre en Afghanistan. Leurs parents n'en savaient encore rien et, à la vérité, il tuait le temps comme il le pouvait.

— Tu nous as donc bien baratinés... dit Jack. Félicitations !

— Mais pourquoi ? demanda Coryn, horrifiée. Tu ne veux tout de même pas couvrir... les horreurs de la guerre ?

— C'est précisément ce que je compte faire.

— Tu es devenu fou. Complètement f...

— Il faut bien que des gens se battent pour défendre les libertés, intervint Jack avec un aplomb qui sidéra Coryn.

— Mais est-ce vraiment pour défendre la liberté ? laissa-t-elle échapper.

— Qui en doute ? rétorqua Jack sans percevoir l'ironie dans la question de sa femme.

— C'est que c'est... dangereux.

— Le danger ne me déplaît pas, affirma Timmy.

— Je ne te comprends pas ! Comment peux-tu aller là-bas et...

— Je veux y aller pour dénoncer ce que les hommes font à d'autres hommes. Il faut bien qu'un jour on prenne conscience que tout ça doit cesser.

Coryn ne put ajouter quoi que ce soit sans s'effondrer. Et, d'ailleurs, ils restèrent tous silencieux. Ce fut Timmy qui détacha les yeux de son assiette en premier. Il dit qu'il fallait des gens comme lui – libres et sans engagement – pour y aller.

— Tu vas te faire tuer, dit-elle.

— Je serai prudent.

— Coryn ! Tu joues à quoi ? Ton frère a besoin d'encouragements, pas d'oiseaux de mauvais augure. Je trouve courageux qu'il se lance. C'est une chance dans sa carrière.

Le journaliste remercia son beau-frère et attrapa son appareil photo.

— Si vous posiez tous ?

Jack refusa catégoriquement. Ne s'expliqua pas. Il se leva et annonça qu'il était l'heure de se coucher. Le lendemain, ils devaient partir tôt pour Brighton. Ils s'embrassèrent dans le hall de l'hôtel et Timmy les raccompagna jusqu'à l'ascenseur. Deux inconnus y pénétrèrent, Jack les suivit avec les enfants et Coryn n'eut pas le temps de s'y glisser avant que les portes ne se referment, laissant son mari bouche ouverte.

— Peut-être que lorsque j'aurai assez de pognon grâce à mes reportages, je me paierai un putain de voyage par chez toi.

— Je n'aime pas ton projet, dit-elle en appuyant machinalement sur le bouton.

— Tu ne peux rien dire qui me fera changer d'avis. Mais tu vas me manquer.

— Toi aussi.

Elle regarda son frère. Un truc le traversa, il fronça les sourcils. Elle l'embrassa et dit qu'elle penserait à lui tous les jours. L'ascenseur revint, elle s'y engouffra.

— Si je vois Kyle, je lui dis bonjour de ta part ? lança-t-il en lui faisant un clin d'œil.

— Tu ne le verras pas, sourit-elle.

— Tu me connais si mal que ça ? Lis bien le *Times*. Je vais faire des étincelles.

Les portes eurent un clic soyeux, effaçant Coryn. Des mois plus tard, Timmy s'en voudrait de ne pas avoir réagi à la sensation bizarre qui l'avait traversé. Mais sur le moment, il avait balayé ce petit flou. Puis l'avait oublié.

*
* *

Pendant tout le début de la nuit, la pluie ne cessa de tomber. Jack, Malcolm, Daisy et Christa ne s'en rendirent pas compte. La jeune femme, elle, était dans le même état que si elle avait avalé des litres de caféine. Elle avait envie de lire. Vraiment envie d'un bon livre. Elle se leva comme un chat et prit des risques inconsidérés pour récupérer le cadeau de Mary qu'elle avait jeté sur le haut de l'armoire dans la chambre des enfants. Elle y parvint en dépliant un cintre en fil de fer et étouffa un petit cri de victoire quand ses doigts l'agrippèrent. Elle trouva refuge dans la salle de bains à l'entrée de la suite. Elle s'assit sur la moquette, dos à la porte. Les risques que Jack la surprenne lui parurent inconsistants. Pendant toutes leurs années de mariage, jamais une seule fois elle ne l'avait vu se lever, pas même pour pisser.

Sous le titre, en lettres violettes était écrit : « Ce merveilleux livre appartient à M. Twinston. » Coryn plongea. Dès les premières lignes, elle fut happée par le monde d'Andy, emprisonné à tort... Qui courbait le dos, comme elle. Qui subissait humiliations et coups, *comme moi*. Mais qui, lui, attendait son heure sans renoncer à son rêve, sans renoncer à Zihuatanejo. Elle dévorait les mots. Ils étaient délicieux. Doublement délicieux, parce que ce livre était passé des mains de Mary aux siennes alors qu'elle se demandait *comment faire pour m'en sortir*.

36

Le papier sur Jaguar et sur Jack-the-best-parmi-tous-les-best parut pendant le séjour des Brannigan à Brighton mais fit le trajet dans l'attaché-case de Jack jusqu'à San Francisco. Son portrait emballa l'excellent vendeur qui le lut et le relut debout dans son salon. À froid. Coryn pensa que son frère était réellement habile, fin et talentueux. *Il ne faut pas qu'il parte en Afghanistan.* Elle se promit de l'appeler pour l'en dissuader. Mais avec le décalage horaire et la reprise de la routine, elle ne le fit pas.

À San Francisco, les choses étaient résolument différentes. À San Francisco, Coryn songea à la carte que Kyle lui avait tendue dans le parc.

Cependant, de nombreux jours s'écoulèrent sans qu'elle trouve le courage nécessaire pour… *quoi ?* Même articuler sa pensée était difficile. C'était comme faire un vœu et le bredouiller. C'était vouloir et avoir peur. « C'est pas le bon moment » concluait ses pensées et les tâches quotidiennes meublaient le reste du temps. Avec le *Times* que la jeune femme acheta régulièrement pour savoir ce que faisait Timmy, même s'il existait un décalage entre le moment où il « traitait son sujet » et le moment où Coryn le découvrait.

Jack, dont l'ego avait pris récemment un sérieux coup de *shining*, accepta que le travail de son génialbeau-frère fasse partie des conversations de la grande maison blanche. Les retombées flatteuses avaient généré d'autres articles dans la presse américaine. Et Jack était loin d'être insensible à la flatterie.

Chaque fois qu'elle trouvait un article de Timmy, sa sœur le découpait soigneusement et le collait bien droit dans un cahier spécialement acheté à cet effet. Jack ne disait rien. Non, il n'avait pas changé, mais son article occupait les trois premières pages du grand cahier...

Oh ! Jack aimait tant être le cavalier de tête !

37

Arrivèrent les derniers jours d'octobre et de beau temps dans l'hémisphère nord. Le vent vif se leva. Il annonçait et préparait à l'hiver.

À Londres comme à San Francisco, la pluie s'installa. Bientôt le froid engourdirait le monde et défigurerait les arbres. Les branches seraient à nu. Il faudrait être aveugle pour ne pas les voir dévoiler l'architecture de leur squelette.

À Londres comme à San Francisco, Mary et Coryn penseraient de temps à autre à Andy Dufresne. À son courage, à sa ténacité, à la force de la Chance et à la conviction d'Andy qu'un jour il marcherait pieds nus dans son rêve.

*
* *

Mary ne trouva pas tout de suite le bracelet. Elle avait tant de vestes de toutes les couleurs qu'il lui fallut plusieurs tenues avant de remettre le *fameux* blazer.

— Quelle idiote ! dit-elle en frissonnant et en remontant la couverture sur son bébé. Mon pauvre chou, ta maman voit du soleil et elle met une veste légère ! Tu ferais bien de me surveiller un peu !

Elle glissa sa main gauche dans une poche, fronça les sourcils et extirpa un objet métallique et froid.

Ben putain... Elle s'assit, les jambes sciées, sur le premier banc venu. Elle regarda longuement le bijou au creux de sa paume puis leva les yeux vers son fils.

— Je fais quoi, hein ? Tu sais, toi ? Un machin pareil... ça doit valoir une fortune.

À la vérité, Mary Twinston n'était pas si étonnée que ça. En tout cas, pas étonnée de la façon dont Coryn lui en avait fait cadeau.

— Je dois la remercier.

Elle prit le Tub jusqu'au Barley House où Coryn avait séjourné et se dirigea vers le comptoir. *Dieu merci*, se dit-elle, *le concierge est un homme âgé et pas une dinde.* Elle afficha un sourire sincère pour dire qu'elle avait égaré son carnet et qu'il lui fallait absolument envoyer quelque chose à son amie Mme Brannigan, et qu'elle aimerait avoir son adresse...

— Je ne suis pas autorisé à vous la communiquer. Mais si vous me glissez votre « quelque chose », je peux le transmettre à votre amie.

— Vous feriez ça ?

— C'est dans mes attributions, madame.

— Avez-vous de quoi écrire ?

Le concierge lui tendit du papier à lettres et une enveloppe. La jeune femme écrivit : « Zihuatanejo ! Merci un million de dollars. Je t'aime. Mary. »

38

Comme à chacune de leurs séances de dédicace, les F... déplaçaient les foules. Les médias ne cessaient de « médiatiser », mais le groupe n'avait donné aucune interview depuis son arrivée à Londres. Timmy rêvait toujours d'écrire *son* article. Alors, tout content d'apprendre où les musiciens se trouvaient précisément ce jour-là, il se glissa entre les badauds agglutinés dans ce grand magasin. Il y avait des gens de tous les âges. Il y avait des fans qui parlaient de tous les concerts qu'ils avaient vus. Sur plusieurs dates. Dans plusieurs pays. Sur plusieurs années. Leur conversation avait quelque chose de fascinant et de terrifiant. Ils étaient une mine d'or de détails. Timmy repéra quatre Patsi rien qu'en regardant droit devant lui. Aucune n'était la Patsi qu'il voulait voir. Il aperçut d'ailleurs sa crinière rousse. Sa robe bustier rouge. Ses épaules tatouées. Mais c'est son rire qui l'enveloppa. Il éclatait autant qu'elle éblouissait. Une jeune fille à sa droite lui demanda de bien vouloir prendre une photo avec son iPhone puisqu'il était grand.

— T'as quel âge ? demanda Timmy en lui rendant son portable.

— Dix-huit.

Le jeune homme plongea ses yeux dans ceux de la menteuse.

— Ne mets pas la photo sur Facebook.

— Ma mère sait pas s'en servir.

— Un conseil, méfie-toi des mères.

La gamine sourit et brusquement, sans que Timmy s'en rende compte, il se retrouva directement propulsé face à Kyle. Il tendit son CD à dédicacer, remercia puis glissa sa carte professionnelle.

— J'adorerais faire une interview.

Steve répondit qu'ils n'en donnaient aucune pour le moment. Leur agenda ne leur permettait pas de... Machinalement Kyle regarda le carton. « Tim Benton ». Le musicien avait ces derniers temps des doutes sur les lieux et les dates mais une mémoire exacte pour les notes, les noms et les visages. Immédiatement lui revint un souvenir précis. Coryn s'appelait Benton avant d'être mariée au Connard. Il releva la tête. Le cœur agité. Le jeune homme au blouson rouge avait déjà été poussé. Il se leva et l'aperçut à quelques mètres qui s'éloignait. Sans réfléchir, Kyle le rattrapa.

— Dites, par hasard, vous ne seriez pas de la famille de Coryn Benton ? Enfin, je veux dire Coryn Brannigan.

— C'est ma sœur, répondit Timmy sans réprimer un sourire.

— Vous avez votre interview.

— Exclusive ?

— Exclusive, confirma Kyle. Je vous contacte demain.

Le lendemain matin, il appela le journaliste. Ils prirent rendez-vous et l'interview se fit. Le musicien avait su convaincre les autres membres que ce serait *sympa* de la faire. Il tut que Tim Benton était l'oncle du gamin qu'il avait envoyé au bloc. Et sans un scrupule, il mentit en affirmant que le jeune journaliste était un ami d'un ami d'un ami et qu'il attendait le reportage qui allait lui ouvrir des portes.

— On sait ce que c'est la Chance, non ?

D'emblée, les trois autres approuvèrent. *Forcément.* Ils étaient bien placés pour savoir qu'elle est un relais. Et que fait-on dans un relais ?

— On se concentre sur la main qui se tend.

Timmy se montra percutant, charmant et amical. Il promit à Kyle qu'il ne parlerait jamais à personne de l'accident et que ça resterait « dans la famille ». L'expression plut au musicien. Quand il le raccompagna seul jusqu'à l'ascenseur de l'hôtel, le journaliste ne put se retenir de dire qu'il lui passait le bonjour de sa sœur.

— Oh ? dit Kyle, comme s'il avait trébuché.

— Coryn a passé quelques jours à Londres avec son mari et ses gosses. Ils sont arrivés le même jour que vous. C'est drôle, non ?

À son tour, Kyle ne put retenir un sourire et repensa aux cheveux blonds entraperçus dans le hall de l'aéroport. *La vie...* se dit-il avec une émotion qui lui monta comme une flèche au cœur. Il regarda Timmy droit dans les yeux et le chargea de lui retourner son bonjour.

— Discrètement, appuya-t-il.

— Ah ! Vous aussi, vous avez saisi que son mari était un peu... nerveux.

— Un peu ? répéta Kyle, ne sachant quoi ajouter d'autre.

— Si vous voyiez d'où on vient, vous vous diriez plutôt que Coryn est bien tombée. On est onze gosses et c'est la seule fille. Je ne vous cache pas qu'elle a été largement exploitée par mes parents.

— Je vois.

La voix tonitruante de Patsi leur parvint du bout du couloir.

— Kyle ! Téléphone ! Jaaaaane...

— *Ma* sœur, lança le musicien avec un clin d'œil complice.

Le journaliste lui tapa sur l'épaule et le remercia avant de s'engouffrer dans l'ascenseur. Il était plus que satisfait. Kyle était plus que content. L'interview serait bonne et il avait le numéro de Timmy. *Pour quoi faire ?* lui demanda sa conscience. *Pour l'ajouter comme pavé sur la route des preuves !*

Les autres ne surent jamais *qui* était Timmy. À quoi bon ? *La vie...* se dit encore Kyle en revoyant le mouvement souple des cheveux de Coryn. La lumière qui y était accrochée. Les notes qu'il avait ressenties.

39

Il y a des jours où les astres prennent conscience que vous existez et décident de se pencher sur *vous*. D'ailleurs, pour le prouver, ils vous octroient une pluie d'événements. Heureux ou malheureux. Qui vous sauvent ou vous sacrifient. Ou les deux à la fois...

Ce 29 novembre, les astres firent en sorte que Coryn reçoive plusieurs nouvelles qui donnèrent un sérieux coup d'accélérateur au changement amorcé dans la trajectoire de sa vie.

Ce matin-là, alors qu'elle se coiffait dans la salle de bains, Malcolm poussa la porte et resta les bras le long du corps, sans bouger. Coryn se retourna. Son fils avait dans ses yeux clairs une ombre qui la glaça.

— Y avait pas d'écureuil.

Elle s'agenouilla.

— Après quoi tu as couru ?

— Ma balle. Mais j'ai dit au policier qu'elle était pas à moi.

— Pourquoi ?

Il haussa les épaules.

— Pourquoi tu n'as rien dit ?

— Papa m'avait interdit de la prendre dehors, murmura-t-il en s'accrochant au cou de Coryn. Tu lui diras pas, hein ?

— Je te le promets, Malcolm. Jamais je ne le lui dirai.

La jeune femme avait toujours surveillé du coin de l'œil Jack avec ses enfants. Pas une fois elle ne l'avait vu porter la main sur eux. Il était strict et sévère, mais juste avec sa progéniture. Pourtant ce matin, elle comprit qu'elle avait oublié quelque chose d'essentiel. Elle avait oublié de regarder ce qu'il y avait dans les yeux de son fils. Et ce qu'elle vit – cette ombre – la saisit.

— C'était de ça dont tu voulais parler à Londres dans la salle de bains ?

— Oui.

Coryn reçut son premier électrochoc de la journée. Elle se sentit coupable. Aveugle. Égoïste. Malcolm avait caché ce mensonge très longtemps. Ce qui impliquait que Jack lui faisait peur d'une manière ou d'une autre. Parce que cette ombre n'était pas juste la crainte d'être grondé mais quelque chose de plus noir. Beaucoup plus qu'elle ne l'avait imaginé. Elle regarda son fils au fond des yeux et promit qu'elle le protégerait. Toujours. Malcolm se serra de nouveau contre elle puis courut s'habiller parce que aujourd'hui un clown venait à l'école avec une machine pour faire de grosses bulles.

— Tu me raconteras ?

— Oui.

— Tout ?

— Oui, Maman.

Comment faire pour nous en sortir ?

40

Le deuxième électrochoc arriva peu de temps après qu'elle eut déposé son fils à l'école et Daisy à la crèche. La jeune femme s'arrêta au Sweety Market qui avait le privilège de vendre du pain français ainsi que de nombreux journaux étrangers. Dont le *Times* grâce auquel Jack pouvait frimer à son bureau en racontant quel bel article *son* beau-frère avait signé.

Coryn, elle, aimait venir au Sweety Market. *Forcément...* Elle songea ce matin-là qu'il y avait effectivement quelque chose de « tendre » entre ces murs. Elle acheta deux baguettes, des asperges fraîches, le journal. Elle passa à la caisse, elle pensait à Malcolm. Christa dormait dans le porte-bébé en écharpe que Jack lui avait offert. *Et Daisy ? A-t-elle peur, elle aussi ?* Coryn s'arrêta au passage piéton. Elle ouvrit le journal, tourna les pages une, deux, trois, quatre, cinq et ne traversa pas.

Un très long article et deux photos occupaient une page entière. Elle fila au bas de la feuille et lut : « Écrit par Tim Benton ». Son cœur eut une envolée. De façon synchronisée, elle se dit : *Ainsi donc, mon frère a réussi* et *Je veux revoir Kyle*. Cette seconde pensée échappée tout droit de son cœur lui imposa de refermer le journal. Rougissant d'avoir formulé cette idée *et* heureuse de l'avoir eue. Quelle audace !

Elle traversa, releva la tête et laissa le vent balayer ses cheveux en arrière. Il sentait l'océan et le lointain. Il sentait le voyage et le sel. Il donnait du goût à sa vie... Délitait ses idées noires comme des nuages inutiles, et le soleil pâle de ce jour de novembre eut subitement un éclat inattendu.

Tout comme la factrice qui, sur le trottoir, lui tendit le courrier de la main à la main. D'ordinaire, et ce depuis plus de quatre années, cette femme qui flottait comme une ombre dans son uniforme se contentait de jeter les lettres dans la boîte. La jeune femme accéléra le pas pour attraper les enveloppes et la remercia de l'avoir attendue.

— Je vous souhaite une bonne journée, madame Brannigan.

Coryn posa les yeux sur le timbre anglais trônant en première place. Une lettre adressée à *Madame Coryn Brannigan*... Troisième électrochoc. Une lettre qui ne portait ni l'écriture de ses parents ni celle de Timmy. Une lettre ornée dans le coin gauche du logo de l'hôtel où ils avaient résidé... Coryn sortit ses clés. Elle tremblait tant qu'elle eut du mal à ouvrir la serrure.

Serait-ce... ? Non. C'est impossible...

Elle ne s'autorisa plus à penser quoi que ce soit. Elle referma la porte blindée, posa Christa dans le cosy du salon et déchira l'enveloppe sans prendre le temps d'ôter son manteau. Une feuille était pliée en quatre. Coryn lut, tremblante, les quelques mots griffonnés en larges et pleines lettres au beau milieu.

Le message posté par le concierge de l'hôtel une semaine plus tôt avait la même intensité que lorsqu'il avait été rédigé. Quand Coryn articula à voix haute « Zihuatanejo », elle eut l'impression que Mary était avec elle dans son salon blanc.

Il était inutile qu'elle en écrive davantage. Quand les mots sont superflus, ils savent disparaître. Elle se dit que le temps et l'espace n'étaient pas des dimensions immuables dans l'univers. D'ailleurs, *aujourd'hui* avait des airs d'un jour de Noël. Coryn avait reçu les cadeaux dont elle rêvait et qu'elle n'osait demander. L'article de Timmy et la lettre de Mary. Deux cadeaux. *Enfin trois, si je compte le sourire de la factrice*, se dit-elle avec amusement avant d'être pétrifiée. Car il y avait eu aussi un avertissement. Malcolm craignait son père... Lequel, cela ne pouvait tomber mieux, était en déplacement. Presque un cadeau supplémentaire. *Sauf qu'il va rentrer ce soir.*

La jeune femme remit du bois dans la cheminée, remonta la couverture sur Christa puis s'installa sur le canapé. Les asperges accrochèrent son regard. Elle faillit se lever pour les mettre au frais puis se rassit. Elle ouvrit le journal et lut l'interview de Timmy. Elle était bien menée, drôle et percutante. Les dernières lignes la saisirent.

— Je ne vous demanderai pas quelles sont vos sources d'inspiration mais j'aimerais bien savoir à quoi vous vous raccrochez quand, comme tout le monde, ça déconne dans votre vie ?

Kyle avait répondu :

— Aux branches des arbres. En particulier, un bouleau.

C'étaient bien les quatre derniers mots de l'interview. « En particulier, un bouleau. » Quatre mots choisis pour faire mouche. *Mon Dieu*, se dit Coryn. Elle regarda les deux photos. La plus grande représentait les trois garçons tenant Patsi allongée de tout son long dans leurs bras. Elle était simplement magnifique. Et la seconde... la seconde était une photographie de Kyle assis dans un fauteuil. Seul. Il avait rejeté sa mèche et regardait droit l'objectif. Il sembla à Coryn qu'il avait la même expression que lorsqu'il lui avait demandé si elle voulait déjeuner avec lui. Oh ! Elle aurait tant aimé... Elle aurait tant voulu entendre encore sa voix. Timmy lui avait-il dit qu'il était son frère ?

Oui, cet article, ce qu'il contenait était un cadeau supplémentaire. Ce qui faisait un total de... Coryn ferma les yeux. S'endormit peut-être. Mais rêva certainement jusqu'à ce que Christa se réveille.

Elle glissa la petite repue dans son lit, attendit que sa respiration soit régulière et souple pour redescendre au salon. Elle s'empara des ciseaux et prit soin de ne pas entailler les photos. Quand elle déboucha la colle, elle sursauta. *Qu'est-ce que je fais ? Je ne suis quand même pas assez tarée pour mettre cet article dans le cahier !* Car, oui, il faudrait être totalement stupide et suicidaire pour narguer ainsi Jack.

Il fallait qu'elle le... qu'elle le... cache. Elle aurait pu choisir de le jeter au feu. Mais refuse-t-on un cadeau ? Ne restait donc que la possibilité de le dissimuler. Elle se leva et envisagea tous les moindres recoins du salon. Puis ceux de la cuisine, de la salle de bains, du garage et de toutes les autres pièces. Chaque fois que ses yeux se posaient sur un endroit, aussitôt il ne lui semblait plus assez sûr. *Il faut pourtant que je trouve*, paniqua-t-elle en suppliant sainte Bonne Idée de l'illuminer. Les minutes défilèrent sans apporter la moindre planque idéale et la pendule du salon cracha subitement trois coups sourds.

Une frénésie saisit la jeune femme. Trois heures signifiaient qu'il lui faudrait se hâter pour être à temps à la sortie des classes. *Comment ai-je fait pour perdre tout ce temps ?* Elle rangea colle et ciseaux à leur place habituelle et fila à l'étage dans la chambre de Christa. Elle enfonça l'article dans le dernier tiroir de la commode, sous le papier de soie qui séparait le fond des vêtements du bébé. Là où elle cachait le livre de Mary. Cette planque était la plus fiable. Jack ne rangeait pas les vêtements des enfants... *Déjà qu'il laisse les siens traîner où ils tombent.*

Christa dormait si profondément qu'elle ne se réveilla pas quand sa maman l'attacha dans la poussette. Elle ne la vit pas enfiler son manteau à la hâte, attraper le journal, les découpes tombées sur le sol impeccable et la lettre de Mary perdue au milieu. Pas plus qu'elle ne la vit trottiner sur le chemin.

Le vent était devenu beaucoup plus froid et plus vif que ce matin. Coryn baissa la capote au maximum et fut traversée par une terreur subite. Si Jack lisait le *Times* dans l'avion ? Non, improbable sur une ligne intérieure. *Et s'il me demande si je l'ai acheté aujourd'hui ? Je mentirai*, se dit-elle en enfonçant le tout dans une poubelle municipale. *Je dirai qu'il n'y en avait pas. Ou que j'ai oublié. Mais qu'est-ce que j'ai fait ? À part rêver ?*

Elle retint au dernier moment la lettre de Mary, paniqua, hésita, puis lut attentivement l'adresse avant de la plonger elle aussi dans les poubelles. *Oh ! Pardonne-moi.* Elle reprit sa course. La jeune femme était si confuse qu'elle avait du mal à avoir une idée cohérente. *Aujourd'hui est trop plein de trop de choses.* Tant de cadeaux de Noël pour une fille qui n'en avait jamais attendu. Subitement elle aurait voulu... être *des mois plus tôt. Pour tout recommencer.* Des larmes s'annoncèrent. Elle se pinça fortement le nez.

Coryn revit les chiffres écrits en bleu et en italique sur la carte que Kyle lui avait tendue dans le parc, pas si loin d'ici. « (415) 501 7206 ». L'adresse lui échappait. Trop d'émotions ? Non. Le jour où Kyle avait tenté de la lui donner, elle n'avait pas osé lire au-delà du numéro de téléphone.

Aujourd'hui, *ce* numéro représentait l'espoir, aussi fou qu'insensé. Il existait. Comme une réponse à la question qui la taraudait depuis l'Angleterre.

Comment faire pour nous en sortir ?

43

À Londres, l'eau qui s'écoulait dans les tuyaux de la douche n'avait pas réveillé Kyle. Migraine avait soufflé un bonjour matinal. Ce matin, la garce était discrète, polie et presque aimable, mais le musicien savait bien que ce n'était jamais une promesse. Migraine était une compagne imprévisible. Elle devenait méchante, cruelle et fracassante quand elle le décidait. Si elle le voulait. Avant que les choses virent au drame, il se leva pour avaler du café. Des litres de café pendant que l'eau gargouillait encore. Il termina son toast au moment où le bruit de l'eau cessa. Puis un deuxième, un troisième, et une pomme, sans voir Patsi apparaître.

Quand il ouvrit la porte de la salle de bains, la musicienne était sur le point d'en sortir et le poussa de son chemin.

— Tu es déjà habillée ?

Pas de réponse. Juste un regard. Noir. Muet. Mais où Kyle lut que lui n'était pas prêt pour la visite d'un énième appartement.

— On a rendez-vous à quelle heure ?

— *J'ai* rendez-vous car, moi, *je* suis à l'heure, dit-elle en enfilant son manteau jaune poussin. Toi, tu es en retard et tu restes là.

— De toute façon, ça ne change rien puisque c'est toujours toi qui choisis.

— *Je* choisis car *tu* te fous de savoir où on va habiter.

Impassible, elle serra la ceinture au maximum. Kyle la retint par le poignet.

— Je suis fatigué.

— Tu te répètes, Kyle. Et tu me fatigues.

Elle dégagea son bras d'un geste sec et ouvrit la porte du couloir en disant qu'...

— ... il serait temps, grand temps, que tu voies un toubib et un psy. Ça te faciliterait la vie *et* la mienne par la même occasion.

Puis, avant qu'il n'ouvre la bouche, elle se ravisa.

— C'est vrai, j'oubliais, tu *aimes* souffrir.

— La ferme, Patsi.

— Non ! explosa-t-elle. J'ai pas envie de la fermer ! Ça ne m'amuse pas de te voir te complaire dans ta douleur et ça ne m'amuse plus de vivre avec un type qui ne cesse de se flageller de ne pas avoir pu sauver sa mère.

Kyle ne sut pas si ces derniers mots avaient été choisis pour le cingler ou s'ils faisaient partie de la grande famille des lapsus. Il lui demanda de foutre le camp. Ce qu'elle ne fit pas. *Forcément*. Elle resta à le fixer une minute entière, les bras croisés.

— Tu sais que j'ai raison.

— Je ne suis pas prêt à l'entendre.

— Je te donne deux minutes pour t'habiller, sinon...

Elle se censura elle-même.

— Sinon quoi ? Tu feras mettre l'appartement à ton nom ? Comme ça, quand tu en auras marre de moi, de mes migraines et de mes états d'âme, tu me foutras dehors ?

— Quelle perspicacité ! Bravo.

— Je vais me recoucher.

Ce qu'il fit. Il ferma les yeux et plaça son bras sur sa tête. Il entendit Patsi approcher d'un pas calme.

— Tu ne m'aimes plus.

— Si.

— Tu mens, affirma-t-elle.

Kyle ouvrit les yeux. Patsi articulait enfin *le* truc. Il l'avait vu approcher, puis s'éloigner. Il s'était même étrangement et lâchement traduit par un « fais-moi un enfant ». Il fallait bien qu'un jour ou l'autre ce truc lourd comme un ciel pourri de novembre crève. Patsi était la plus courageuse des quatre.

— Moi, poursuivit-elle, je ne sais pas si je t'aime encore et je ne sais pas si j'ai *encore* envie de toi dans mon lit.

Il s'assit.

— Alors il faut qu'on parle sérieusement.

— Pas maintenant, répondit-elle. J'ai rendez-vous pour un appartement qui me plaît. J'aime que les choses soient claires et nettes et je déteste le marécage dans lequel on nage.

— Patsi...

Elle le regarda et dit qu'elle ne rentrerait pas ce soir. Il eut envie de demander où elle irait, mais ne le fit pas. Elle quitta leur suite sans claquer les portes. Et sans les fermer.

La musicienne était lucide et déterminée. Elle avait compris que leur route était arrivée à un croisement alors que lui se demandait quand – et pourquoi – les choses avaient commencé à s'étioler. Était-ce après sa rencontre avec Coryn ? Avant ? Kyle était incapable de le distinguer. Patsi et lui avaient passé tant d'années à vivre ensemble, à travailler ensemble, à s'aimer, à s'admirer, à se disputer sur une note, sur un accord, sur une variation de ton. Ils se connaissaient par cœur et peut-être trop. Steve et Jet trouvaient ça normal. Vu de l'extérieur, Kyle et Patsi se comportaient comme à leur habitude, mais vu de l'intérieur, ils se regardaient et s'analysaient de manière différente. Un contre un. Et non plus deux à deux. Elle avait détesté ce qu'il avait écrit en revenant après la mort de son salopard de père. Elle avait dû sentir dans sa musique cette infime différence. D'ailleurs, n'avait-elle pas dit et archi répété :

— Ce morceau, je ne le jouerai jamais.

Mais quand l'amour décline-t-il ? Est-ce qu'on s'en rend compte tout de suite ou bien faut-il du temps pour que les choses apparaissent enfin ? Ni l'un ni l'autre n'auraient pu le dire. Si Jane avait été là, elle aurait ajouté qu'il en allait de même pour la violence. Patsi détestait Jane. Les deux femmes ne se comprenaient pas. La musicienne estimait que tirer un trait sur son passé était la seule voie de survie. Le prendre à bras le corps comme le faisait sa « demi-belle-sœur » était tout simplement incompréhensible. En souffrir comme Kyle était suicidaire. Ni lui ni Jane ne lui en avaient jamais voulu.

Le jeune homme glissa sur le côté pour échapper à la lumière blanche qui filtrait entre les rideaux mal clos. Migraine gagna en puissance. Il se précipita aux toilettes pour vomir. Éjecter de son corps ce qu'il ne digérait pas. Toujours le même rituel. Toujours les mêmes crampes. Toujours se mettre la tête sous l'eau pour se laver. L'effet serait apaisant pendant quelques minutes. Juste assez pour qu'il retourne dans son lit et s'y effondre.

Patsi. Coryn. Patsi. Coryn… Migraine. Migraine. Migraine.

Les heures suivantes lui offrirent le néant total dont il avait besoin. La garce se retira. Peut-être aspirée par le trou noir qu'elle avait engendré. Pendant quelques furtifs instants ne subsista que son absence. Comme lorsqu'on découpe un personnage d'une photo. Kyle se sentit seul, perdu et avec l'impression frustrante de ne plus avoir de pouvoir sur rien. De voir sa vie lui échapper. Inévitablement, il revit sa mère dans sa robe à fleurs qui sortait de la salle de bains, portant ses lunettes de soleil et disant à haute voix « *J'aimerais remonter à l'instant précis où les destins s'entremêlent…* » Il n'avait jamais su si elle se parlait à elle-même ou si elle lui adressait un appel au secours. Mais il était sûr qu'il avait été là, auprès d'elle, et qu'il n'avait rien fait. Oh ! Kyle savait qu'il n'avait que cinq ans. Seulement, certains jours il aurait aimé remonter le fil de sa vie et vérifier s'il avait été négligent. Ou non. S'il aurait pu faire quelque chose. Ou non. S'il était coupable. Ou non. *Merde ! Patsi, tu as raison.*

44

Il était dix heures quarante du matin à Londres et dix-huit heures quarante à San Francisco. Patsi n'était pas rentrée de la nuit. Et Coryn était à des milliers de kilomètres...

Kyle se promit qu'à Noël il trouverait le moyen de la revoir. D'une façon ou d'une autre, il faudrait qu'il tranche la question. *Une fois pour toutes.* Il ne savait pas encore ce qu'il lui dirait mais aujourd'hui, sa décision était prise. Il reverrait Coryn. Il dirait ce qu'il avait sur le cœur. Ses inquiétudes. Ses frayeurs. Et le trouble qu'elle lui avait offert. Ce truc précieux et fragile qu'il adorait et dont il se nourrissait.

L'attente ne serait plus très longue. Encore quelques jours de travail dans ce studio de Londres qui finalement lui plaisait. Aujourd'hui, il y serait seul. C'était parfait. Demain... Ils enregistreraient et le travail prendrait le dessus.

À des milliers de kilomètres, au-delà d'un océan et au bord d'un autre, Coryn ressentit exactement le même soulagement qu'apporte la prise d'une décision.

Il y a des jours où les astres...

45

Combien de temps avant que Jack rentre ? évalua la jeune femme blonde en regardant sa montre. C'était faisable... Peut-être même possible. *Et si aujourd'hui, c'était ma seule chance ?*

Elle courut à l'étage, vérifia que ses enfants dormaient profondément puis enfila son blouson noir sur son pantalon noir. Elle remonta la fermeture en se regardant dans le miroir de l'entrée. Elle attrapa le bonnet noir que Jack portait pour courir le week-end. Elle y enfonça ses cheveux trop longs et trop blonds. Elle prit deux quarters dans son porte-monnaie. Ouvrit la porte d'entrée et observa la rue. Pas une voiture ne circulait sur Elm Street. Coryn referma à clé, descendit l'allée, déposa sa poubelle à l'endroit où Jack la positionnait, regarda à gauche puis à droite. Puis encore à gauche et partit au pas de course. Le vent devenu glacial lui brûlait les poumons. Les muscles de ses cuisses semblaient se déployer, et depuis le lycée, jamais elle n'avait couru aussi vite. Elle remonta sa rue et tourna à gauche sur Dickson Road.

La cabine téléphonique était à environ quatre ou cinq cents mètres de sa maison. La jeune femme blonde était à bout de souffle. Elle décrocha le combiné avant de réfléchir à ce qu'elle était en train de faire. Elle glissa une pièce. Celle-ci dégringola avec un bruit infernal qui sembla retentir jusqu'à la lune. Coryn jeta un regard à la ronde puis composa le « (415) 501 7206 ». À la première sonnerie, une voix féminine répondit :

— La Maison.

— ...

La jeune femme ouvrit la bouche, mais ne put articuler un son. Le souffle, le courage, la voix lui manquèrent subitement. Elle allait raccrocher quand la voix annonça :

— 1918 Boyden Street. Prenez un taxi. Nous paierons la course.

Elle reposa le combiné. Ses mains étaient moites. Elle eut le vertige et appuya son dos contre la paroi. Les muscles de ses cuisses étaient déchirés. Elle prit conscience qu'elle avait franchi la porte dessinée par Kyle des mois plus tôt. Elle venait d'entrer dans un monde où on comprenait ce qu'elle vivait. Un monde où on lui tendait la main.

Une voiture passa au loin et lui rappela la fragilité des choses. Coryn se ressaisit immédiatement. Elle sortit de la cabine, regarda autour d'elle, remonta Dickson jusqu'à sa rue. Personne. Elle courut le plus vite possible vers sa maison.

Elle n'avait pas dû s'absenter plus de quatre ou cinq minutes. Ce n'était pas beaucoup mais... c'était un temps suffisant pour que Jack soit revenu par l'autre côté. Elle ralentit en voyant la Jaguar blanche garée dans l'allée, phares éteints.

La porte d'entrée serait fermée à clé. Tout comme celle du garage. Il ne lui restait qu'une solution. Sonner à sa propre porte. Mentir. Et attendre les coups.

LIVRE TROIS

1

Des jours avaient passé depuis la cabine téléphonique. Coryn n'avait pas pris de sacrée raclée. Elle
avait jeté le bonnet loin dans les buissons et prétexté
être partie chercher le doudou de Christa qu'elle ne
trouvait plus dans la maison. « J'ai aussi sorti les
poubelles. Puisque tu rentrais tard… » Jack l'avait
regardée avec incrédulité, mais elle s'était mise à
genoux… et il avait oublié poubelles et doudou.

La jeune femme avait redoublé d'attention. Et de
patience. De questions. Changer de vie, c'est… *Est-ce
que ce serait vraiment possible ?* Elle avait élaboré des
plans. Y avait renoncé. Les avait remis sur pied. *Il
faut que je trouve un travail.* Mais où ? Où vivre ? À
la vérité, une seule question la retenait.

Et s'il m'enlevait les enfants ?

Cette question lui fit perdre du temps. Noël se
profila… Jack aimait parcourir les magasins bondés
pour acheter des cadeaux. Il aimait les jouets, les
emballages, les nœuds, les rubans dorés et les bijoux
que sa femme sublimait. Il aimait tenir la main
de sa sublime épouse et regarder qui la regardait.
Précisément, comment ce « il » la regardait puis
comment ce « il » le regardait et comment elle, *ma
femme*, baissait la tête en décomptant, en silence, les
jours jusqu'à « bientôt ».

Peut-être après Noël…

2

C'était la dernière journée d'école pour Malcolm avant les vacances. Daisy était à la crèche. La jeune femme blonde jeta le journal – neutre – sur la table du salon. Jack pourrait vérifier par lui-même que Timmy n'avait rien publié. D'ailleurs, depuis quelque temps, Coryn n'avait rien lu de son frère. *Pourvu qu'il ne soit pas déjà parti en Afghanistan...* se dit-elle. Elle envisagea de « demander l'autorisation » de l'appeler. Peut-être pourrait-elle téléphoner depuis la cabine ? Il faudrait beaucoup de monnaie et Jack faisait – demandait – tous les jours des comptes. Ou demain... *Ou le jour de Noël ?*

Elle termina de ranger les assiettes et les bols du petit déjeuner puis s'attaqua au linge pour lequel, pensa-t-elle, *je n'ai pas besoin de l'autorisation de Jack.* Depuis son escapade à la cabine téléphonique, des idées comme celles-ci la traversaient. Oui, Coryn faisait encore des listes, mais des listes précises de tout ce qu'elle n'avait pas le droit de faire comme toutes les jeunes femmes qu'elle croisait à la sortie des classes.

À cet instant, en pliant le linge, elle songea aux vêtements qu'il lui faudrait sélectionner. Elle monta la première pile dans la chambre de Malcolm. La rangea et se dit qu'il avait besoin de nouveaux pantalons.

Elle fila avec la deuxième pile chez Daisy et enfin poussa la porte de Christa le plus doucement possible. La petite dormait comme un ange, les bras au-dessus de sa tête. Coryn plaça les bodys dans le premier tiroir, les tricots dans le deuxième, et enfin, elle tira sur la poignée du troisième pour ranger les pyjamas mais... celle-ci lui resta dans les mains. Il lui fut impossible d'ouvrir *le* tiroir. La panique la saisit. En aucun cas elle ne pourrait demander à Jack de l'aider à le réparer. Si jamais il devait en déverser le contenu, il tomberait évidemment sur le livre de Mary et sur l'article de Timmy. Il ne verrait que la photo de Kyle. *Mon Dieu*, se dit-elle en courant en toute hâte dans le garage pour récupérer le bon tournevis. Qu'elle ne trouva pas sur l'établi. Pas dans toute la pièce. Pas dans la deuxième voiture. Mais dans le jardin, où son mari l'avait utilisé deux jours plus tôt pour bidouiller un truc sur la balançoire. Coryn le récupéra, fit le chemin inverse à toute vitesse, ouvrit la porte donnant dans l'entrée et tomba nez à nez avec Jack. Il tenait un bouquet de roses à la main, et elle, le *bon* tournevis.

— Oh ! Tu bricoles ?

— Je voulais...

Il se pencha :

— Puisque je suis là, je vais le faire. Il est où ce truc à visser ?

Coryn hésita une demi-seconde. De trop. Aussitôt le ton de la voix de Jack se fit sec et cassant.

— Où ?

La jeune femme resta immobile et Jack attrapa ce qu'elle serrait dans son autre main. Il reconnut la poignée de la commode. Il fila à l'étage. Il ne quitta ni son manteau ni ses gants. Si Christa n'avait pas été endormie dans son lit, Coryn aurait fui sur-le-champ. Elle aurait attrapé les clés que Jack avait posées sur le meuble de l'entrée, franchi « la porte » de la liberté, serait montée au volant de la belle

Jaguar et aurait foncé à l'école puis à la crèche. Elle aurait été libre. *Libre…*

Mais voilà, son bébé dormait là-haut, alors la jeune femme gravit l'escalier. Quand elle arriva dans la chambre, Jack était à genoux et vissait. Il ne lui lança pas un seul regard mais tira sur la poignée. Il jeta un à un tous les vêtements qui se trouvaient dans le tiroir. Elle attendit près de la porte. Elle pensa inutilement au revolver qu'il tenait dans un holster sous sa veste. Comment s'en saisir ? Et qu'aurait-elle fait, de toute façon ?

Jack leva les yeux. Elle fut tétanisée. Quand il avait ces yeux-là, la jeune femme entrait dans un autre monde. Les murs se refermaient et elle n'avait plus qu'à attendre les mains qui la démoliraient. Elle regarda Christa qui dormait…

— Donc. Donc. Donc, dit Jack en brandissant le livre et l'article de Timmy. Voilà ce que ma gentille petite femme adorée cache dans la chambre de son innocente fille.

Il se releva. Il était à quelques centimètres d'elle. Il ne crierait pas. À quoi bon ?

— Où as-tu eu ce livre ?

— À Londres. J'ai rencontré une jeune femme dans un parc et elle me l'a donné…

Le poing de Jack partit directement dans l'estomac de Coryn qui s'écroula sur les genoux.

— Tu crois que je vais gober ça ? Tu caches un article de l'autre salaud et un livre *déchiré* qu'on t'aurait donné à Londres alors que je sais qu'*il* était précisément *à Londres*. J'attends une explication, mon amour.

Coryn suffoquait et fixait les chaussures de Jack. Elles étaient parfaitement cirées et lacées. Les boucles devaient avoir la même mesure au millimètre près. Tôt ou tard, elle en prendrait une dans une partie de son corps.

Jack l'empoigna par les cheveux et la remit debout. Il pétrissait son bras et tout ce qu'elle pensa fut : *C'est pour aujourd'hui. Aujourd'hui est le dernier jour.* Elle redressa la tête et regarda son mari dans les yeux.

— Le livre appartient à Mary Twinston que j'ai rencontrée à Londres et l'article est de Timmy.

— Sur qui ?

— Sur Kyle Mac Logan et sur son groupe.

— Lis-le ! ordonna-t-il.

— …

La main de Jack s'abattit sur son visage et il répéta froidement :

— Lis-le.

C'est pour aujourd'hui. Coryn s'exécuta pendant qu'il arpentait la chambre. Le supplier d'arrêter était vain. Jack ne devenait pas un autre Jack. Il était cet homme versatile et violent. Elle savait que ce qu'il lui faisait était inexcusable. Inexplicable. Impardonnable et qu'elle n'avait jamais eu assez de courage ou l'occasion de lui échapper. Elle lisait et contrôlait son souffle. Sa voix. Et quand Jack revint à sa hauteur, sans prévenir, sans laisser partir un coup, il fit volte-face et plaqua sa main sur la gorge de sa femme. Pour la première fois.

— Et pourquoi le caches-tu ?

— … Tu me fais mal, Jack.

— *Pourquoi le caches-tu ?*

— Parce que tu m'empêches de vivre.

Les coups qui suivirent furent si puissants que Coryn ne put lutter. Elle tomba à plusieurs reprises recroquevillée à terre. Comme un animal. Sa paupière droite enfla tant qu'elle ne put la soulever. Du sang perlait sur la moquette rose. Jack continuait de la tirer par les cheveux pour mieux la renvoyer à terre à quelques mètres de là. Encore et encore et encore et encore et encore et encore et encore et encore et encore et encore et encore et… une ultime fois.

Elle resta clouée sur le sol. Près du lit. Elle aperçut Christa entre les barreaux. La petite pleurait. *Sa* fille pleurait mais ses cris ne lui parvenaient pas. *C'est pour aujourd'hui.* Jack s'agenouilla au-dessus d'elle et lui enserra la gorge d'une seule de ses grandes mains pendant que de l'autre il défaisait son pantalon.

— Tu n'es qu'une sale menteuse et une salope, murmura-t-il en écrasant son corps. Je l'ai toujours su. J'ai toujours su que tu me cachais des choses. Tout comme je sais que tu n'es pas sortie pour chercher le putain de doudou parce que tu as oublié d'enlever tes cheveux de mon bonnet. Cette fois, c'est fini, Coryn.

L'air lui manqua. Elle leva les yeux au maximum pour apercevoir sa fille une dernière fois. Mais tout ce que Coryn vit fut le bouton rouge du lourd magnéto-phone que les enfants avaient trouvé dans la cabane du jardin au milieu d'outils. Ce matin, Malcom et Daisy avaient joué avec l'appareil. Ils s'étaient enregistrés en train de chanter et avaient fait écouter le résultat à Christa. Ils avaient ri ensemble... *Oh ! Ils avaient ri...*

3

Kyle arriva enfin chez Jane. Seul.

Patsi s'était envolée quelques jours auparavant pour ne pas voyager avec lui et les autres membres des F..., esquivant ainsi une interview pour une chaîne de télé. Sa mère était souffrante. Ce qui n'était pas complètement faux, Marion avait chuté dans son escalier avec pour résultat une attelle à la cheville.

Cependant, en raison de chutes de neige inattendues, Kyle n'avait pu décoller que le matin du 24 décembre et avait été content de trouver une place dans l'un des rares vols du jour programmés. Comme tous les ans, il passerait le réveillon et le jour de Noël dans La Maison de Jane. Ce soir, il jouerait seul pour un public unique. Il aurait quelques jours pour trouver un moyen de parler à Coryn. Internet lui avait appris que « *la concession Jaguar de San Francisco est heureuse de vous accueillir pendant les fêtes pour qu'elles soient de véritables fêtes ! Jack Brannigan vous recevra en personne* ». Il y avait vu un signe. Sa raison lui avait rappelé que si Jack travaillait, les enfants seraient en vacances... *Il faut que je sois inspiré*, s'était-il dit avec toute la concentration dont il était capable.

L'avion de Kyle avait décollé avec un retard considérable, mais grâce à ce délai le chanteur avait eu la chance de dormir pendant une bonne partie du vol. Et ce pour la première fois lors d'un de ses voyages vers San Francisco. *Le Salaud est mort. Paix à mon âme.*

L'aéroport était quasiment désert puisque le réveillon accaparait tout le monde. Sauf ceux qui étaient de service. Kyle aimait jouer les Père Noël pour les quelques rescapées en exil chez sa sœur, et pour rien au monde il n'aurait manqué à son devoir. Alors oui, ce soir, le musicien considérait que lui aussi était « de service ».

Il composa le code d'accès de La Maison, entra et serra la main de Dick, le gardien.

— Content de te voir enfin !

— Content d'être enfin arrivé !

— J'ai écouté la météo et il paraît qu'à Londres le temps est pire que chez nous.

— Crois-moi sur parole, il l'est *tous* les jours.

Dick le débarrassa de son sac, de sa guitare et de son manteau, puis Kyle descendit le long couloir. Des voix résonnaient au loin dans la grande salle. Comme tous les ans, des guirlandes avaient été suspendues pour décorer les plafonds. Des dessins de Père Noël couraient sur les murs et semblaient guider les pas de celui qu'on espérait.

Des chandelles seraient disposées sur les tables et un sapin que Jane voulait aussi gigantesque que possible trônerait dans la grande salle. Il veillerait sur les paquets aux rubans multicolores, il écouterait les rires des enfants qui avaient le malheur – ou le bonheur – de se trouver ici à cette période de l'année. Il les regarderait déchirer les emballages, quand eux oublieraient le reste. C'était Noël et Jane insistait pour recréer une fête de famille avec des membres étrangers mais qui tous avaient un point commun.

Kyle arriva avec tant de retard que tout le monde était déjà à table, ou plutôt terminait de dîner. Jane les avait prévenus de la venue de la star et tous garderaient le secret. Elle n'avait aucun doute là-dessus.

Dès que le musicien poussa la grande porte, les mains applaudirent. Un peu comme quand il entrait sur scène. Certaines femmes crièrent, retrouvant instantanément leurs quinze ans. Kyle, lui, avait juste l'impression de rentrer chez lui. Dans la maison où il avait grandi. Mais comme toujours, la table lui parut plus grande que dans son souvenir.

Chaque année, en poussant la porte, il espérait bêtement tomber sur sa sœur qui dînerait en tête à tête avec Dan. Elle lui dirait que La Maison fermait. Que le business mourait. Qu'elle partait ouvrir un restaurant sur une plage. N'importe laquelle du moment que le sable soit blanc et doux. Qu'il y fasse beau tous les jours et que la mer soit chaude. Mais Kyle savait pertinemment que *ça* ne cesserait jamais.

— Voici Kyle, mon petit frère et *la* star de la famille...

De nouveau, tout le monde applaudit. Il eut du mal à se faufiler jusqu'à sa sœur. Il prit le temps de dire un mot à droite et à gauche, aux enfants qui seraient à tout jamais marqués par cette chose. *Qui ne devrait pourtant jamais entrer dans leur vie.* Kyle fit semblant de rien, de n'être que « le » chanteur, et prit place sur la chaise libre à côté de Jane. Elle tendit une assiette pleine et, pour la première fois depuis longtemps, il dit :

— J'ai faim.

— Attends ! C'est froid. Je vais te le réchauffer.

— J'y vais, dit une voix derrière eux.

Kyle se leva pour tendre l'assiette à la dame brune et souriante quand, du coin de l'œil, il aperçut à la dernière place, tout au bout de l'immense table, une femme portant un bébé dans les bras. La salle était sombre et la femme avait des cheveux courts. Mais il n'hésita pas.

Ce fut à la seconde suivante que la crainte que ce ne soit pas *elle* l'assaillit. Elle tourna imperceptiblement la tête dans sa direction. Elle sourit légèrement. Il comprit qu'elle allait coucher le bébé et la suivit des yeux jusqu'à ce qu'elle disparaisse dans le couloir. Derrière elle trottaient Malcolm et la petite Daisy. Il se surprit à penser que la fillette qu'il avait tenue dans ses bras à l'hôpital savait désormais courir. Il fut encore plus surpris par la joie brute qui l'envahit. Et lui coupa les jambes.

Si Coryn était là, c'est qu'*il* avait eu raison et qu'*elle* avait eu le courage. C'était bien la veille de Noël aujourd'hui, n'est-ce pas ?

— Elle est arrivée il y a deux jours, dit sa sœur doucement. Tard.

— Pourquoi tu n'as pas appelé ?

— Ç'a été un peu compliqué.

Ce qui voulait dire, dans le langage de Jane, extrêmement difficile.

— Elle va comment ?

— Elle ne peut aller que *mieux*.

Elle fixa son frère.

— Tu avais raison, Kyle.

— Où est le Salopard ?

— En taule.

Jane mit sa main sur celle de Kyle et July déposa l'assiette brûlante sous son nez.

— C'est moi qui ai préparé le rôti. Vous verrez, je suis une chef.

— Je n'en doute pas. Ça sent très bon.

July sourit. Elle aussi se souvenait de ses quinze ans et Kyle dévora son plat sous le regard amusé de toutes. Qui s'efforcèrent de reprendre normalement le fil de leur conversation. Lui ne cessait de jeter un coup d'œil à sa montre. Coryn ne revenait pas...

— Quelle chambre ? demanda-t-il à Jane à la dernière bouchée.

Elle le fixa avec son sourcil qui remontait. Il réitéra sa question avec fermeté.

— La 23.

Kyle repoussa sa chaise et sortit par la porte qui se trouvait juste derrière lui. Il parcourut à grandes enjambées le couloir jusqu'à la chambre de Coryn, le cœur en suspens, et frappa doucement. Il entendit des pas feutrés. La poignée se baissa, elle entrebâilla la porte. Il entra dans la pénombre de son refuge.

— Ils viennent de s'endormir, murmura-t-elle de profil.

Kyle demanda si les enfants allaient bien. Elle acquiesça et le fit passer dans la chambre. Tous les deux, côte à côte et suffisamment proches pour ressentir la chaleur de l'autre, regardèrent les trois petits dormir.

— C'est une fille ?

— Oui.

— Elle est née en juin, n'est-ce pas ? souffla Kyle qui se souvenait très bien de ce jour où il avait appelé l'hôpital.

Coryn hocha la tête. Elle, aussi, se souvenait très bien du message de la secrétaire. Elle dit qu'elle s'appelait Christa.

— Elle est adorable.

Le bébé fronça son petit nez, ils quittèrent la chambre. La jeune femme traversa la sienne et sortit aussitôt dans le couloir, par peur et par réflexe. Jack n'était pourtant pas dans les parages, mais elle redoutait toujours d'être surprise dans une situation délicate.

Coryn batailla pour refermer la porte à clé, gardant obstinément la tête baissée. De profil. Kyle l'observait. Ses mains tremblaient.

— Je n'ai pas l'habitude de cette serrure.

C'est au moment où le jeune homme se pencha pour l'aider qu'il vit son œil gauche. Il comprit pourquoi elle s'ingéniait à ne pas lui faire face. Il posa ses doigts sur son menton. Elle ne résista pas. Leurs regards se croisèrent. Se comprirent. Kyle vit tout. Sa paupière boursouflée, la plaie sur sa pommette, sa lèvre fendue et les marques noires qui dépassaient sous son foulard. Ainsi que celles qui n'étaient pas visibles. Coryn porta les mains sur son visage. Oh ! Pas par coquetterie. Pas, non plus, parce qu'elle voulait disparaître et ne pas avoir à expliquer pourquoi elle avait accepté de subir *ça*. Non. Elle voulait juste retenir le flot des larmes qu'il lui était impossible de réprimer une seconde de plus. Alors Kyle fit ce qu'il voulait faire depuis la toute première fois qu'il l'avait rencontrée. Il prit Coryn dans ses bras et la tint contre lui.

Hold you in my arms...

4

Des minutes entières, Coryn pleura. Doucement et sans bruit. Ni elle ni lui ne bougèrent. Et il ne pensa à rien d'autre qu'à la protéger.

5

— Votre chemise est trempée, dit-elle enfin.

— À quoi servent les chemises, si ce n'est à éponger les larmes des filles ?

Elle savait pourquoi il était faussement désinvolte. Elle en fut infiniment touchée. Kyle la trouva rayonnante. Apaisée. Terriblement belle.

La porte du couloir s'ouvrit dans un bruit, rappelant que le présent est la réalité dans laquelle il faut vivre. Jane apparut. Elle arrêta sa course, saisissant aussitôt qu'elle tombait comme un cheveu sur la soupe.

— Kyle, quand tu seras prêt... Je veux dire, on t'attend. J'avais promis...

— On arrive.

Jane disparut aussi rapidement qu'elle était apparue et Coryn pensa aux mots qu'il venait de prononcer. « On arrive » et non pas « J'arrive ». Il lui lança un regard interrogateur. Elle fit signe qu'elle était prête.

Sans un mot, sans une gêne, sans non plus rompre le lien qui les avait tenus l'un contre l'autre, ils avancèrent dans le couloir avec une conscience précise de l'intensité de l'instant qu'ils venaient de partager. Heureux. Émus. Bouleversés et sidérés d'être là, ensemble.

Avant de pousser la porte de la grande salle, le musicien dit qu'il la retrouverait après avoir joué. Elle sourit mais ne le suivit pas des yeux quand il se glissa entre les chaises. Il fut happé par des cris. *Forcément.* Une star... En chair et en os ! Et qui, ce soir, à moins de cinq mètres des premiers rangs se métamorphosait en cadeau.

Toutes les chaises étaient occupées. Coryn dut s'asseoir sur une des tables qui avaient été repoussées contre le mur du fond. Il prit place sur la scène improvisée et l'illumina. *La scène est sa vie*, pensat-elle. C'était aussi évident que naturel. Il s'installa au piano et replaça le tabouret à l'endroit précis qu'il lui fallait occuper. Car la place des choses doit toujours être précise, n'est-ce pas ? Un doigt qui dérape et c'est une note ratée. Une pression trop forte et l'émotion s'envole... S'échappe et disparaît. La subtilité meurt et la platitude remplace l'exceptionnel. Le magique. *Il suffit de pas grand-chose pour tout changer...*

Kyle fit jaillir deux ou trois notes du piano. Ses doigts glissèrent sur les touches comme si elles lui appartenaient et il entonna des chants de circonstance.

— Il paraît que le Père Noël les entend, dit-il avec un clin d'œil vers les enfants. Enfin, quand on pense suffisamment à lui...

La musique inonda la pièce et sa voix enveloppa tout le monde. Coryn fit le vide et – comme toutes les autres personnes assises dans cette salle – elle ne laissa de place à rien d'autre. Elle était certaine que tous se demandaient si le musicien avait conscience de ses dons. Chanter et jouer aussi merveilleusement bien et aussi émotionnellement juste est tout simplement... magique. Quel autre mot serait possible ? Oui, Kyle devait être un peu magicien. D'ailleurs, n'avait-il pas compris pour elle ? Il fallait bien un peu de magie dans cet homme pour qu'il perçoive ce que personne n'avait jamais soupçonné.

Il abandonna le piano et dit en souriant qu'il s'était échauffé… et que *donc*, il était temps de s'emparer de sa guitare. Il joua et chanta de nouveau. Il était dans un autre univers. *J'aimerais aller où il va…*

Deux ou trois fois – à la vérité, bien plus – Coryn sut que le musicien la regardait. Elle. *Moi*. Dans quelques minutes, c'était Noël. Inévitablement elle pensa à ses enfants… Au procès à venir. À la prochaine et terrifiante confrontation. Au divorce. Qui la plongea dans un autre monde. Le sien. Coryn ne refit surface que lorsqu'une des femmes du premier rang réclama une chanson en particulier… Il répondit qu'il ne pouvait la jouer seul. Sans les autres membres de son groupe. Quelqu'un d'autre demanda s'il était toujours question de mariage entre Patsi et lui. Le musicien sourit et dit que leur tournée actuelle était très prenante.

— Tu as raison, lança une des spectatrices. Se marier mérite longue réflexion ! Pas vrai, les filles ?

D'autres questions extrêmement personnelles tombèrent et Coryn fut plus gênée que lui. Elle glissa de la table et s'enfuit dans sa chambre.

Mon concert est terminé.

6

Jack se tenait debout près de la fenêtre de sa cellule quand le gardien exigea qu'il se couche.

— Rêve pas, mon pote. C'est peut-être Noël depuis quelques minutes, mais personne ne s'est encore jamais échappé d'ici.

Le prisonnier se plia aux ordres et fit semblant de ne pas voir les clés étincelantes accrochées à sa ceinture et qui chantaient la douce mélodie de la liberté. Il fredonna en lui-même *qu'un beau jour...*

— À propos, demain, Brannigan, t'auras de la compagnie.

— C'est mon cadeau de Noël ?

Le gardien lâcha un petit rire.

— Mouais. Enfin, si j'étais toi, j'ferais gaffe de ne pas trop jouer avec. C'est un cadeau nerveux – voire explosif.

Jack monta dans sa couche sous le regard torride du gardien qui lui souhaita en ricanant un très « *Joyeux Noël* ». Auquel il répondit :

— À vous aussi, monsieur.

Sa tête lui faisait si mal qu'il resta assis à repasser un à un les mots qu'il avait dits aux flics et à son avocat lors des interrogatoires. Il repensa à ce qu'il avait tu. À Mac Logan et à l'article que sa salope de femme avait judicieusement fait disparaître de la chambre. *Tu es maligne. Moi aussi, mon amour. Et par avance, je te remercie de m'avoir laissé les coudées franches pour lui faire la peau en toute liberté.*

Jack aurait été un excellent joueur d'échecs s'il avait eu le goût du jeu. Enfin de ce jeu-là. Pas d'article signifiait que Coryn ne dirait rien. *Pour protéger son connard de chanteur.* Et donc Jack ferait de même. *Pour ne pas attirer le regard là où je vais frapper.*

Oh ! Cette nuit était bien celle de Noël et celle des souhaits ! Brannigan comme un enfant gâté fit sa liste. Il jouerait finement et serait très prudent. Pas comme cette imbécile d'araignée écervelée qui avait l'inconscience de traverser le plafond juste au-dessus d'un Jack emprisonné. Il l'écrasa du plat de la main.

— Joyeux Noël, Salope.

7

Les non-dits. Les secrets. Les choses qu'on ne confie pas par pudeur. Les choses qu'on retient par peur. Les choses qu'on tait par dessein. Celles qu'on ne peut révéler par impossibilité.

Où met-on toutes ces horreurs ? Que deviennent-elles ? Décident-elles de notre vie ?

8

Trois coups discrets. Comme trois notes de musique. Coryn ouvrit. Kyle était là et levait une bouteille de champagne.

— Joyeux Noël ! J'ai aussi du jus d'orange.

— Merci.

— J'avais peur que tu sois déjà couchée.

— Non, dit-elle. J'ai... j'ai...

Elle ne put lui avouer qu'elle était restée à faire les cent pas en espérant opérer un tri rationnel dans ses pensées folles. Elle avait bu deux grands verres d'eau glacée et ouvert la fenêtre pour laisser le froid cinglant désinfecter la pièce polluée de ses idées noires. Mille fois, elle avait hésité à retourner dans la grande salle. Mais assister au déploiement de curiosité n'était pas décent pour la jeune femme blonde. Alors elle n'avait pas trouvé mieux que d'arpenter les douze mètres carrés de sa chambre-salon en se torturant l'esprit.

Et puis subitement Kyle avait frappé et maintenant il était là. *Dans* sa chambre. Souriant.

— Je peux ? dit-il en désignant le canapé collé contre le mur.

— Oui. Oui.

Il s'assit et remplit une coupe de champagne à ras bord, puis une autre de jus d'orange. Ses gestes étaient assurés. Il ne tremblait pas quand il saisit les verres et Coryn se dit, comme lors de leur première

rencontre, qu'elle ressentait cette espèce de norma-
lité facile entre eux. Cette absence d'étonnement
devant la présence physique de l'autre. Qui faisait
qu'elle se sentait naturelle. Bien. *Complète ?*

Il sourit comme une invitation. Elle s'assit à ses
côtés et attrapa la coupe de jus de fruit qu'il lui tendait.

— Fais un vœu. Un grand, un beau. Un irrationnel.

— Je crois bien qu'il a déjà été exaucé.

— Fais-en un autre, ajouta-t-il en la regardant
droit dans les yeux.

Coryn baissa la tête.

— Jamais je n'aurais imaginé qu'un jour j'aurais
la force de...

Elle ferma les yeux. Oh ! Ces maudites larmes !

— Sans toi, je...

— Sans *toi* et sans *ton* courage, Coryn, tu ne serais
pas là. Sois-en certaine.

Il n'y avait rien à ajouter. Tous deux savaient.
Elle attrapa la coupe qu'il tenait et but une longue
gorgée. Ressentant chacune des bulles éclater contre
ses joues et son palais et chanter jusque dans ses
oreilles. Il étendit le bras par-dessus son épaule, éteignit puis l'enlaça avec la plus grande délicatesse pour
ne réveiller aucune de ses blessures. À moins que
ce ne fût elle qui s'allongea contre lui. Allez savoir ?
Quelle importance, après tout ! C'était bien Noël,
non ? Et tout ce que Kyle souhaitait, ce soir, était
de tenir cette femme dans ses bras. Il aurait voulu
avoir le pouvoir de lui enlever ses douleurs. De les
gommer. Ou même de les absorber. Il avait assez de
force pour ça. Mais il savait combien c'était désespérément impossible.

La lune eut le temps de jouer à cache-cache avec les
nuages avant que les muscles de Coryn se relâchent.
Alors, de façon à peine audible, elle se mit à parler.
De cet instant précis où Jack s'était garé avec une
voiture éblouissante sur le parking du *Teddy's*.

— Je venais d'avoir dix-sept ans... et Jack brillait tant. Chez moi...

Sa voix se suspendit et Kyle murmura « Je sais. » Durant de longues minutes, elle ne dit plus rien. Il plongea dans son silence. Dans son monde, comme elle avait plongé dans le sien. Il l'imagina entrant à l'église au bras de son père. Ses cheveux devaient être retenus dans un chignon et son voile dansait au vent. Elle avait dit « oui » et avait signé. Elle avait certainement joué avec son alliance ronde autour de son doigt pendant le repas... Pensait-elle à sa nuit de noces ?

Il refit surface quand elle évoqua ce qu'elle avait ressenti en attendant Malcolm. Elle avait accepté... le reste. Comme une contrepartie puisqu'il était trop tard.

— Je sais. C'est idiot. Mais il sentait si bon et semblait si vivant, si vigoureux que je me disais qu'il y avait un prix à payer pour avoir un bébé aussi beau.

Kyle pensa, lui, que cet enfant-là devait arriver. Pas un autre. Sinon, ce soir, Coryn ne serait pas là, dans ses bras. À l'abri.

La vie...

La jeune femme ne dit rien de la première gifle de Jack. Ni des autres. Ni des coups de poing. Ni des coups de pied. Ni des fois où il la couchait sur la table de la cuisine ou sur la machine à laver... Ni ce qu'il y avait dans ses yeux quand il avait envie de jouer. Kyle ne posa aucune question et ne montra rien. Elle devait laisser sortir ce qu'elle était prête à évacuer. Il voulait entendre ce qu'elle choisissait de dire. Il voulait *ses* mots. Mais une rage étouffante montait radicalement en puissance. Elle s'additionnait à celle qu'il traînait déjà au fond de lui et qui refusait de partir.

Quand Coryn évoqua le tiroir et le tournevis, le livre qu'elle avait caché, Kyle sut que si Jack était entré à l'instant même dans cette chambre... *je pourrais le tuer.*

— ... Puis j'ai vu les yeux de Christa. Et la lumière rouge du magnétophone. J'ai tendu le bras le plus possible et j'ai frappé de toutes mes forces.

9

Coryn ne dit pas non plus qu'elle avait regardé Jack effondré sans connaissance sur la moquette épaisse et rose. Ni qu'elle lui avait arraché l'arme qu'il gardait sous son aisselle et qu'elle l'avait mis en joue. Que pendant quelques secondes, elle avait eu le pouvoir de décider de sa vie ou de sa mort. Le tuer l'aurait envoyée, elle, directement en prison. Sans ses enfants. Enfin elle ne dit pas qu'à cette minute précise, elle avait voulu qu'il souffre. Jack n'avait-il pas répété encore et encore « sans toi, je mourrai » ? Elle n'évoqua pas l'article de Timmy qu'elle avait jeté au feu par instinct. Mais elle raconta comment elle avait saisi Christa et attrapé les clés de la belle Jaguar blanche. Elle avait flingué la peinture rutilante des deux portières droites contre les rochers qui marquaient le bout de leur allée. Elle n'avait pas pris le temps d'attacher le bébé dans son siège, elle l'avait calé sur ses genoux.

Elle était descendue en courant à la crèche et avait récupéré sans un mot Daisy sous le regard médusé du personnel. Puis elle avait filé à l'école et tambouriné si fort à la porte que la directrice était venue ouvrir en personne.

Alors... alors seulement elle s'était effondrée. Elle avait ressenti une vague de douleur violente au visage, au cou, au ventre, au dos, mais avait exigé qu'on la conduise au 1918, Boyden Street.

Un policier qui patrouillait dans le quartier était arrivé en quelques minutes et l'avait convaincue d'aller aux urgences. C'est là-bas que Jane l'avait rejointe. Elle s'était occupée des enfants pendant les examens et les soins. Puis il y avait eu les interrogatoires. Et très tard dans la nuit, Jane les avait conduits à La Maison. Pas une seule fois, Coryn n'avait versé de larmes. Elle avait tout déballé. Ou presque.

Quand enfin Jane lui avait donné la clé de sa chambre, la jeune femme avait réclamé une paire de ciseaux.

— Des ciseaux ? Mais...

— Pour me couper les cheveux.

Jane la lui avait apportée en lui disant droit dans les yeux qu'elle lui faisait confiance. Ce qui impliquait ni bêtise ni...

— Je veux juste couper mes cheveux. *Que* mes cheveux. Je les déposerai devant la porte dans quelques minutes.

Jane était repassée « quelques minutes » plus tard. Effectivement, était posée dans le couloir une quantité incroyable de cheveux blonds et soyeux avec la paire de ciseaux placée soigneusement dessus.

Comme la lumière filtrait sous la porte, Jane avait frappé pour annoncer que Brannigan avait été retrouvé errant dans le quartier et qu'il avait...

— ... été arrêté. Si tu veux, demain on peut t'accompagner chez toi pour récupérer des affaires.

— Je ne veux jamais retourner dans cette maison.

— Je vais m'en occuper.

— Est-ce qu'il a parlé ? avait demandé Coryn, inquiète.

— Il dit qu'il ne se souvient de rien. Absolument rien.

— Il ment.

— C'est certain. Ils disent tous ça. Ils disent qu'ils ont perdu la tête au propre comme au figuré. Parce que ça les arrange bien.

Sauf que moi, je l'ai frappé. Coryn avait immédiatement compris la tactique de Jack. Il profitait de ce qu'elle lui avait balancé plusieurs coups sur la tête pour affirmer qu'il n'avait plus aucun souvenir mais aussi pour ne pas évoquer l'article de son beau-frère et le livre de Mary. Coryn devrait plutôt évoquer la raison de la crise. Prouver les autres. Expliquer les coups et le reste. D'emblée, elle avait su que le procès serait tendu. Ça n'avait pas affecté sa décision de ne rien révéler au sujet de l'article. Personne ne devait supposer que Kyle avait laissé des traces.

— Kyle m'avait dit pour toi.
Coryn n'avait pas réagi.
— Après l'accident de Malcolm, il était très bouleversé. Il m'avait parlé de toi. Enfin de ce qu'il craignait pour toi.
La jeune femme était restée silencieuse mais avait écouté attentivement les mots de Jane qui avait dressé un bref résumé de leur vie et conclu par :
— J'aimerais que tu saches que j'ai un ami policier – un très bon ami – qui a effectué des rondes dans ta rue de façon discrète. Malheureusement, il n'a jamais vu quoi que ce soit qui puisse nous permettre d'agir.
— Rien ne filtrait au-dehors.
— Je suis infiniment désolée, avait avoué Jane en lui prenant la main. Non, je suis en rage. J'aurais dû...
Coryn l'avait coupée et dit qu'elle-même avait perdu trop de temps à l'admettre. Que Kyle l'avait sauvée en lui montrant la carte de La Maison.
— Mais, avait-elle ajouté en la fixant, quand les policiers m'ont interrogée, j'ai dit que j'avais regardé

dans l'annuaire après mon hémorragie et que le nom
« La Maison » m'avait rassurée.

— Si jamais tu changes d'avis, je suis certaine que
mon frère acceptera de témoigner.

— Je ne veux pas parler de Kyle. Je ne veux pas
que Jack ait une seule raison de s'excuser. Si jamais
je l'évoquais…

— C'est mieux, je suis d'accord. Il ne faut pas que
son avocat puisse insinuer que ton mari avait des
raisons de « perdre la tête ».

— Je n'ai jamais rien fait de mal, avait affirmé la
jeune femme avec une fermeté qu'elle ne se connaissait pas. Quand il a commencé à me frapper, Jack
n'avait aucune raison. Il s'est octroyé ce droit.

— Tu peux avoir confiance, Coryn. Je ne dirai rien
et je vais m'occuper de faire récupérer vos vêtements.

10

Kyle quitta Coryn un peu après trois heures du matin. Oui, mieux valait qu'il regagne sa propre chambre. Quant à dormir... Comment en être capable après tout cela ? Après ce qu'elle avait dit et après ce qu'il avait ressenti. Trop de rage et trop – beaucoup trop – d'émotions.

Il passa devant la chambre de Jane. La porte était entrebâillée, il toqua. Elle ouvrit, le téléphone collé à son oreille. Sa voix avait la « tonalité-Dan ». Il se laissa tomber sur le canapé et écouta distraitement les dernières bribes de leur conversation.

— Il est où à cette heure ? demanda-t-il quand elle reposa le combiné.

— En service.

Elle haussa les épaules et dit que Dan viendrait le lendemain.

— Et toi, tu étais où ?

— Avec Coryn.

— Et ?

— Et rien. On a discuté...

— Qu'est-ce qu'elle t'a dit ? demanda Jane qui ne voulait pas trahir les paroles de la jeune femme.

Kyle fixa sa sœur longuement.

— Elle m'a parlé de son enfance, de sa rencontre avec le Salopard. De ses enfants. De son isolement.

De sa solitude... et de la petite lumière rouge du magnétophone. Elle n'a pas détaillé le « reste ».

— Beaucoup n'arrivent pas à le verbaliser. Il faut du temps pour comprendre, il faut du temps pour admettre les faits et... il faut du temps pour refaire sa vie.

Kyle et Jane se regardèrent. Ils le savaient mieux que quiconque, s'en remettre était comme oublier : un souhait dans le vide. Il balaya sa mèche en arrière.

— J'en suis malade. J'aurais dû...

— On se dit tous ça, Kyle.

Elle s'installa à côté de son frère sur le canapé. Elle sentait sa rage, mais aussi le reste. Il étendit ses bras et ses jambes. Lâcha un interminable soupir. Oh ! Il savait très bien ce à quoi sa sœur pensait.

— La réponse est « peut-être », affirma-t-il en fermant les yeux.

— Tu mets les pieds où il ne faut pas.

— Jane. Tais-toi, s'il te plaît.

— Je n'aime pas quand tu parles comme ça.

Il rouvrit les yeux et lui rappela qu'elle avait été la maîtresse de Dan pendant près de douze ans sans qu'il dise quoi que ce soit.

— « *On ne choisit pas qui on aime.* » C'est bien de toi cette phrase ?

— Et Patsi... ?

Il marqua un temps et dit de sa voix grave :

— Eh bien... pour résumer notre situation, nous sommes en pleine phase de réflexion sur notre avenir. Pas professionnel, je te rassure.

— À cause de Coryn ?

— Patsi ne sait rien à propos de Coryn.

Jane aurait pu dire qu'il faut se méfier des non-dits, des choses qu'on cache et de celles qu'on tait... mais elle aussi se retint.

— Pourquoi tu ne m'as rien dit ?

Il haussa les épaules.

— Tu viens de dire qu'il faut du temps pour comprendre, non ?

— Patsi comprend vite.

— Patsi a de la chance.

Il ajouta que lui ne savait pas trop où il en était. Il était certain que Coryn le troublait tout comme il était certain qu'il ne ferait…

— … rien d'autre que l'aider. Parce que c'est tout simplement impossible. Tu sais ce que je suis et l'existence que je mène ? Et ce qu'il faut à Coryn, ça ne sera jamais un type qui évolue dans un monde parallèle et qui passe sa vie sur les routes.

Il fixa de nouveau sa sœur longuement et conclut :

— Tu vois, je le sais. Ma vie n'a rien de compatible avec la sienne.

Elle regarda les yeux de son frère. Ils étaient graves et lumineux. *Presque sans nuage.*

— Mais…

— *Mais* quoi ?

— J'attends le « mais » que je vois planqué entre tes deux oreilles.

— *Mais*… avoua-t-il, ça ne change rien au fait que ça aurait pu marcher entre nous. Dans une autre vie.

Jane ne demanda pas comment il pouvait en être aussi sûr. *Question idiote*, aurait-il répondu. C'est bête à dire, mais quand on est attentif, c'est le genre de truc qu'on sait.

Kyle poursuivit, et sa voix prit cette fois une tonalité qui, en d'autres circonstances, aurait arraché un rire franc à sa sœur.

— Elle a cette subtilité, cette finesse… cette élégance… qui vont m'accompagner et me manquer pour le restant de mes jours.

Jane étreignit sa main et affirma avec autant de conviction qu'elle le put qu'il avait raison de se « montrer raisonnable ».

— Mais putain, j'espère que ce salopard va rester en taule suffisamment d'années pour qu'elle refasse sa vie avec un type décent.

— Oh ! Tu ne devrais pas te soucier de ça.

Kyle se redressa et demanda avec une inquiétude à peine déguisée si Jane insinuait que Coryn avait *déjà* rencontré quelqu'un.

— À part toi, personne que je sache.

— Je suis mort de rire.

— Ce que je veux dire, continua-t-elle, c'est qu'en général, la juge Mac Henry traite ce genre d'affaires. Ce n'est pas une femme complaisante et ce « salopard » ne devrait pas sortir de prison demain.

— Et si son avocat prouve qu'il a eu une enfance déchirée ? Que son père le tabassait ?

— Je ne crois pas que ce soit le cas.

— Comment le sais-tu ? Tu as enquêté ?

— Non.

— Qu'est-ce que tu sais de lui, alors ?

Jane soupira.

— Pas grand-chose.

— Jane ! S'il te plaît, supplia Kyle.

— Ce que je sais – ce que Dan a pu voir dans son dossier –, c'est que Jack Brannigan ne s'est pas plaint comme la plupart des types de son genre d'avoir subi des violences dans son enfance. De sa mère, en particulier. Il dit lui-même avoir grandi comme fils unique dans une famille sans histoire et aisée. Son père était médecin et sa mère s'occupait de lui. Il n'a effectivement pas grand-chose à reprocher à ses parents.

— Tu cherches à me prouver que rien n'est héréditaire ?

Jane secoua la tête. Oh ! Elle savait très bien ce que son frère insinuait.

— Ils sont morts ?

— Oui, il y a des années. Son père a succombé à un cancer du poumon et sa mère d'un arrêt cardiaque peu après. Coryn ne les a même pas connus.

— Alors il prétendra que c'est passionnel.

— Kyle ! Ne joue pas les oiseaux de mauvais augure ! Tu deviens taré ?

— Pas moi, Jane. C'est *lui*, le taré. Encore que le traiter de taré serait l'excuser.

— Ne t'inquiète pas. Il n'est pas question de lui trouver des circonstances atténuantes quand il n'y en a pas.

— S'il le faut, je témoignerai. Je dirai que j'avais senti des choses quand j'avais discuté avec Coryn à l'hôpital. D'ailleurs, il faudrait aussi retrouver ce gosse du parking. Il...

— Kyle ! l'interrompit Jane en secouant la tête. Coryn ne veut pas qu'on en parle. Et elle a raison.

— Elle te l'a dit ? Pourquoi ?

— Oui, elle me l'a dit. Et non, mieux vaudrait que tu ne sois pas mêlé à cette histoire autrement qu'avec l'accident de Malcolm. Il ne faudrait pas qu'elle se retrouve dans une position embarrassante.

Elle le fixa.

— Tu ne sais pas ce que la défense pourra supposer. Si jamais tu apparais dans sa vie autrement que comme celui qui a envoyé son fils au bloc, tout sera envisagé pour la discréditer. Je dis bien *tout*. Tu pourrais même légitimer aux yeux de certains les coups qu'elle a pris.

Kyle demeura immobile et silencieux.

— N'oublie pas qu'elle sera interrogée de façon à la faire faillir. Si jamais ils arrivaient à instiller dans l'esprit des jurés qu'elle avait ne serait-ce que l'ombre d'un battement de cœur pour toi, la partie serait perdue.

— Et tes coordonnées ?

— Elle a pris les devants. Elle a dit avoir regardé dans l'annuaire quand elle a fait son hémorragie. Le nom « La Maison » l'avait rassurée et le hasard de la vie a fait le reste. Et ce n'est pas un crime que nous soyons frère et sœur.

Il sourit, enfin si on pouvait appeler ça un sourire.

— Mais ici, personne ne sait pour l'accident de Malcolm, alors il serait judicieux d'être discret. Cette maison est grande…

— Je note. Personne ne m'a vu entrer ou sortir de chez elle.

Jane hocha la tête.

— Par contre, vous devez vous accorder sur le fait que vous ne vous êtes jamais revus entre l'accident et aujourd'hui. Et, j'y pense, il vaudrait mieux aussi que tu ne la contactes pas jusqu'à la fin du procès. Je veux dire, ne la demande « bêtement » pas au standard, par exemple. Et ne m'appelle *que* sur mon portable.

— Il est sécurisé ?

— Il est au nom de Dan. Il faut que Coryn puisse divorcer rapidement.

Kyle saisit ce que Jane sous-entendait. Elle avait déjà été sur écoute et avait essuyé toutes sortes d'emmerdes. Elle se passa une main sur le front. Le musicien vit les yeux lourdement cernés de sa sœur et ses premiers cheveux blancs perdus dans ses boucles brunes. Jane ajouta qu'elle donnerait aussi à Coryn un téléphone sécurisé mais…

— … ce n'est pas le cas du tien. On ne sait jamais. Bref, comporte-toi comme tu le fais d'ordinaire ici, et tout se passera bien.

Il sourit et se redressa.

— C'était bon ce repas, ce soir.

— Parce que tu l'as apprécié ? À la vitesse où tu l'as englouti…

Il ne put réprimer un très long bâillement.

— Va te coucher. Tu es en plein décalage horaire.

Ils se levèrent et Kyle passa son bras autour des épaules de Jane. Il dit que c'était bon d'être *à la maison*. Ils restèrent ainsi encore quelques instants l'un contre l'autre, puis s'embrassèrent et se souhaitèrent « le meilleur » comme chaque année. Il posa la main sur la poignée de la porte puis fit brusquement volte-face, l'air préoccupé.

— Répète ce que tu viens de dire.

— J'ai dit d'aller te coucher.

— Non. Son hémorragie. Tu sais si c'est consécutif à son accouchement ?

— Non, c'est arrivé après quelques...

Elle se censura et le regretta aussitôt.

— Mais pourquoi ?

— ...

— Jane !

— Si Coryn ne t'a rien dit, je ne peux pas t'en parler.

— Qu'est-ce qu'il lui a fait ?

Jane tourna les talons. Kyle la retint par le bras.

— Jane !

Il scruta les yeux de sa sœur.

— Peut-être des fragments de membrane placentaire. Peut-être...

Kyle pâlit. Il comprit *qui* avait certainement provoqué cette hémorragie.

— Ne me dis pas qu'en plus il la...

Kyle ne put articuler la suite. Il était en train de prendre conscience de ce qu'avait été *la* réalité de Coryn. Et ce pendant des années. De rage, il balança un coup dans le mur.

— J'aurais dû le tuer. J'aurais dû le tuer sur ce parking !

— Non, dit Jane avec toute la fermeté dont elle était capable, ce qu'il faut, c'est qu'il reste enfermé le plus longtemps possible. *Ça*, c'est ce qu'on peut – et ce qu'on veut – obtenir. Et qu'il accepte le divorce.

Oh ! Kyle savait que sa sœur avait raison. Mais il ne pouvait détacher ses pensées de Coryn.

Comment avait-elle tenu ? À combien de branches d'arbre s'était-elle déchiré les doigts ? Avait-elle jamais appelé au secours ? Pourquoi ne l'avait-il pas, lui, rencontrée à dix-sept ans ? Comment dormir après ça ?

11

Toute la nuit, Kyle pria Migraine de l'assommer. D'absorber ses tourments. Ses envies de violence. Il revit les mains fragiles et légères de sa mère effleurant les touches blanches et noires du piano. Il se souvint lui avoir demandé lesquelles elle préférait. Elle avait éclaté de rire, répondant qu'il y a des bons jours, et des moins bons. Parfois on est triste...

— ... et parfois un papillon se pose sur la fenêtre, alors on peut jouer une musique légère. C'est pour ces jours-là qu'il faut vivre, Kyle.

Le petit garçon qu'il était trouvait que sa maman racontait des choses étranges. Il aurait préféré qu'elle dise qu'elle était magicienne et qu'elle avait le pouvoir de faire jaillir des notes. Il aurait aimé n'importe quoi du moment qu'elle n'était pas triste.

Cette nuit, il aurait aimé qu'elle soit à ses côtés pour lui demander ce qu'il devait faire. Pourtant, au fond de lui, il savait très bien qu'il avait toujours été seul. Même quand sa mère était encore en vie.

La vie... pensa-t-il quand les premières lueurs du jour filtrèrent entre les rideaux de sa chambre. Le réveil indiquait huit heures, il fut incapable de sortir du lit. La fatigue, les émotions et le décalage horaire finirent par l'emporter dans un sommeil raté.

La vie... se dit-il encore en se réveillant en sursaut. Son portable retentissait. Kyle ne fut pas assez rapide pour l'extraire de la poche de son jean qui traînait par terre. Patsi, elle, avait eu assez de temps pour laisser non pas un message mais deux. Elle passerait le prendre le lendemain dans l'après-midi vers dix-sept heures pour la...

— ... réunion avec Mike Beals chez Steve à L.A. Avion à dix-neuf heures. Retour le 29 à Londres. Concert le 31. Nouvelles dates européennes. Vacances terminées.

Fin du premier message. *Quel incroyable gouffre entre Coryn et moi et quelle insupportable similitude.* La voix de Patsi reprit, annonçant que le footballeur Carlos Merina, l'idole de sa jeunesse, déjeunerait avec eux le surlendemain.

— Je ne sais pas ce que je vais pouvoir porter... mais j'imagine que tu n'en as rien à faire.

Puis elle concluait :

— Toujours pas de réponse précise et exacte concernant notre « cas ». Si je viens te chercher, c'est parce qu'on ne veut pas que tu nous fasses perdre du temps en n'étant pas présent. Tu n'as pas le choix, Kyle. Quoi qu'il se passe encore chez Jane.

Quoi qu'il se passe encore chez Jane. Non, Kyle n'était pas le seul à avoir de l'inspiration. Il répondit par SMS « OK ». Envoya le message en oubliant d'écrire « Joyeux Noël ». Il se rasa, prit une douche, mit une chemise blanche et remonta vers la grande salle les cheveux humides.

12

Quand le musicien passa la porte, il localisa Coryn, assise à la même place en bout de table avec ses enfants. Elle portait un pull à col roulé blanc. Il suivit les conseils de Jane et s'installa à *sa* place. Des « Joyeux Noël » résonnèrent. Il répondit « À vous aussi ! », songea à renvoyer un SMS à Patsi. Mais n'en fit rien et dévora tout ce qu'on lui présenta en se mêlant aux conversations. Il attendit sagement que le repas s'achève pour trouver une occasion de parler avec la jeune femme blonde. Pour être près d'elle un moment encore. Pour se sentir… heureux. C'était bien Noël aujourd'hui, n'est-ce pas ? *À combien de moments comme celui-là a-t-on droit dans une vie ?*

Coryn se leva avec le bébé sans se tourner une seule fois vers lui. Il la suivit discrètement des yeux. Jane posa sa main sur son bras.

— Va donc nous préparer le café, s'il te plaît. J'ai dit à tout le monde que tu étais le roi du café. Et tiens, Malcolm, puisque tu passes à ma portée, va aider Kyle à la cuisine !

— Alors, comment va ce bras ? demanda le musicien en refermant la porte derrière le petit garçon.
— Bien. J'suis guéri. Mais, ajouta l'enfant inquiet, Maman a dit qu'il fallait pas que je dise que je te connais.

— Tu te souviens de moi ?

L'enfant secoua la tête.

— Alors on n'a qu'à dire qu'on est copains depuis que tu es mon aide de camp en cuisine.

— J'fais quoi ?

Kyle lui proposa de disposer les tasses sur les plateaux.

— Je n'ai pas eu l'occasion de te le dire en face, Malcolm, mais je suis vraiment désolé de ce qui est arrivé.

L'enfant haussa les épaules et dit que c'était sa faute, de toute façon. Que maintenant il faisait attention en traversant.

— On t'a posé des broches ?

— Non. Ils ont mis des sortes de vis qui disparaissent toutes seules.

— Ils ne vont pas te les enlever ? demanda Kyle en versant l'eau dans les cafetières.

— Ben, ils ont dit que c'était pas la peine.

— Tu n'as plus mal ?

— Non ! Le docteur a dit que je pouvais faire tout ce que je voulais. Sauf de la boxe.

Après deux ou trois secondes, il ajouta qu'il n'aimait pas la bagarre. Le ton de Malcolm saisit Kyle. Le petit posa la dernière tasse et leva les yeux vers lui.

— J'ai dit à la police que j'savais pas pour Maman. J'savais pas ce que Papa faisait à Maman.

Le musicien s'agenouilla.

— Tu n'y es pour rien.

— Elle est gentille, Maman. J'comprends pas pourquoi il l'a battue.

— C'est compliqué à comprendre et à expliquer. Même pour nous, les grandes personnes.

Le petit garçon le regarda fixement. Il ressemblait à Coryn. *Il a ses cheveux et ses yeux clairs.* Kyle songea que c'était une bonne chose.

— Je le déteste.

Malcolm enfonça les mains au fond des poches de son jean, puis dit très vite qu'il ne savait pas pourquoi sa maman n'avait rien dit.

— Parfois c'est juste... pas possible de dire les choses sur le coup. Et après, on ne peut plus. Petit à petit, on perd l'habitude de parler, surtout quand on a peur.

— T'as déjà eu peur, toi ?

— Des tas de fois !

— Quand ?

— Chaque fois que je monte sur scène.

— Moi aussi, ça me fait pareil quand la maîtresse me dit de réciter la poésie.

La porte s'ouvrit et Coryn apparut, suivie de Daisy. Elle sourit d'une façon qui aurait pu faire tomber Kyle à terre s'il n'avait pas eu la main posée sur l'épaule de Malcolm.

— Jane m'a demandé de venir vous aider.

— On s'en sort pas trop mal, répondit le jeune homme en se relevant et en remerciant sa sœur, le Père Noël, les astres et la Chance. Mais on est très contents d'avoir ton aide.

Coryn jeta un coup d'œil aux plateaux et précisa qu'ils avaient oublié les cuillers. Elle confia le sucre à Daisy et le lait à Malcolm.

— Surveille Christa dans son cosy, s'il te plaît.

Les enfants sortirent. La porte se referma, Kyle et Coryn se retrouvèrent face à face.

— Joyeux Noël, dit-il.

— Joyeux Noël à toi aussi.

Aussi miraculeusement que simultanément, tous les deux mirent de côté leur nuit tourmentée. Il ne vit que le sourire de la jeune femme blonde. Qui le replongea intensément dans le présent. Il la trouva encore plus belle que la veille et elle ne dit rien du vide qu'elle avait ressenti après son départ. Ni qu'elle était restée allongée sans fermer les yeux jusqu'au matin.

— Comment vas-tu ?

Oh ! Coryn murmura qu'elle se sentait mieux qu'hier. Et bien mieux qu'avant-hier... Elle aperçut les cernes de Kyle mais fit semblant du contraire. Il y a des questions qui ne se posent pas. Elle sourit encore et plaça la première cafetière sur un des plateaux. Puis se posta devant la seconde qui terminait son travail avec bruit et lenteur. Il s'approcha et demanda comment les enfants le prenaient.

— Daisy est trop petite. Mais Malcolm...

Elle leva les yeux vers le musicien.

— Je lui ai dit que son père m'avait frappée et que ce n'était pas la première fois.

— Tu as agi comme il le fallait. Il faut répondre à ses questions.

Son regard la troubla. Savait-il ce qu'elle avait enduré ? Vraiment enduré ?

— Tu n'avais pas d'autre solution, Coryn. En partant, c'est eux que tu protèges, aussi.

La cafetière annonça haut et fort qu'elle avait enfin terminé. Coryn tendit la main pour la prendre. Kyle faillit tendre la sienne pour prendre cette main. Mais le « fantôme » de Jane lui tira l'oreille. Il dit que c'était bien qu'elle ait retiré son alliance. Elle songea qu'elle dormait dans sa trousse de toilette.

— Jure-moi que jamais, *jamais* tu ne retourneras avec ce salaud. Quoi qu'il te raconte. Quelles que soient ses excuses parce que, c'est certain, il s'excusera.

Coryn posa la cafetière. Elle le fixa, il vit toute sa haine.

— Je n'ai pas beaucoup de courage mais je crois en avoir suffisamment pour vivre maintenant sans lui.

— Tu comptes rentrer en Angleterre après le procès ?

— Oh ! Je ne sais pas. Beaucoup de choses dépendent du procès et du divorce.

— Tu as su qu'à Londres j'avais rencontré ton frère ?

— Non, dit Coryn sans hésiter. On ne se téléphone pas beaucoup.

Son instinct la fit mentir – même à Kyle – mais il lui dictait avec autorité que personne ne devait savoir en dehors d'elle et de Jack. Il résuma la dédicace, la carte de Timmy, son blouson rouge dans la foule. Elle dit qu'elle ne retournerait pas chez ses parents. Qu'ils ne comprendraient pas et la renverraient avec Jack s'ils le pouvaient.

— Je ne veux pas prévenir ma famille maintenant.

— Tu as de l'argent ? Je peux t'aider...

— Je te remercie. Mon avocat s'occupe de tout. Et... j'ai décidé de lui faire confiance.

— Si tu as besoin de quoi que ce soit, Coryn, je veux que tu me le dises.

— Ce dont j'ai besoin, insista-t-elle comme si elle faisait une promesse, c'est de m'en sortir par moi-même. Toutes ces années, Jack m'a répété que, sans lui, je n'étais rien.

Kyle secoua la tête. Il ajouta qu'il s'en voulait. Que s'il avait suivi son instinct...

— Non, Kyle. Tu n'as rien à te reprocher.

Puis elle inclina la tête et affirma qu'ils ne s'étaient *jamais* vus dans ce parc.

— Bien sûr. Jane m'en a parlé, hier. Ou cette nuit, je ne sais plus trop.

Kyle sourit d'une façon qui poussa Coryn à saisir un des plateaux. Il fit de même avec l'autre. Et puis, comme si de rien n'était, avant d'ouvrir la porte, il demanda comment se portait le bouleau. Elle répondit qu'il avait perdu toutes ses feuilles.

Tous deux se postèrent en bout de table. Elle servit les tasses qu'il fit passer aux unes et aux autres. Ils s'immergèrent dans la conversation ambiante. Sans rien écouter. Sans se regarder. Leurs coudes s'effleuraient. Leurs bras se rapprochaient avec leur volonté propre. Pendant longtemps, ils se chercheraient et ne sentiraient que le vide.

— C'est la mienne, dit-il. Tu peux avoir la main lourde. J'ai escamoté le petit déjeuner.

Elle l'emplit à ras bord avant de reprendre sagement sa place à l'autre extrémité et lui fila à côté de Jane.

— Oh ! Regardez ! Il neige ! cria un des gamins en se levant.

— Il ne neige pas à San Francisco, pourtant ?

— Aujourd'hui, si !

13

Oui, c'était bien Noël. Et comme dans une fête de famille idéale – où tous les efforts sont déployés pour éviter les heurts et haussements de voix –, après le repas, on naviga entre la cuisine, le salon, les tables où on jouait aux cartes, les fauteuils et la salle télé. Cette journée devait être appréciée à sa juste valeur. Pour toutes les femmes qui avaient réussi l'ultime combat contre elles-mêmes en arrivant jusqu'ici, il fallait que ce Noël soit une exception. Un souvenir auquel elles pourraient se raccrocher les jours d'extrême panique.

Coryn se fondit dans le flot des pensionnaires et, comme elles, effectua des allées et venues entre sa chambre où elle allaitait Christa et les différentes pièces de cette maison. Elle croisa Kyle à plusieurs reprises. Ils se sourirent, amusés d'avoir levé les yeux au même moment, et se cherchèrent du regard en faisant mille efforts pour le cacher.

Les heures s'enfuirent, de rares flocons semblaient comme suspendus et la lumière déclina. On ralluma les bougies et quelques lampes ici et là. Avec la pénombre, les guirlandes reprirent leur éclat joyeux. Les enfants riaient et s'amusaient. Certains faisaient des courses à quatre pattes dans les couloirs, certains lançaient leurs voitures, d'autres jouaient à la poupée ou à cache-cache, les plus grands jouaient aux plus grands et les plus gourmands réclamèrent subitement à manger. Il fallut s'affairer de nouveau à la cuisine. Kyle hésita à proposer son aide, mais il n'aurait pu résister à l'envie de demeurer auprès de Coryn. Trop près de Coryn.

Alors il se laissa encore happer par une ribambelle de gosses et empoigna sa guitare pour la énième fois de la journée. Il chantonna, expliqua, raconta, répondit aux questions pendant que tous regardaient ses mains comme lui avait observé celles de sa mère.

Et l'espace de quelques secondes, la jeune femme blonde resta, elle aussi, immobile dans l'encadrement de la porte du salon et, *forcément*, repensa aux mains de Jack... Oh ! Ces maudites mains... Elle glissa en toute hâte dans le couloir sombre. Elle dut s'adosser contre le mur pour calmer sa respiration. Elle ferma les yeux. Trop d'images l'assaillaient. Trop de douleurs se réveillaient. Comme cette nuit, elle fut submergée par des milliers de sentiments. Stupéfaite d'être là et n'y croyant qu'à peine. Elle avait du mal à se convaincre que personne ne la rebalancerait de force dans les bras de ce type qui ne savait pas l'aimer mais la frappait pour qu'elle se taise et la violait pour se satisfaire. *Parce que cette chose non consentie – qu'on soit marié ou non – est assurément un viol.*

Et puis... il y avait les yeux de Christa. Ils avaient regardé et enregistré chacun des gestes de son père contre sa mère. Coryn ne voulait pas que ces yeux se souviennent. Oh ! Si seulement la cassette avait duré éternellement pour prouver les faits qu'elle allait devoir raconter et reraconter. Tout. Jusqu'à l'instant où l'air n'arrivait plus dans ses poumons. Quand elle avait étendu son bras et avait frappé et frappé et frappé à son tour. Quand subitement Jack était devenu inerte. Où avait-elle trouvé la force d'éjecter son corps du sien ? Elle ne le saurait jamais.

Je l'ai fait.

En ce 25 décembre, adossée contre le mur froid du couloir, la jeune femme refusa de s'attarder à l'horreur de la situation pour voir plutôt l'instant où *la vie* lui avait donné la possibilité d'exister autrement. Cette force qui l'avait envahie la dépassait. Elle ne savait pas si *cette force-là* lui appartenait encore, ou si elle ne l'avait habitée qu'un seul moment. Même si son avenir la paniquait, même si le procès et le divorce allaient être des épreuves dont elle ne pouvait imaginer la violence, même si elle savait qu'elle serait toujours obligée de contenir son passé, jamais plus Coryn n'accepterait de vivre sous les coups et sous l'autorité de Jack. Ou de n'importe quel Jack. Elle était désormais libre. Comme le vent dans les arbres. Libre... de penser et de vivre. Libre de garder Kyle dans son cœur. Car *que faire d'autre ?* Il y avait Patsi. Cet homme avait une vie si... Une vie où ils penseraient l'un à l'autre. Souvent. Peut-être très souvent. Ça, c'était un futur envisageable. Alors, la jeune femme blonde rouvrit les yeux. Elle entendit la voix du musicien parler aux enfants. Elle entendit quelques notes.

Déterminée, elle retourna se poster dans l'encadrement de la porte. Pour conjurer sa peur. *Toutes mes peurs*. Et regarder ces mains qui ne frapperaient personne.

Kyle leva la tête dans sa direction et, pour la centième fois de la journée, leurs regards se nouèrent. Ni lui ni elle ne sourirent. Coryn décrocha la première et disparut dans la pénombre du couloir jusqu'à sa chambre où son bébé dormait.

Le musicien fit répéter la question d'une petite fille avec des taches de rousseur et un bandeau rouge. Il répondit en musique puis se leva. Il navigua de pièce en pièce. Il regarda les enfants, les femmes. Il songea que n'importe quel con aurait dit que ce n'était pas un hasard s'il était tombé amoureux de Coryn. Pourtant, ce n'était que grâce à sa mère et à cause de son propre passé qu'il avait pu « sentir » pour elle. Et s'il en était amoureux, ce n'était que parce que Coryn était Coryn. Il n'avait jamais succombé pour une seule des femmes qui avaient traversé La Maison. Mais à la vérité, Kyle se fichait bien de toutes ces théories et de toutes ces analyses. Ce qui comptait, c'était ce qu'il ressentait et ce qu'il mettait en musique. Ce qui importait, c'était de vivre ce truc. Qui était devenu son métier. Et quel métier ! Comment se passer de ça ?

Ça n'était possible ni pour lui ni pour Patsi, Jet et Steve... Eux aussi connaissaient le même succès et n'avaient pourtant pas le même *background*. Aucun d'eux n'avait retrouvé sa mère sans vie un matin. À cinq ans. Tuée par leur enfoiré de père. Patsi avait une mère aimante et tolérante. Jet et Steve étaient nés dans des familles saines et avaient grandi en étant écoutés. Pour réussir, ils n'avaient jamais lutté contre rien. Pour réussir, ils avaient eu du talent, de la chance, et travaillaient sans compter juste pour vivre de ce qu'ils aimaient. *Je ne pourrai jamais arrêter tout ça. Jamais...*

14

Évidemment, tout ça, on le pense à distance. On angoisse, à distance. Tout comme on raisonne, de loin. À l'abri de l'autre. Dans son petit monde personnel d'interrogations. C'est aussi illusoire qu'inutile, car dès que la distance fondit plus vite que la neige sur le sol de San Francisco, Kyle ne fit qu'étendre son bras pour attraper celui de la jeune femme.

— Regarde, dit-il en l'attirant vers une fenêtre de la bibliothèque déserte pour cause de film captivant.

Elle prit le portable qu'il lui tendait et se découvrit en photo avec Christa dans les bras. Mais elle ne se vit pas. Seulement les bleus et ses cheveux de paille sans forme.

— Je suis horrible.

— Tu es magnifique.

Il fit défiler les quelques photos qu'il avait prises à son insu, *en toute discrétion*. Elle était surprise, mais ne montra rien. Kyle s'arrêta sur celle où elle était de profil et regardait ses enfants jouer ensemble.

— Tu as l'air tellement… tellement toi sur cette photo.

— Tu veux dire comme quand tu es la musique ?

Comme tout à l'heure avec le bouleau, ça lui plut qu'elle dise cela avec cette voix-là. Assurée et calme. Il fut ému qu'elle le regarde dans les yeux. Ça le renversa qu'elle lui demande une copie de ses photos « à lui ».

— Je doute de pouvoir récupérer ce qu'il y a dans l'ordinateur de Jack.

— Viens.

Il jeta un regard dans le couloir puis l'entraîna par la main vers le bureau de Jane. Ils marchèrent vite. Le temps s'écoulait vite... Ils avaient tous les deux l'impression d'avoir dix-sept ans et la vie devant eux. Mais leurs dés avaient déjà été jetés et personne ne remonte jamais cette saloperie de cours du temps.

Kyle ferma la porte à clé, s'installa devant l'ordinateur et le mit en route. Elle se tourna vers les deux tableaux au mur. Des toiles abstraites, lumineuses.

— L'œuvre d'un des fils de Dan.

— Il est doué.

— Je trouve aussi.

— Tu avais quel âge sur cette photo ? demanda Coryn en pointant son doigt.

— Dix ans. Jane pensait que je deviendrais pianiste virtuose.

— Mais tu l'es.

Kyle faillit faire tomber son portable. Coryn sourit et ajouta qu'il n'avait pas la même coupe de cheveux qu'aujourd'hui.

— Ma sœur me les coupait, je ne me laisse plus faire.

Un dernier cadre était accroché au mur. Une photo de Jane devant La Maison. Il était clair que cette photo avait été prise le jour où elle en avait reçu les clés. Coryn reconnut Dick en arrière-plan. Beaucoup plus mince qu'aujourd'hui, ses bras croisés ne reposaient pas sur son ventre. L'expression de Jane avait quelque chose qui ressemblait à de l'espérance. Et puis il y avait La Maison. La façade avait été repeinte depuis, la porte d'entrée était passée en quelques années du vert au bordeaux, les arbres aussi avaient changé mais il en émanait déjà une atmosphère profondément rassurante et paisible. Comme si La Maison avait trouvé le bon propriétaire. Comme si, ensemble, le travail à accomplir serait possible. Comme si le lien qui unit les choses, les lieux, les êtres était réel. Cette photo était l'Espoir et Coryn le ressentit comme tel.

Kyle avoua qu'il avait lui-même participé à quelques travaux de peinture. Qui les avaient occupés, Steve, Jet et lui, un été complet.

— Le couloir et une partie du hall d'entrée sont mon œuvre, mais je l'admets, je suis plus doué pour la musique.

Il tira une chaise près de lui et Coryn prit place en gardant au creux de sa main le babyphone. Kyle fit défiler les photos une à une. Cliqua sur la dernière. Celle où elle regardait Malcolm et Daisy faire rire Christa.

— C'est ma préférée.

Sans réfléchir, il ajouta :

— Quand tu appelleras, cette photo apparaîtra.

— Je n'ai plus de téléphone.

— Tu en auras un, un jour.

— Je ne t'appellerai pas, Kyle.

Il laissa passer une ou deux secondes.

— Je le sais. Mais *si* un jour tu décidais d'appeler...

Elle ne cilla pas et répéta qu'elle ne l'appellerait...

— ... jamais. Je préfère, s'il te plaît, que tu imprimes ces photos.

Elle souriait. Mais elle voulait le convaincre – et se certifier – que l'Espoir ne permettait pas toutes les folies. Elle voulait que cette chose merveilleuse qui existait entre elle et lui reste une force. Elle n'en voulait que le meilleur. *Rien que le meilleur.* Il répondit à son sourire. Raisonnablement. Et ses manipulations ne donnèrent aucun résultat. L'imprimante refusa de coopérer.

— Je ne comprends pas, dit-il après de multiples essais infructueux.

Il coupa tous les appareils, se mit à quatre pattes, débrancha, rebrancha, relança pour découvrir que...

— ... cet engin de merde refuse maintenant de reconnaître ma carte mémoire et, bien sûr, je n'ai pas eu la présence d'esprit de sauvegarder tes photos sur l'ordinateur.

Il s'excusa. Elle rit. Il jura qu'il allait y arriver. Il recommença étape par étape en réexpliquant que, dans l'idéal, une fois qu'elles étaient transférées, comme il n'arrivait plus à le faire, il suffisait de... La voix de Christa grésilla dans le babyphone. Coryn se téléporta auprès de sa fille et Kyle demeura assis sur le sol. Déboussolé.

Jamais.

15

Les maudites photos restaient bloquées dans son portable et le musicien ne comprenait toujours pas pourquoi, hormis qu'il trouvait logique et normal qu'elles demeurent dans *mon* appareil. Mais Coryn en avait besoin. D'une manière ou d'une autre, il fallait qu'elles transitent. *Merde !* répéta-t-il à voix haute. Il était obstiné et méthodique. Artiste et précis. Car un artiste est toujours précis, surtout quand le geste lui échappe.

Alors il recommença et recommença. Tant de fois qu'il en oublia l'heure du repas. Et comme de coutume, Jane vint le déloger.

— Je te croyais perdu dans ta musique.

— Ces photos ne se téléchargent pas !

— Quelles photos ?

— Celles que j'ai promises à Coryn.

Il lui mit son portable sous le nez. Jane ne dit rien d'abord. Puis qu'elles étaient réussies mais qu'elles lui feraient du mal, s'il les gardait. Et les regardait trop souvent. Il répondit que c'était son problème.

— Et si Patsi tombe dessus ?

— Pas de danger.

Jane secoua la tête.

— Viens manger des trucs qui vont te faire grossir un peu.

Il resta assis à fixer la robe rouge de Jane comme s'il la voyait pour la première fois de la journée.

— C'est une tenue de circonstance.

— C'est le cadeau de Dan.

— Il est arrivé ?

— Et reparti. Mais il reviendra plus tard.

— Ça te va bien, ce rouge.

— J'avais peur de faire un peu Père Noël.

— Ça change du bleu marine et du noir. Et aussi du marron.

— J'ai un tailleur vert et toute une série de T-shirts colorés, mais je ne crois pas que ce soit le moment de faire un inventaire précis de ma garde-robe.

— Je ne t'ai pas encore acheté ton cadeau, dit-il en se levant. Je n'ai pas eu le temps...

— Moi non plus.

Kyle passa son bras autour des épaules de sa sœur. Ils remontèrent le couloir et il demanda ce dont elle avait envie.

— Une très grosse boîte de chocolats belges.

— Cool. Je joue à Bruxelles le 6 janvier. Je t'en enverrai.

— Deux, s'il te plaît.

— OK.

— Et toi, tu as envie de quoi... je veux dire en dehors de ce que tu ne peux pas avoir ?

— Rien. J'ai tout. Même des migraines.

Jane lui jeta un regard auquel il répondit par un clin d'œil.

— J'imagine que tu vas me mentir, comme d'habitude, si je te demande si tu as vu un docteur ?

— Je n'ai pas à te mentir. Je vois celui des assurances.

— Quand est-ce que tu l'as vu ?

— Je ne sais plus.

— Kyle !

— J'ai trente ans et des migraines comme des millions de gens sur terre. Ça ne les tue pas, que je sache ! Et pour une fois, Jane, occupe-toi de ton cul plutôt que...

— C'est au programme, dit-elle en laissant échapper un sourire.

Il siffla longuement. Comme quand il était gosse. Et ajouta qu'effectivement aujourd'hui, c'était bien le jour des cadeaux.

— Range tes sarcasmes. Et à ce propos justement, je te prie de dégager dans *ta* chambre, ce soir. Je ne veux pas te voir rôder près de la mienne car je ne serai pas disponible pour éponger *quoi que ce soit*.

Il rejeta sa mèche. Ils approchaient de la salle à manger. Ça sentait la fondue française. Jane se demanda subitement si l'exotisme du traiteur allait trouver du succès.

— En tout cas, les enfants ont l'air de s'amuser !

En effet, ils jouaient avec les morceaux de pain qui tombaient des piques et tiraient sur les fils de fromage.

— D'ici, on dirait des toiles d'araignée, dit-elle.

— Sauf qu'elles sentent moins. À propos de toiles d'araignée, tu fais un élevage sous ton bureau ?

— Tu devrais savoir qu'elles contribuent à éliminer la vermine qui vole et qui rampe.

— Si seulement elles liquidaient celle qui marche sur deux pattes !

— Prie pour que ça arrive.

— Je veux bien, souffla Kyle. Mais qui ? Le Père Noël est déjà passé.

— Implore sainte Arachnée.

16

— Tu ne vas pas me croire, mais ces foutues photos ne veulent pas quitter mon portable, dit Kyle en s'approchant de la jeune femme blonde qui rangeait les assiettes dans le lave-vaisselle. Elle saisit l'allusion mais affirma qu'elles finiraient bien par obéir.

— Tu peux me passer celles qui sont sur la table, s'il te plaît ? dit-elle.

— Je les nettoie et tu les places ?

— Pourquoi pas.

Quelqu'un entra et proposa de les aider mais Kyle répondit qu'ils s'en sortaient très bien et que, de toute façon, il n'y avait qu'un seul lave-vaisselle et qu'un seul évier. La réponse amusa Coryn et « je ne sais qui » débarrassa le plancher, trop heureux d'être déchargé des corvées ménagères.

— Dis voir, tu n'envisagerais pas de disparaître avant le procès ? demanda le musicien sur un ton faussement détaché.

— Non. Pourquoi ?

Il la fixa.

— Coryn...

— Bien sûr que non.

— Il *faut* que tu restes ici. Tes enfants et toi, vous êtes à l'abri dans cette maison.

— Je le sais.

— Tu promets ?

— Oui.

— Dis : « Je le promets. »

— Je te le promets, Kyle.

Un frisson inattendu parcourut le musicien jusqu'au bout des doigts, si bien que l'assiette qu'il nettoyait glissa jusque dans la poubelle. Il regarda Coryn feindre – très mal – de ne rien avoir vu du trouble qu'elle avait provoqué.

— Je ne te l'ai pas dit, mais Timmy m'a appris que nous nous étions croisés à l'aéroport de Londres.

Il expliqua avoir cru apercevoir ses cheveux, qu'il s'était moqué de lui-même, et elle avoua avoir pensé à lui quand les gens s'étaient agglutinés.

— Je me demande comment tu gères tout ça.

— La plupart du temps, ça ne me dérange pas plus que ça.

— Qu'est-ce que tu as pensé de Timmy ?

— Il ira loin.

— Il veut aller en Afghanistan. J'ai peur qu'il y soit peut-être déjà.

Kyle répondit aussitôt qu'il aurait peut-être dû refuser l'interview et elle se demanda comment elle pourrait avouer que cet article lui avait sauvé la vie comme il avait failli la lui enlever. Comment Kyle pourrait-il vivre avec ça ?

— À Londres, j'ai rencontré Mary, enchaîna-t-elle.

— Mary ?

— La personne qui m'a donné le livre qui...

Coryn résuma sa furtive et intense rencontre avec la jeune femme. Le musicien demanda ce que le roman racontait. En quelques mots, elle évoqua Andy, sa détermination, son courage, son espoir et le sable chaud de Zihuatanejo.

— C'est une belle histoire, répondit-il en se disant qu'il aurait pu dresser la liste précise de ce dont Coryn, elle, rêvait. Une clé / un appareil photo / un salaire / un compte en banque à son nom / des jours et des jours de liberté et de tranquillité... Et personne pour lui briser le cœur et le corps.

— Parfois, je me demande ce qui fait que les choses arrivent, continua-t-elle en s'essuyant les mains.

— Ma mère disait toujours : « *J'aimerais remonter à l'instant précis où les destins s'entremêlent.* »

Il était inutile que Kyle avoue n'avoir jamais confié ça à personne. Elle en avait l'intuition. Tout comme tous les deux savaient que leur rencontre avait « entremêlé leurs destins ». Mais ils ne se regardèrent pas. À cette seconde, ils en avaient bien trop peur et trop envie. Et surtout, ils pensaient que c'était trop... *impossible.*

— Il reste des assiettes ? demanda-t-elle.

17

Le dessert arriva en même temps qu'ils reprenaient leur place respective à table et dans la conversation ambiante.

— Glace au chocolat ou gâteau à la crème ?

Tous deux optèrent pour la glace au chocolat, dont la vue attisa l'appétit d'une petite araignée curieuse logée sur le grand lustre du plafond. Elle pencha la tête pour regarder les assiettes se vider et se tendre par « pure gourmandise ». Elle vit les cuillers faire des allers-retours rapides vers de grandes bouches souriantes et barbouillées. Elle glissa le long de son fil et se balança à gauche et à droite pour enregistrer les adjectifs que ces bouches déroulaient, sous les yeux amusés d'un petit garçon. On se préoccupait du temps, des prévisions météorologiques, et naturellement on glissa vers le réchauffement climatique. Tout le monde avait son avis et Kyle dit avoir vu les glaciers d'Argentine rétrécir en à peine deux années. Il parla des océans et des déchets qui faisaient de larges taches sombres... et quand quelqu'un lui demanda s'il comptait s'engager dans une lutte écologique, l'araignée soupira : « Et pourquoi pas président de la République ? » Elle explosa de rire à sa propre remarque et tomba dans l'assiette du gamin qui ne cria pas d'effroi, mais la regarda se dépatouiller dans la crème anglaise puis escalader la montagne de cake.

Il tira sur le bras de sa mère qui n'avait pas très envie de l'écouter, quand le grand frère leva sa cuiller à la verticale pour l'abattre sur l'insecte. Le petit retint son bras et, à la seconde suivante, la bestiole avait disparu comme si elle s'était envolée. Oui. Aujourd'hui était une trêve. Les araignées ne seraient pas écrasées d'un coup de cuiller, les femmes parleraient sans crainte de prendre une claque, les enfants mangeraient la crème avec leurs doigts, Jane se disait que personne n'avait encore sonné à sa porte, que Dan la rejoindrait cette nuit...

Bientôt arriva l'heure pour les mamans de mettre les jeunes enfants au lit. Le musicien trouva le moyen de glisser à la jeune femme blonde qu'il sortait pour faire deux ou trois courses.

— Maintenant ? s'étonna-t-elle.

— Nous sommes en Amérique, Coryn... Et je te laisse ça, ajouta-t-il en lui glissant dans la main un objet dont elle ne connaissait même pas le nom. J'aimerais que tu écoutes ma dernière maquette et j'aimerais avoir ton avis.

— *Mon* avis ?

— Oui. J'ai envie d'entendre *ton* avis.

Quand les enfants furent profondément endormis, Coryn demeura quelques minutes devant le canapé où, la veille... Elle regarda la couverture qu'elle avait replacée ce matin. Ça n'avait rien changé. Leur empreinte demeurait présente. Elle attrapa le babyphone et déambula dans La Maison jusqu'à ce que ses pas la fassent obliquer dans la bibliothèque déserte. Elle ne repoussa pas la porte derrière elle. Elle se posta devant la fenêtre, au fond. La neige avait cessé de tomber depuis longtemps. Son doigt appuya sur « play » et elle plongea dans la musique.

18

Quand le musicien aperçut Coryn, elle se tenait toujours près de la fenêtre. Elle était seule dans la pénombre. Immobile. Il savait qu'elle écoutait sa musique. Peut-être fermait-elle les yeux ? Elle semblait si fragile. Oh ! Pas comme une enfant. Sa fragilité était celle d'une femme qui a souffert. C'était perceptible à la façon dont elle se tenait. Il eut la crainte qu'elle ne s'évapore. Il repoussa la porte et elle perçut le mouvement sur la vitre.

— Je t'ai trouvée.

Elle sourit. Il posa son manteau et le sac plastique qu'il tenait à la main sur un des fauteuils. Il s'approcha.

— Tu aimes ?

Elle hocha la tête et murmura :

— Beaucoup.

— Et tu ressens comment ces morceaux ?

— C'est... c'est... Je ne sais pas trop comment expliquer.

Kyle s'avança encore.

— Essaie. Dis-moi comment tu les ressens.

Coryn ne pensa pas que le musicien était dangereusement près (ni délicieusement d'ailleurs), elle se concentra pour trouver les mots justes. Elle aima que Kyle la bouscule. Qu'il l'aide à se libérer de ses chaînes. Que ce soit lui qui la pousse à avoir confiance en elle. *Oui, que ce soit lui.* Alors l'image lui vint et Coryn dit que, pour elle, ces mélodies avaient du volume... Elles...

— ... me font penser à une vague.

L'image plut au musicien.

— C'est la première fois qu'on me compare à une vague. Mais j'ai grandi à San Francisco et je voyage au-dessus des océans la moitié de l'année, peut-être qu'elles finissent par m'inspirer sans que je m'en rende compte.

— En tout cas, je trouve les deux derniers morceaux audacieux, émouvants et...

— Et ?

— ... rebelles et mélancoliques et...

— Et ?

Elle leva ses yeux vers lui.

— Tu es comme ça, non ?

Ce n'était pas une question. Il le savait, bien sûr. Mais il fut troublé. Il s'approcha de Coryn, le plus possible. Il avait envie de l'entendre respirer. Il aimait écouter le souffle des gens. Car il donnait la mesure de leur émotion et, à cet instant de leur présent, Kyle avait un besoin urgentissime de connaître l'émotion précise de la jeune femme. De la mesurer par lui-même.

Oh ! Il ne se l'avoua pas et n'y pensa même pas. Parce que, dans ces cas-là, on ne se dit rien. On est en suspens comme une marionnette qu'une main agiterait et ferait danser à son gré. On se délecte de vivre toutes ces impressions qui vont se transformer en souvenirs parce qu'il est impossible d'arrêter le temps. D'ailleurs, on ne le voudrait pas. Le meilleur reste encore – et demeure toujours – une possibilité.

Non, quand le musicien glissa doucement vers Coryn, il ne pensait pas à tout ça. Il était seulement Kyle qui respirait le même air qu'elle. Par réflexe, comme sur scène, il accorda sa respiration à la sienne. Comme sa voix à la mélodie. Il voulait un même mouvement, une même onde, une même tonalité. Impossible à dissocier. Comme des mots qui collent aux images. Exactement comme la fluidité des vagues qui viennent épouser la plage. *Coryn a raison.* Il ne pensa pas non plus que c'était pour lutter contre son enfance déchirée qu'il faisait tous ces efforts d'unité. Il étendit sa main pour attraper un des écouteurs.

— Tu en es où ?

Tout de suite, il comprit. Seule la mélodie était finalisée. Le fameux *troisième morceau*. Celui que Patsi voulait balancer dans les chiottes. Ce truc, il l'avait composé des mois plus tôt quand le destin avait décidé de les jeter l'un contre l'autre et, dès lors, la jeune femme n'avait cessé de l'habiter. Coryn était devenue une ombre bien plus lumineuse que tous les gens qu'il croisait et fréquentait au présent.

Aujourd'hui, à vingt-trois heures quarante-trois précises, cette femme n'était plus qu'à quelques centimètres de lui et rien d'autre n'existait. À l'instant même où il plaça son écouteur, il sut que chaque note était une espérance. Elle, la réponse.

Elle avait les yeux rivés vers l'extérieur. Immergée dans sa musique. Kyle regarda son profil et son reflet sur la vitre. Il la trouvait toujours aérienne et merveilleusement belle. Aucune de ses abominables marques ne pourrait jamais enlever sa grâce. C'était peut-être à cause de ça que l'enfoiré lui avait balancé des coups. La frappait-il de peur qu'elle lui échappe à tout jamais ? Kyle eut le vertige. *Mon Dieu !* Que pensait-il ? Elle tourna la tête vers lui et son cœur s'envola.

— Il n'y aura pas de texte ?

— Je n'ai pas encore trouvé les mots.

— Tu as une idée de ce que tu veux écrire ?

— Pas encore. Mais ils finiront par s'imposer d'eux-mêmes.

— C'est donc ainsi que ça se passe... Les choses s'imposent à toi.

— Comme dans la vie.

Avant que son cerveau lui interdise quoi que ce soit, le bras de Kyle s'enroula autour de la taille de Coryn qui se laissa enlacer. Surprise de ne pas lutter. Et qui ne le fit pas plus lorsqu'il prit sa main et la posa contre son cœur. Une onde étrange remonta depuis ses pieds jusqu'à ses joues. Elle appuya la tête contre son épaule et il écouta ses inspirations et expirations. Peut-être que les peintres ne vibrent qu'avec les lumières et les couleurs et que les poètes ne ressentent que les émotions, mais lui, le musicien, entendait la musique de la vie. La respiration de Coryn était un chant, et en posant ses mains sur elle, il ressentit chacune des notes qui l'habitaient.

Alors les paroles lui vinrent. Précisément. Kyle les reçut une à une et eut besoin de voir les yeux de la jeune femme. Oh ! Il *voulut* la regarder, mais... *mais* ce qu'il fit fut dicté par ce qu'il y avait de plus profondément enfoui au fond de son être. Encore une fois, il *sut* précisément ce qu'il allait faire, tout comme il *sut* qu'il ne le devrait pas. Ses lèvres glissèrent sur celles de Coryn.

Et tout était là.

Mais au loin claqua une porte. À moins que ce ne fût la musique qui s'interrompit ?

19

Coryn réagit la première. Elle recula d'un pas et jeta un regard égaré au chanteur avant de s'enfuir. Il vit sa musique se fracasser sur le sol. Il porta ses mains à ses tempes. Sa tête allait exploser.

Qu'ai-je fait ?

20

Kyle resta des minutes entières à regarder par la fenêtre. Un instant plus tôt, cette vitre avait apprivoisé leur chaleur. Et puis maintenant... cette saleté de paroi froide ne renvoyait qu'une image floue et embuée. Il était seul. Ses jambes vacillèrent. Il devait écrire les mots qu'il avait vus. Garder cette émotion éternelle. C'est pour ça qu'il faisait de la musique, non ? Pour ne jamais quitter ces trucs qui le faisaient vivre.

Il attrapa une feuille sur une table puis y jeta les paroles. Elles étaient justes. Elles sonnaient juste. Elles disaient ce qu'il avait en lui. Enfin... Elles étaient *enfin* sorties et sa tête lui faisait un mal de chien. Kyle était désespéré. Lucide.

Il lui fallait un verre. Sûrement plusieurs. Il remonta le couloir, balança ses feuilles et le sac plastique en travers de son lit. Il enfila son manteau, appela un taxi. Au premier bar venu, il choisit la table la plus excentrée pour qu'on lui fiche la paix. Il commanda des whiskys.

Il but jusqu'à ce que ses pensées s'évaporent dans l'alcool. Ce soir, il avait besoin de néant. Le traitement était éphémère, il le savait bien. Demain les choses n'auraient pas changé et il devrait y faire face. Mais ce soir, il voulait être ivre. Aveugle et seul. Sans rien ressentir. Plus de musique. Plus de notes. Plus de chant qui sorte de ses entrailles, emportant ses passions.

Oh ! Comme il aurait voulu que Coryn le gifle à l'instant même où sa main avait dérapé. Si seulement il lui avait laissé le choix.

— Je vous ressers ?

— Laissez la bouteille.

— C'est pas raisonnable, monsieur.

— Laissez cette *putain* de bouteille. S'il vous plaît, soupira-t-il.

— Chagrin d'amour ?

— Non. Erreur d'aiguillage.

21

Quand Kyle poussa la porte d'entrée qu'il maltraitait depuis dix bonnes minutes, il était six heures trente-cinq du matin. Il tomba nez à nez avec Dan en caleçon à fleurs suivi de Jane qui débuoula enroulée dans son peignoir japonais.

— C'est toi qui fais tout ce merdier ?

Il ne répondit pas mais les écarta brutalement de son chemin. Il fonça à la cuisine en rasant plus ou moins les murs et s'effondra sur la première chaise.

— T'étais passé où ? Je t'ai cherché partout.

Elle alluma.

— Éteins !

Dan bascula l'interrupteur et échangea un regard entendu avec Jane. Elle murmura à son oreille qu'elle viendrait le chercher si nécessaire. Puis elle se planta devant son frère et posa les mains sur ses hanches.

— Bravo.

Il était effondré sur la table. La tête sous ses bras. Elle tira un tabouret et demanda ce qui s'était passé.

— Erreur d'aiguillage, bafouilla-t-il.

— Quoi ?

Il répéta les mêmes mots.

— Je ne comprends rien.

Kyle releva brusquement la tête et s'emporta.

— Putain ! C'est pourtant pas difficile, Jane. Je suis arrivé exactement là où je ne voulais jamais aller. J'ai tout faux. J'ai fait le contraire de ce que je m'étais promis. Je suis sorti de ma vie.

Elle posa sa main sur celle de son frère. Il la repoussa.

— On n'est pas libre. Tu sais ça ? La liberté... cette putain de liberté qu'on croit posséder, ça n'existe pas. Tout ça... c'est de la connerie...

— Tu es bourré, l'interrompit-elle avec fermeté. Viens te coucher.

— Non ! hurla-t-il en se levant. Je déraille. Tu vois pas que je déraille ?

— Calme-toi ! Kyle ! Calme-toi.

Il tituba et retomba sur la chaise. De longues minutes s'écoulèrent dans le vide. Puis il murmura :

— Je voulais... je voulais être un homme bien. Jane... J'aurais tellement voulu...

Sa tête disparut de nouveau sous ses bras. Jane le revit enfant, quand il restait sur son lit, emmuré dans un silence étouffant. Elle avait cru, oui, que la musique le sauverait. Parfois un doute avait ressurgi comme une mauvaise intuition et l'avait saisie. Parfois, comme ce soir, elle était terrorisée. Où sont les branches d'arbre ? À quoi peut-on alors se raccrocher pour ne pas sombrer ? *Uniquement à l'espoir que tout peut changer.* Sinon, que serait-elle, elle, Jane ? *Que voudrait dire ma propre vie ?*

Kyle se redressa et bredouilla qu'il fallait qu'il dorme. Sa sœur le soutint jusqu'à sa chambre, le déshabilla comme elle put, puis tira les couvertures sur lui.

— Patsi m'a téléphoné. Elle n'arrivait pas à te joindre sur ton portable.

Il ne réagit pas.

— Elle vient demain à seize heures. Enfin non, tout à l'heure, se reprit-elle. Vu l'heure qu'il est maintenant.

Il ne bougea toujours pas. Jane savait qu'il faisait semblant de dormir.

— Je te rapporte une bassine et tâche de ne pas te louper si jamais tu gerbes.

22

Le chanteur se réveilla mille fois, comme si quelqu'un s'amusait à mettre des coups de ciseaux dans le black-out nauséeux de l'alcool, mais il fut incapable de bouger de la position dans laquelle Jane l'avait posé. Sa tête pesait dix tonnes et pourtant son poids était plus supportable que celui qui l'écrasait. *Qu'ai-je fait ?* La question revint sans cesse jusqu'à ce que la porte de sa chambre vole et que Patsi apparaisse dans l'encadrement, vêtue d'un manteau vert pomme assorti d'une chapka de la même couleur.

— Formidable ! Encore affalé dans ton lit. J'ai l'impression que tu y passes ta vie, et pas pour pondre un succès !

Kyle referma les yeux. Patsi n'avait pas tort. Tous ces derniers mois sur les routes, son lit – n'importe lequel – était son refuge, sa maison. Et comme dans toutes les maisons, il y a inévitablement du ménage à faire pour évacuer l'éternelle poussière dont personne ne se débarrasse. Elle tira les rideaux et ouvrit la fenêtre.

— Qu'est-ce qui t'a pris de te mettre dans cet état ?

— Ferme les rideaux.

— Il est seize heures.

Il demeura immobile. Elle aussi. *Seize heures.*

— Heureusement que je ne suis pas venue en taxi ! J'aurais honte de le faire attendre, lança-t-elle en déglinguant la porte qu'une araignée vagabonde évita en rentrant les fesses.

La bestiole se réfugia sous le lit, slaloma adroitement entre les moutons de poussière et se tapit, essoufflée, dans cette nouvelle planque, satisfaite de savoir enfin qui fracassait les portes dans l'univers.

Mais, porte fermée ou porte ouverte, porte qu'on claque ou qu'on ferme avec douceur, la putain de réalité reste sans surprise. Et implacable.

Qu'ai-je fait ? Kyle Mac Logan se vit tel qu'il était. Peu importait qu'il change de nom. Peu importaient ses textes et ses mélodies. Peu importait que des gens s'y accrochent. Il avait dérapé en tant qu'homme. Et ça, c'était *son* fait. La honte l'écœurait jusqu'à le rendre malade. Il se redressa sur un coude et ne rata pas la bassine.

23

Coryn faisait la cuisine. À La Maison, en plus des coups de main spontanés, toutes les pensionnaires avaient un tour attitré pour les repas. Elle avait déjà eu droit au balai, à la lessive, au rangement de la vaisselle sale, alors en cette fin d'après-midi, puisque Noël était terminé, elle se retrouvait seule à préparer plusieurs plats de sauce bolognaise pour les spaghettis. Elle avait les yeux rouges à cause des oignons. Mais peut-être pas seulement. La petite Christa dormait paisiblement dans son cosy posé à terre et, depuis son poste de travail, Coryn pouvait apercevoir Malcolm et Daisy qui dessinaient sur une table. Tout aurait dû « aller bien »... mais...

Kyle avait été invisible toute la journée. Dix mille fois, elle avait failli demander à Jane s'il allait bien, à défaut de pouvoir demander s'il était encore dans cette maison. Seulement, Jane était occupée, et surtout, elle n'était pas Kyle. La jeune femme blonde n'avait plus la confiance en elle ni l'aisance de la soirée précédente. *Hier*, c'était le 25 décembre et il y avait eu les cadeaux. Mais *hier* avait refermé ses portes. Et Coryn était redevenue la Coryn qui savait très bien ce que lui réservait son avenir. *La vie n'est pas un rêve.*

Toute la journée, elle s'était accrochée à ses gestes mécaniques, avait écouté ses enfants à moitié. Elle s'en voulait mais ne pensait qu'à ce baiser. Qui ne ressemblait en rien à ceux de Jack... Même une seconde. Une demi-seconde ! Alors, quand on lui avait annoncé que c'était son tour de préparer le repas, elle l'avait accueilli avec soulagement.

D'autant que Patsi venait d'arriver. Étincelante. Forte. Sûre d'elle... Comment la jeune femme blonde aurait-elle pu demander si Kyle allait bien ou s'il était en vrac, comme elle ? Comment aurait-elle pu participer au rassemblement dans le salon ?

Les mêmes questions très personnelles fusaient. Quand avaient-ils eu le coup de foudre ? Une rumeur persistante annonçait leur mariage. Et pour quand le bébé ?

— Alors celle-là ! lâcha Patsi, c'est pas la première fois qu'on me la sort ! Non, mesdames, je reste anti-mariage et anti-môme... Je suis une rock star. Et c'est mon seul talent !

Elle se leva du canapé. Lissa sa robe en lamé argent sur sa taille et lâcha un long soupir.

— Malheureusement, je suis aussi humaine que vous et donc pas à l'abri de commettre un jour une énorme bêtise.

Une voix lança :

— Prie sainte Connerie d'être indulgente !

Patsi éclata de rire, les autres femmes aussi. Elle tourna les talons et disparut dans le couloir en souhaitant « à sainte Connerie comme à vous toutes une belle et heureuse année ! » Coryn repoussa du pied la porte de la cuisine. Oui, Patsi était une star, brillait comme une star, était habillée comme telle et en avait l'assurance. Pour ne pas s'effon-drer, elle se baissa et changea le sac poubelle. Encore la moindre épluchure et ce truc immonde vomirait son admirable contenu sur le sol. *Tout comme moi...*

— Salut.

Oh ! Il n'était pas utile que Coryn relève la tête. Kyle était accroupi près d'elle. Il n'avait pas l'air au mieux. Ses yeux étaient plus cernés que les jours précédents. Il avait déjà enfilé son manteau.

— Salut, répondit-elle en continuant de s'activer avec le sac et de lutter contre ses larmes.

Elle voulut se redresser, Kyle la retint par la main.

— Elles sont sales.

— Je m'en fiche.

Et là, la distance – ou plutôt le déficit de distance – réitéra son théorème. Le vérifia et le contrevérifia. Comme par enchantement, *toutes* les résolutions, *tous* les doutes, *tous* les désespoirs, tous les kilos de poussière et *toutes* les frayeurs que chacun d'eux avait lentement comptés, décomptés et recomptés prirent un coup de pied au cul plus efficace qu'un coup de balai et s'enfuirent pour crever au Pays des Horreurs. Kyle et Coryn étaient de nouveau l'un à côté de l'autre. Leurs corps prirent le dessus puisque leur raison défaillait.

— Je voulais te dire...

— Moi aussi, j'ai aimé ce baiser, souffla-t-elle à toute vitesse en se redressant.

— Hey Kyle ! T'étais où aujourd'hui ?

Malcolm venait de débouler dans la cuisine, talonné par une Daisy essoufflée.

— T'étais zou ? répéta la petite fille.

Il la prit dans ses bras. La jeune femme tira son fils contre elle et jeta machinalement un coup d'œil dans le couloir de peur de voir Patsi entrer à leur suite. Daisy s'accrocha au cou du chanteur qui repoussa la porte d'un geste.

— J'étais très très fatigué.

— Fait dodo ?

— Oui. Un gros, gros dodo.

— Ben ! T'as une sale tête !

— Malcolm ! coupa Coryn.

— Il a raison. Je ne ressemble plus à rien, dit-il en la fixant. Mais j'ai quand même réussi à imprimer des tirages.

Il sortit un paquet de photos de la poche arrière de son jean et attrapa le sac plastique qu'il avait posé sur le comptoir.

— Elles sont vraiment belles.

— C'est pour ça que tu n'as pas dormi ?

— Malcolm !

Kyle lui frotta les cheveux.

— Tiens, j'ai aussi trouvé un appareil photo que toi et ta sœur pourrez utiliser.

Coryn leur demanda d'aller ranger le tout dans leur chambre et de bien refermer derrière eux.

— Merci, dit-elle en se penchant sur l'évier pour se laver les mains.

Il la regarda en silence se rincer et fermer les robinets. Il pensa qu'hier il avait tenu ces mains dans les siennes et qu'il ne le referait jamais. *Que ça vaut mieux ainsi.* Par miracle, Christa se réveilla. Le musicien se faufila derrière la table, détacha les sangles et souleva la petite.

— Je me demandais justement si tu allais me dire au revoir, toi.

Le bébé fronça les sourcils quand la porte s'ouvrit brutalement, laissant entrer un gamin essoufflé. Il fila se servir un verre d'eau qu'il descendit d'un trait sans les quitter des yeux. En posant la main sur la poignée, il s'arrêta net.

— Je la referme ?

— Non, implora Coryn en reprenant son bébé.

Le môme détala et la porte n'en fit qu'à sa tête.

— Tu devrais y aller, Kyle.

— Oui. Je devrais.

Il se pencha pour embrasser Christa et tint le bras de la jeune femme.

— J'aurais tant voulu que les choses se passent autrement.

— Kyle ! C'est l'heure ! Kyle !

Des voix crièrent en écho, il ne répondit pas et ne lâcha pas le bras de Coryn.

— Moi aussi, dit-elle.

Comme à l'hôpital des mois plus tôt, ils se sourirent. Le musicien tourna les talons. Puis, s'arrêtant devant la gazinière, il souleva le couvercle de l'énorme cocotte et y trempa une cuiller qu'il goûta.

— Tu vas te brûler.

— C'est déjà fait.

Alors, exactement comme la veille, il sut ce qu'il allait faire comme il sut qu'il ne le devrait pas. Mais comment échapper à ce genre de choses ? Il marcha vers Coryn, prit son visage entre ses mains et l'embrassa.

— Je t'aime.

Avait-il vraiment murmuré cela avant de disparaître ? L'avait-il réellement embrassée ? Coryn entendit des voix s'éloigner. Elle n'était plus tout à fait certaine que cet instant avait existé. Elle passa sa langue sur ses lèvres. Elles avaient le goût certain de la tomate.

24

Pendant quelques minutes, un silence total régna. La jeune femme était heureuse d'être dans la cuisine. Oui, Coryn, pour la deuxième fois en moins de dix minutes, se sentit pleinement heureuse. Et ne culpabilisa pas. La nuit passée à se torturer n'existait plus. Elle avait été balayée quand Kyle lui avait dit « *je t'aime* ». Ce n'était pas une promesse mais un fait. « *Je t'aime.* » Le reste n'avait plus d'importance. Elle ne voulait ni ne rêvait de plus. Elle voulait vivre avec la force de cet amour-là. Celui qui prouve que deux êtres se comprennent et savent que désormais ils ne seront plus jamais seuls.

Les choses avaient changé. Dès lors, Coryn sentit germer en elle le sentiment étrange d'exister. *Sa* vie allait commencer. *Ma vie à moi.*

25

Les phares sur l'autoroute aveuglaient Kyle. D'office, il avait pris la place du passager, laissant Patsi au volant. Il ferma les yeux et appuya la tête contre la vitre froide. Ce qui ne l'empêcha pas d'entendre les reproches qu'elle lui assenait en silence. Elle accéléra et ils se déversèrent avec la violence d'une coulée de boue. *Fin du premier round.* Un-zéro pour Patsi.

Kyle savait que, dans quelques instants, en écho, sa voix les articulerait pour ouvrir le *deuxième round*. C'était certain. Habituel.

— J'avais pas raison ? finit-elle par dire. Tous les ans, c'est pareil. Non, je rectifie, chaque fois que tu passes chez ta sœur, tu reviens déglingué et ça dure des semaines. Et vu ta gueule, je dirais que cette année, c'est le jackpot universel.

— Jane t'a dit quoi ? s'inquiéta Kyle.

— Jane ? Tu sais bien qu'en dehors de son bonjour et de ses réflexions à la con sur mes cheveux et mes tenues qui la font sourire, elle ne dit pas grand-chose que je comprenne.

— Ou qui t'intéresse.

— Oui. Justement, qui m'intéresse. La vie est sacrément courte, Kyle ! J'ai pas envie de me faire chier avec une conversation inutile.

— Tu as de la chance, Patsi. Les choses ne sont pas aussi faciles pour tout le monde.

— On a tous nos problèmes. Mais si tu veux un bon conseil, ne viens plus ici.

— Tu sais bien que ce n'est pas possible.

— Tu sais bien que ce n'est pas possible ! répéta-t-elle.

— Arrête ça, Patsi.

Alors elle freina avec violence et les pneus hurlèrent tout leur mécontentement sur la bande d'arrêt d'urgence. *Fin du deuxième round.* Un partout.

Les combattants s'assoient dans les corners, pansent leurs plaies et ne se lâchent pas des yeux. La cloche retentit. *Le troisième round s'ouvre.*

— Tu ne vas pas rester garée là ?

— Qu'est-ce qu'il y a, Kyle ? C'est bien toi qui voulais qu'on parle, non ?

Il était inutile de lui expliquer que le premier flic qui allait passer à proximité ne serait peut-être pas un de leurs meilleurs fans. Alors il se redressa sur son siège et, par défi, demanda si elle avait suffisamment réfléchi à « la » question pendant ces derniers jours...

— ... et trouvé une réponse.

Elle se tut pendant deux ou trois secondes. Puis, avec une voix qu'elle n'avait encore jamais eue, elle dit :

— Elle s'est imposée à moi. Je suis enceinte.

Kyle tomba à terre. Totalement sonné. Son cerveau mit quelques secondes à saisir et à donner un sens aux mots qu'il venait d'entendre. Elle articula de nouveau – lentement – puis elle assena le coup final.

— Mais je ne sais pas si tu es le père.

K.-O. général et match nul.

*
* *

Après ça... ni elle ni lui ne dirent un mot. Un enfant... Comment se faisait-il qu'un enfant arrive maintenant ? La véritable question n'était pas « comment » mais « pourquoi » arrivait-il quand personne ne voulait de lui ? Quelle place aurait-il dans ce monde ? Avec des adultes si peu dignes de ce nom pour l'éduquer ?

Voilà ce que tous les deux se disaient en silence pendant que les voitures sifflaient en les frôlant. Un gigantesque camion avec une double remorque chromée remplie d'un liquide indéterminé klaxonna trois fois. Le souffle qu'il généra fit trembler leur voiture. D'autres leur firent des appels de phares. Les flics n'allaient pas tarder. Mais ils s'en foutaient royalement. Est-ce qu'une prune pouvait être pire ? Est-ce que rater leur avion et la réunion chez Steve pouvait être pire ?

— Tu en es sûre ?

Elle le fusilla du regard.

— Tu le savais avant de partir, n'est-ce pas ?

— J'avais fait un test qui s'est révélé positif.

— D'après toi, ça remonte à quand ?

— Je n'en sais rien exactement. J'attends les résultats des analyses pour avoir confirmation de la date. Enfin des deuxièmes, car – crois-moi sur parole – le labo a eu un problème d'étiquettes et mes tubes se sont retrouvés mélangés avec d'autres ! Et comme c'est un putain de Noël, j'attends encore.

— C'est pour ça que tu es rentrée plus tôt ?

— C'est pour ça que je t'ai dit que je n'avais pas de réponse « précise et exacte » nous concernant, soupira-t-elle en fermant les yeux. Tu ne peux pas imaginer comme je me déteste. Pour la première fois de ma vie, je... je me retrouve exactement là où je voulais ne jamais aller.

Le musicien savait que, la nuit passée, il avait précisément articulé cette même phrase à Jane. Il ne trouva pas la situation cocasse. Seulement désespérante. Et sonda la profondeur du gouffre dans lequel ils avaient glissé.

— J'ai combien de chances d'être le père ?

— D'après le toubib, ça dépend de la survie de tes spermatozoïdes dans mon terrain hostile.

— J'en conclus que tu n'as pas baisé avec un autre mec le même jour qu'avec moi.

— Fait l'amour.

— Ça change pas beaucoup.

— Ça change tout, corrigea-t-elle en tournant la tête vers lui.

Une boucle rousse s'échappa de sa chapka et Kyle songea à toutes les fois où il aurait eu envie de jouer avec.

— Depuis quand tu « fais l'amour » avec l'autre ? Ou les autres ?

Ils se dévisagèrent longuement, puis Patsi avoua :

— Ça remonte à la tournée de Londres.

Kyle réfléchit. Patsi avait dit « tournée » et non pas « déménagement ».

— Mais... C'était il y a un an.

— Exactement. Tu peux être rassuré, c'est le seul type avec qui...

— C'est qui ?

— Aucune importance.

— C'est qui, Patsi ?

Elle ne baissa pas le regard.

— Tu te souviens de cette interview pour Absolute Radio ? Et qu'après j'étais allée dîner seule avec le journaliste parce que tu avais une de tes satanées migraines ?

Kyle hocha la tête. Il se souvenait précisément de la tronche du type.

— J'aurais jamais pensé que c'était ton genre.

— C'est pas lui. Mais c'est bien ce soir-là que j'ai dérapé.

Elle eut son drôle de sourire et ajouta que le propriétaire du restaurant dans lequel le journaliste l'avait emmenée dîner avait concocté un plat divin. Et qu'il avait des yeux à renverser toutes les Patsi du monde.

— J'croyais que ça serait un coup comme ça. Parce que j'étais en colère contre toi.

— Et ?

— ...

— Et, Patsi ?

— Tu veux tout savoir ?

— Oui.

Elle se redressa sur son siège, rangea sa mèche et soupira longuement.

— Quand tu es rentré après l'accident – je devrais préciser, quand tu es rentré « différent », dit-elle –, je l'ai rappelé. Et si je l'ai fait, c'est parce que tu étais désespéré au point que tu voulais que je t'épouse et que je te fasse un môme ! Et maintenant, voilà que je suis enceinte ! Putain ! Si je tenais celui qui s'amuse là-haut...

26

« Il y a des fois où les engueulades sont à gerber. »
C'était une des sentences fétiches de Patsi qu'elle
réservait aux jours de grande lucidité. Aujourd'hui
en faisait partie. Alors aucun des deux n'eut la
force de hausser la voix. Pour quoi faire ? Leur
détresse était suffisante. Elle était à la mesure de
leur culpabilité.

Elle expliqua qu'il ne lui avait pas fallu longtemps
pour comprendre que Kyle avait glissé ailleurs. Qu'il
était retourné. Absorbé. Mélancolique.

— En gros, coupé de moi. Mais rassure-toi, chéri,
je vais te déculpabiliser. Ni toi ni moi n'avons le
monopole de la trahison. En somme, on s'est aimés
et on s'est perdus de vue comme beaucoup de cons.
Tu savais que je finirais dans ton lit alors que, moi,
j'ai toujours su que j'en sortirais.

Le musicien parla de Coryn. En quelques mots,
il résuma *sa* réalité et conclut en disant qu'elle faisait une délicieuse sauce bolognaise. Patsi sourit et
raconta le goût des œufs au plat de Christopher, ses
nausées et ses envies de femme enceinte. Elle dit
combien elle se sentait bizarre et *combien* elle ne se
reconnaissait plus. Elle dit encore qu'elle se détestait
et s'adorait. Et surtout qu'elle détestait s'adorer.

— Putain ! C'est comme si j'avouais que je jubilais
de cette catastrophe ! Pourtant, « ça », ce truc qui

s'est installé en moi, ce n'est pas moi. C'est anti-moi et je suis obligée de mentir...

Elle parla des heures, de la force de la Vie, de l'absurdité du Hasard qui fait très mal les choses. De tout ce qu'on ne comprend plus, de tout ce qui échappe et on ne sait pas pourquoi. De ses envies de chili et de vanille. De son corps qu'elle ne reconnaissait pas et qui lui faisait sentir des trucs qu'elle n'imaginait pas. Et qu'elle avait maintenant en horreur la chaleur et que Londres, finalement, ce n'était pas mal.

— À cause de la chaleur... *Forcément*.

Kyle ne put l'interrompre ni placer quoi que ce soit. Il regardait juste cette femme perdue, en contradiction comme elle ne l'avait jamais été. Cette femme qu'il avait aimée et qu'il n'aimerait jamais plus de la même manière. Des années s'étaient enfuies en un rien de temps. Encore une fois, Patsi avait définitivement raison.

— Tout ça est juste ingérable. Et toi, tu ne dis rien ?

— Patsi...

— Tu comprends... le coupa-t-elle avec la voix qu'elle avait eue, un moment plus tôt, quand elle avait avoué qu'elle était enceinte. « Ça » remet tout en cause. Notre vie à tous, la suite de cette tournée, le prochain album, la prochaine tournée, Steve, Jet... et mes putains de costumes qui sont dans le coffre et que je ne vais plus pouvoir enfiler dans quelques semaines ! Tu imagines ? Tu imagines le souk ? Mais pire encore... Bordel, Kyle...

Sa voix devint implorante.

— Pour le moment – sans que je comprenne pourquoi – je ne *veux* pas avorter.

Il allait ouvrir la bouche mais elle leva la main.

— Normalement, moi, je ne devrais même pas me poser la question. Moi, je devrais déjà être à la clinique. Mais je ne peux pas. Tu comprends ?

Kyle murmura « oui » et prit sa main. Elle le repoussa.

— Le plus horrible, c'est que je ne sais pas si je saurai être mère. J'te parle même pas d'être une *bonne* mère... Merde ! Je suis... C'est...

— Patsi, s'il est de moi...

— Oh ! La ferme ! À la vérité, il y a peu de chances que ce bébé soit de toi. À moins que tes spermatozoïdes vivent une semaine entière et qu'ils soient encore assez vigoureux après pour éliminer les autres et féconder le seul ovule que je risque de pondre de toute ma vie !

Elle avait des larmes accrochées à ses faux cils et, cette fois, ce fut elle qui serra la main de Kyle.

— Ce serait trop simple, pas vrai ?

— Il est au courant ?

— Il est marié.

— Merde.

— Comme tu dis.

Elle ajouta, désespérée :

— Je *suis* dans la merde totale... Tu imagines ! De toute ma vie, je n'ai jamais rien oublié. Ni un lieu ni une note ni un mot ni une de tes idées ni un seul regard de nos fans, et il a fallu que j'oublie une fois – une seule et unique fois – de prendre cette putain de pilule et bingo, je tombe enceinte très probablement du mec que j'aimerai pour le restant de mes jours et qui, lui, est marié alors que moi, je vis avec un type qui ne m'aime plus et que je n'aimerai plus jamais assez pour continuer à vivre avec...

Subitement, elle porta la main à sa bouche et gueula qu'elle allait, en plus, gerber. Ce qu'elle fit par la fenêtre sans descendre de voiture. Elle s'essuya avec le manteau de Kyle.

— Je n'ai plus qu'à prier pour que tu ne sois pas le père. Faudrait pas que ce gosse ait été conçu sans amour.

Oui, Patsi. « Il y a vraiment des fois où les engueulades sont à gerber. »

27

Coryn coucha les enfants tôt. Ils étaient si exténués par les derniers jours de veille et de changement radical dans leur vie qu'ils ne luttèrent pas. Elle retourna à la cuisine aider au rangement et, quand la dernière femme partit se coucher, elle regagna sa chambre sans jeter un regard à la bibliothèque.

Le sac plastique trônait toujours sur son lit. À côté du paquet de photos. Elle les regarda une à une. Elles reflétaient le regard du musicien sur elle. Un regard et tout change. Un regard et rien n'est plus pareil… Une rencontre. Des atomes qui s'accrochent et laissent des traces indélébiles. Une vie qui sort de son orbite. *La liberté existerait donc ?*

Elle retira la boîte du sac, une enveloppe en papier kraft tomba lourdement sur le sol. Rien n'était inscrit dessus. Elle la décacheta et découvrit avec stupeur et incrédulité une quantité stupéfiante de billets. Une feuille était soigneusement pliée en quatre. Elle la prit en tremblant. C'étaient les paroles d'une chanson et Coryn sut instantanément à quelle mélodie elles étaient destinées. Kyle avait juste ajouté tout en bas de la page :

Cette chanson est la tienne. Entièrement.
Je t'aime Coryn, et je ne peux vivre avec toi.
La vie…

Elle toucha du bout des doigts chacun des mots et dut se lever pour reprendre ses esprits. *La vie...* Elle compta les billets. Les recompta. La somme était si insensée qu'elle ne put empêcher son cerveau de former des plans irréalisables, irrationnels mais dangereusement tentants.

Elle s'interdit de se demander comment Kyle avait fait. Ce que Patsi et lui se disaient. Elle poussa la porte de la chambre et regarda ses enfants – et malheureusement ceux de Jack – dormir paisiblement. Que leur dirait-elle plus tard si jamais ils lui demandaient s'ils avaient été conçus par amour ? *Pourvu qu'ils ne le fassent jamais*, se dit-elle, sachant que pourtant cette question tomberait. *Il faudra que j'aie une réponse. La réponse.*

Elle rangea l'enveloppe tout au fond de son armoire. Elle tourna la clé et l'enfonça dans la poche de son jean. Demain, elle verrait son avocat, il lui dirait comment affronter Jack. *Je ne veux pas y aller*, pensa-t-elle en se couchant.

Mais elle se réveilla avec une idée positive.
Une journée de moins jusqu'à la fin du procès. Une journée de moins avant ma liberté.

LIVRE QUATRE

1

— Monsieur Brannigan, reconnaissez-vous que personne – j'entends, même un mari passionnément amoureux – n'a le droit de frapper sa femme ?

— J'aime ma femme ! cria Jack.

— Vous ne répondez pas à ma question, monsieur Brannigan ! Mais je vous remercie pour votre spontanéité. La cour a bien compris que vous affirmez qu'aimer autorise les coups.

— Objection, Votre Honneur ! s'empressa d'intervenir maître Bellafontes, l'avocat de Jack.

— Accordée, intervint le juge Clervoy. Monsieur Brannigan, répondez toutefois à la question précédemment posée par maître Seskin.

Son avocat lui lança un regard si chargé de « rappelle-toi-ce-que-je-t'ai-dit » que Jack se ressaisit en une fraction de seconde. Il se domina et dissimula habilement sa rage. Il afficha son expression parfaite de contrition. Il leva les yeux vers maître Seskin et affirma :

— Je n'en ai pas le droit.

— Mais vous l'avez fait.

— J'ai perdu la tête.

Coryn fut la seule à remarquer que le procès allait basculer avec cette toute petite phrase prononcée par un Jack-qui-perdait-la-tête de temps à autre. Ces mots infléchiraient la première séance, les suivantes et assurément les décisions. De façon irrémédiable. Ils allaient marquer l'esprit des jurés. Jack était rasé de près, portait une chemise bleue apaisante et avait posé ses grosses mains sur ses genoux à l'abri des regards.

Et peu importait ce que la belle épouse avait répondu lors de son interrogatoire précédent, d'autant qu'en raison des délais administratifs, ses bleus avaient disparu, son sourcil dissimulait sa cicatrice et aucune trace n'était vraiment visible depuis leur siège. Oh ! Il y avait bien les photos. Elles avaient circulé de main en main, mais elles avaient pour rivale la profonde et large plaie sur le crâne de Jack. La jeune femme blonde avait frappé si fort et à plusieurs reprises avec cet appareil en fer...

— ... pas en plastique, mesdames, messieurs, avait affirmé plus tôt l'avocat de Jack en brandissant l'engin démodé. Il s'en est fallu de peu pour que ses os se brisent.

Jack avait montré ses neuf points de suture que la salle avait admirés en direct puisque ses cheveux bruns avaient dû être largement rasés. Si bien que cet homme – qui regardait celle qu'il aimait avec des yeux à faire pâlir d'envie n'importe quelle femme – pouvait aisément prétendre avoir « perdu » toute mémoire de leurs derniers instants ensemble. Jack savait vendre n'importe quoi. Il joua son rôle à merveille. N'était-il pas le meilleur vendeur de voitures ?

— Il semble que vous « perdiez » souvent la mémoire ? insista maître Seskin. Vous la « perdez » par amour pour votre femme et vous la « perdez » ce dernier jour ! N'est-ce pas extrêmement... pratique ?

— Objection, Votre Honneur ! Mon client ne doit pas être la proie des sarcasmes de maître Seskin.

— Objection accordée. Posez des questions claires. Et sans ambiguïté. Je vous rappelle par ailleurs que la séance sera levée dans cinq minutes.

L'avocat se plia au jeu du tribunal. Il attrapa le tournevis qui dormait à côté du magnétophone, s'approcha et formula une question simple.

— Que vouliez-vous faire avec ce tournevis ?

Jack répondit qu'il ne s'en souvenait pas.

— Vous vouliez réparer le tiroir inférieur de la commode dans la chambre de votre bébé. Vous êtes monté sans enlever votre manteau. Pourquoi ?

— Je ne sais pas.

— Vous ne savez pas ou vous ne vous souvenez pas ?

— Je ne m'en souviens pas.

— De quoi vous souvenez-vous ?

— Des roses rouges que j'ai achetées chez le fleuriste.

— Qu'y avait-il dans ce tiroir, monsieur Brannigan ?

— Objection, Votre Honneur !

— Objection refusée. Répondez à la question, monsieur Brannigan.

— Les vêtements de Christa, ma fille, je suppose.

— Vous n'aidiez pas votre femme à la maison ?

— Je travaille beaucoup, maître.

— La cour l'a bien compris, monsieur Brannigan. À ce propos, puisque vous en parlez, j'aimerais que vous nous expliquiez pourquoi vous êtes rentré, ce jour-là, en plein après-midi ?

— Je ne me souviens pas.

— Mais vous venez de nous dire que vous vous souvenez d'avoir acheté des roses à votre femme.

— Je me souviens qu'il faisait froid dehors et que j'avais très mal à la tête.

Une sonnerie stridente interrompit la séance sans aucun ménagement. Il était cinq heures. Coryn se tourna vers Jane pour ne pas regarder Jack mais savait très bien que les jurés, eux, regardaient cet homme fort, terriblement amoureux de la jeune femme blonde. Laquelle avait réussi malgré tout à l'assommer. Elle savait que certains d'entre eux devaient se dire qu'elle avait sa part de responsabilité. Qu'elle l'avait peut-être même cherché... Elle aurait tant voulu que la dernière question posée par maître Seskin soit :

— Pourquoi avez-vous tenté, ce jour-là, d'étrangler votre femme – j'entends, en plus de la violer ?

2

Même s'il parvint à marquer quelques points, les jours suivants, l'avocat de Coryn se heurta à un Jack qui s'attachait à jeter le trouble dans l'esprit des jurés. Il insista sur tous les longs mois où il ne se passait rien. Il parvenait à se contrôler. Oui, il en était capable. Ses yeux disaient des « *je vous le jure* » et ses mots n'accusèrent jamais sa femme de quoi que ce soit.

Il avait compris avant que son avocat le lui apprenne que Jane Mac Logan était la sœur de l'Enfoiré même si celui-ci avait signé de son vrai nom le constat, Kyle Jenkins. *Tu ne dis pas qui tu es. Tu es malin mais je le suis au moins autant que toi, Enfoiré.* Quand maître Bellafontes l'en avait informé, Jack l'avait regardé droit dans les yeux et lui avait demandé s'il avait trouvé quoi que ce soit de compromettant.

— Non. Rien. Hormis qu'il a fait à Noël une visite éclair à La Maison que gère sa sœur, comme tous les ans. Il est toujours en couple avec Patsi Gregor et votre femme a déclaré avoir trouvé cette adresse dans l'annuaire.

Jack fit semblant de réfléchir, puis poursuivit :

— Alors, je préfère ne pas voir ce type au procès. Parce que je n'oublie pas que c'est l'homme qui a envoyé mon fils sur la table d'opération et j'ai peur qu'on voie ma... faiblesse.

L'avocat de Brannigan approuva. Ça lui facilitait considérablement la tâche que son client n'accuse sa femme de rien. Ni d'infidélité ni de quelque autre défaut. Quand Coryn évoqua le livre, Jack dit qu'il n'avait vu que le « M. Twinston ». Il avoua en baissant la voix être jaloux, l'avoir toujours été, même enfant. Il affirma qu'il ne voulait que protéger Coryn et la sortir de son milieu défavorisé. Il voulait le meilleur pour elle et leurs enfants. Il était fatigué. Oh ! Si fatigué qu'il lui arrivait de perdre la tête au point de ne plus pouvoir se contrôler.

Quand maître Seskin évoqua les coups de poing dans le ventre, les coups de pied, Jack demanda pardon. Sans jamais pouvoir expliquer pourquoi il était passé d'une gifle à « ces actes ».

— Mais pourquoi ? répéta l'avocat.

— Je ne sais pas, maître. J'ai compris que je suis malade et que j'ai besoin qu'on m'aide.

Bravo ! se dit Coryn. *Maintenant il peut ajouter « qu'il ne recommencera pas ».* Ce qu'il fit. Avant d'implorer d'une voix baignée de larmes mensongères qu'on lui fasse suivre une thérapie, qu'on le guérisse de sa maladie qui le rongeait comme une bête...

Jack choisissait ses mots avec intelligence. Il glissa que sa femme n'avait jamais dit « non ». Ce qui ouvrit une gigantesque porte à son avocat qui s'acharna, non pas sur le pourquoi de cette absence de « non », mais sur le nombre des viols qu'elle pouvait déclarer. Coryn répondit qu'elle ne les avait pas comptés.

— Donc ce n'était pas toujours des... viols ? insista maître Bellafontes.

Coryn resta interdite. Il s'approcha d'elle, très près, et la regarda droit dans les yeux.

— Était-ce toujours des viols ?

— Non.

— Comment votre mari pouvait-il faire la différence si vous ne disiez pas « non » ?

— Ce jour-là, je sais qu'il voulait me tuer, répondit Coryn en tremblant.

Maître Bellafontes regarda les documents qu'il tenait à la main. L'avocat de Coryn objecta, en vain.

— Si j'en crois le rapport de police, vous avez déclaré que monsieur Brannigan a dit « cette fois, c'est fini ». Il n'a pas dit « je vais te tuer », est-ce exact ?

— Oui.

— Où étaient les mains de votre mari quand vous l'avez frappé ?

— Je ne sais plus.

Un silence se fit. Long. Les regards se posèrent sur les uns et les autres. Jack dit une dernière fois qu'il n'accusait Coryn de rien. Car son objectif était de la reconquérir. Rien d'autre. Et de recommencer. Mais ça, bien sûr, c'était son petit secret. Son dessert personnel, en quelque sorte…

Coryn comprit qu'elle redevenait transparente et s'interrogea pour savoir si sa mort aurait changé la donne. Elle fut convaincue que non. Il y aurait toujours quelqu'un pour affirmer que Jack avait droit au pardon parce qu'il allait payer sa dette. Il avait frappé. Il en avait pris le droit, l'habitude et le plaisir.

Bien sûr, il y eut les témoignages de la directrice de l'école et du personnel de la crèche. Jack avait ceux de ses employés pour qui il était un patron exigeant mais juste et généreux. Katy leur voisine ne dit que la vérité. Elle n'avait rien vu. Restait la question de l'hémorragie qui n'avait pas de conclusion tranchée. Et la cicatrice imposante sur le crâne de Jack.

Et puis, on diffusa l'enregistrement de Malcolm. Il disait qu'il ne savait rien et qu'il n'avait jamais vu son papa taper sa maman... Coryn sut que la partie était perdue. L'avocat de Jack put dire, la bouche pleine de satisfaction :

— Je n'ai pas d'autres questions, Votre Honneur.

3

À la vérité, Coryn n'était pas triste. Elle était désabusée. Elle savait qu'elle avait été manipulée au cours de ce procès et n'avait pu dire les choses comme elles s'étaient déroulées. Elle avait passé bien des nuits dans La Maison à analyser son existence. De son enfance écourtée à sa propulsion dans une vie d'adulte. Et la conclusion était simple : elle avait perdu beaucoup de temps à ne pas exister. Jusqu'à ce que Kyle lui apprenne à vivre.

Jamais elle ne renoncerait à ce cadeau. Elle mit soigneusement de côté sa haine et sa colère *pour vivre*. Elle fit une place de choix à sa détermination et fut émue par la force qui l'habita de nouveau. Elle pensa chaque jour à ce qu'il avait dit et écrit. « Je t'aime. »

Elle s'y accrocha chaque fois qu'elle aurait pu chanceler. Au tribunal, comme au fond de son lit dans le noir, ce « je t'aime » fut son arbre.

Bien avant la fin, la jeune femme eut la conviction que ce procès ne servirait à rien. Et avant qu'ils se retirent pour délibérer, elle regarda les jurés et sut qui voterait contre elle. Et qui la défendrait. Elle doutait d'obtenir une large majorité. Elle regarda Jack qui, lui, comme à toutes les séances, baissa les yeux quand il fallut et cacha judicieusement ses immenses mains. Il resta sur la ligne que son avocat lui avait dessinée. Il se montra courtois et passionné. Il avait des témoins...

Oui, Jack avait été très adroit. Jamais encore elle n'avait compris à quel point il l'avait manipulée.

*
* *

Le verdict tomba un mercredi à dix-sept heures cinquante-trois. Coryn leva les yeux vers la pendule comme lorsqu'elle avait donné naissance à ses trois enfants. Elle entendit qu'elle aurait quatre années de répit avant que les choses recommencent puisque Jack avait affirmé :
— Préserver nos enfants est ce qu'il y a de plus précieux pour moi. Je veux démontrer à Coryn que je peux changer et que je les aime plus que tout. Je veux y travailler chaque jour et y parvenir.

Il ne fit pas une erreur de ton. Encore moins de mots. Il accepta le verdict avec un soulagement fort bien dissimulé.

4

Non. Coryn ne pouvait éjecter Jack de sa vie. Il y avait les enfants. Maître Seskin se pencha vers elle en sortant de la salle d'audience et lui toucha l'épaule.

— Il vous verse une pension importante.

— C'est, je suppose, votre façon de dire que vous êtes désolé ? intervint Jane, ne pouvant plus contenir la colère qui lui nouait l'estomac.

Elle laissa tomber violemment sa sacoche au sol et fixa l'avocat de son regard noir.

— Je ne pensais vraiment pas que le verdict serait aussi clément.

— Vous insinuez que nous avons joué de malchance ?

— Ça ressemble malheureusement à ma vie, intervint Coryn en les regardant l'un et l'autre. Que me conseillez-vous maintenant puisqu'un jour ou l'autre, ce type va sonner à ma porte pour réclamer son droit de garde ?

— Laissez passer les années de prison, dit maître Seskin. Soit sa thérapie…

— Jack ne changera jamais, coupa la jeune femme, le visage dur. Il patientera et recommencera à être « Jack » dès sa sortie.

— Non. Car dans ce cas, il retournerait aussitôt en prison et pour beaucoup plus longtemps.

Coryn leva des yeux horrifiés.

— Est-ce que vous entendez ce que vous dites ? cingla Jane.

Maître Seskin se reprit :

— Ayez confiance, vous n'avez pas grand-chose à craindre. Vous êtes divorcée.

Oui, Coryn l'était. Sur les papiers. Elle savait aussi que si Jack l'avait accepté avec une si grande complaisance, ce n'était que pour voir sa peine écourtée. Pour se rapprocher de son but secret.

— Je comprends, croyez-moi, votre bouleversement. Je *suis* de votre côté... Il ne demande même pas à voir ses enfants.

— Parce qu'il ne veut pas que ses enfants le voient, lui, en prison, précisa Jane.

— Tout dépend aussi de l'endroit où vous vous installerez...

— Ma vie est gelée.

— Non, Coryn, dit Jane en lui prenant la main.

Elle se tourna vers l'avocat et demanda si Jack pouvait demander son transfert en Angleterre dans l'hypothèse où Coryn déciderait de s'y réinstaller. Maître Seskin réfléchit et dit :

— La loi ne le lui interdit pas. Vous comptez rentrer en Angleterre ?

— Je comptais ne plus jamais le voir.

— Coryn...

— Rassurez-vous, maître, je ne vous en veux pas. Vous m'avez défendue avec les cartes que vous aviez. Même si j'ai le sentiment d'être la perdante.

5

Le ciel était d'un bleu fade parsemé de nuages déchirés. Dans la voiture, Coryn n'écouta pas Jane et ses fureurs. Elle revit Jack, les épaules voûtées. Oui, il s'était montré extrêmement repentant. Et volontaire. Puisqu'il avait déjà vu un thérapeute et avait juré y trouver beaucoup d'aide pour sortir de ses « travers ».

Ce mot lui revint en mémoire. Il lui sembla avoir dominé le procès. De retour dans La Maison, la jeune femme partit chercher un dictionnaire et relut sa définition. « Nom masculin. Petit défaut ou bizarrerie de l'esprit. » Elle ne comprit pas pourquoi personne n'avait relevé. *Est-ce que les gens sommeillent dès qu'ils sont assis sur leur cul ?* Jack ne souffrait pas de « travers ». C'était un être égoïste, tyrannique, violent, contradictoire, jaloux et calculateur. Il avait su expliquer pourquoi leur télé ne diffusait que des DVD. C'était original *mais* acceptable. Une sorte de contrôle parental.

— Beaucoup de gens soucieux de ce qui entre dans le cerveau de leur enfant refusent la télévision, avait souligné maître Bellafontes.

C'est une sorte de vérité collective. L'explication de Jack paraissait presque intellectuelle. Oui, les choses étaient allées de *travers*.

Coryn baissa les yeux sur le dictionnaire et le referma si fort que les pages claquèrent. Jack savait très bien ce qu'il faisait. Coryn, sa seule victime et le seul témoin de ses « actes », ne comptait pas plus qu'un vulgaire jouet. Il allait se montrer patient et attendre son heure. *C'est ça, le plan de Jack.*

Elle replaça le dictionnaire sur le rayonnage de la bibliothèque et partit se poster devant la fenêtre à l'endroit exact où Kyle l'avait embrassée. À l'endroit exact où elle avait délicieusement adoré ce premier baiser. Quelques bourgeons du jardin avaient éclos. Elle songea au vert que devaient avoir les feuilles de leur bouleau.

Coryn Benton, divorcée Brannigan, ferma les yeux et les vit. Elle vit les yeux de Kyle et jura de se tenir à la décision qu'elle avait prise.

6

De son côté, quelques mois plus tôt, Patsi avait également choisi. Seule. Il était huit heures dix. Elle attendait le mail du labo – assise – devant son écran. Elle imprima la feuille. Réfléchit et regarda la mer qu'elle voyait au loin depuis son bureau. Elle songea qu'elle voulait garder sa maison de L.A. même si ce n'était que pour y venir trois fois dans l'année. Elle rachèterait la part de Kyle. Elle avait des mois devant elle pour s'occuper du berceau, du landau, des grenouillères... *En combien d'exemplaires ?* se demanda-t-elle avec cette espèce de joie inébranlable qui ne la quittait plus.

Elle décida sur-le-champ que Kyle serait *le seul* à savoir qu'il n'était pas le père. Elle ne préviendrait pas Christopher. Elle ne dirait rien avant le dernier concert prévu pour la fin avril. Elle porterait des robes triangulaires années soixante. Style qu'elle n'avait pas encore exploité ailleurs que sur scène.

À ce moment, Kyle sortit sur la terrasse, une tasse de café fumant à la main. Il portait le jean qu'elle préférait, son écharpe noire. Il se retourna et l'aperçut. Comme sur scène, le regard de Patsi suffit. Il comprit et vint la rejoindre.

— Ces analyses prouvent que je suis tombée enceinte précisément le 3 décembre. Et le dernier jour où on a baisé remonte à... avant.

Le musicien regarda les chiffres, les taux et les mots étranges qu'il découvrait pour la première fois de sa vie.

— Tu es déçu ?

— C'est mieux pour le bébé. Je me suis suffisamment torturé l'esprit en me demandant si ma mère avait été heureuse en apprenant qu'elle attendait un enfant.

Patsi resta silencieuse, Kyle poursuivit :

— Qui sait si les choses ne se perpétuent pas indéfiniment de génération en génération ?

— Ton père n'était pas une rock star.

Kyle secoua la tête et ajouta que de son côté il avait également bien réfléchi.

— Si, un jour, j'ai un enfant, je voudrais lui dire que je l'ai désiré. Je ne veux pas qu'il ait l'idée d'avoir été engendré par un monstre. Parce que je ne supporterais pas qu'il ait peur de le devenir aussi.

— Chéri ! Va te faire soigner. Tu dérailles.

— Je le sais déjà, Patsi. Pourtant le pire, pour moi, ce n'est pas ça.

— C'est quoi alors ?

— Le pire serait qu'il m'ait désiré, lui, le monstre. L'assassin.

Kyle avait dans les yeux la fragilité que Patsi détestait et qui, pourtant, l'avait fait succomber. Elle n'avait pas cessé de l'aimer. Autre chose avait pris place. Leur amour avait changé d'orbite. Elle s'assit près de lui et prit ses mains dans les siennes.

— Tu oublies un élément essentiel.

— Ah ouais ? Lequel ?

— *Ta* liberté de le renier. *Ta* liberté de vivre sans lui.

Elle ajouta que c'était facile pour elle de le dire. Qu'elle ne pouvait se rendre compte du combat qu'il devait mener.

— Mais n'empêche, suis mon conseil. Lâche prise. Tu es libre, Kyle. Je ne suis même plus dans tes pattes. Et tu n'es pas le père indigne d'un enfant qui n'est pas de toi !

Il sourit.

— Alors, ne perds pas dix ans. Appelle-la.

— Oh ! soupira-t-il avec une émotion qui le fit quitter le canapé en velours violet. Tu oublies que je ne peux pas. Il va y avoir le procès.

— Alors écris-lui.

— Elle veut refaire sa vie. Elle doit...

— Kyle... Merde !

Il attrapa sa guitare. Patsi se leva pour le regarder en face.

— Dans ce cas, n'appelle pas Coryn. Jamais, tu entends ! Je ne la connais pas, mais il ne faudrait pas qu'après s'être fait marteler la gueule pendant des années, elle se tape un type dépressif et trouillard. Un type pas à la hauteur.

— Tu crois que je ne le sais pas ! Coryn n'a pas besoin de quelqu'un comme moi. Je...

— Kyle, tu m'emmerdes ! Et je suis bien contente de t'avoir largué. Et que ce gosse ne soit pas le tien !

Elle fit demi-tour et disparut dans le couloir. Pourtant, trois secondes plus tard, elle reparut, une main plaquée sur son ventre.

— Quoi encore ?

— Merci de me supporter encore dans ton lit jusqu'à la fin de cette putain de tour...

Elle porta sa main à sa bouche.

— T'as encore une nausée ?

— Dès qu'on m'en parle, oui ! soupira-t-elle en retombant sur le canapé. Quand je pense que ça peut durer jusqu'à l'accouchement...

Kyle s'approcha.

— Tu veux un verre d'eau ?

Elle secoua la tête.

— Je veux que tu joues le troisième morceau.

— Tu ne le détestes plus ?

— Je suis dans le public, maintenant.

Le musicien sourit. Elle balaya sa mèche loin au-dessus de ses yeux. Puis la replaça à la façon Kyle.

— À propos, dit-elle détachée, pour le « toujours », tu avais peut-être raison.

— Oh !

— Mais quand je t'avais dit « pas avec moi », là, je n'avais pas tort.

— Donc l'« *invisible man* » serait ton « toujours » ?

Patsi soupira.

— Quand est-ce que tu vas le lui dire ?

Elle haussa les épaules et précisa : « Après le procès ! »

— Tu ne vaux pas mieux que moi, finalement.

— Si. Parce que je lui parle, je lui dis que je l'aime et pour le reste... eh ben, c'est comme un plat qui mitonne. C'est pas encore prêt ! Et donc, c'est pas encore l'heure de passer à table.

— Faudra bien que tu lui avoues qu'il est le père.

— Ne me dis pas ce que j'ai à faire, Kyle ! Joue !

Patsi ferma les yeux pendant tout le temps qu'il chanta. Ils repartirent pour Londres, Bruxelles, Berlin, et elle ne prévint pas Christopher. Pas encore. Elle suivait sa stratégie. Ni Kyle ni personne n'aurait pu l'infléchir. La musicienne cacha ses nausées et ses vomissements à Steve et à Jet. À tous ceux qui travaillaient sur la tournée. Elle monta sur scène sans rien changer à son attitude. Elle prétendit être en super forme et tint sa place sans jamais défaillir. Laissant seulement exploser sa mauvaise humeur avec un peu plus de fracas. Elle dormait à poings fermés à côté de Kyle. Pour une seule chose.

— Avoir la paix avec les journalistes !

7

Pendant que Patsi cachait ses nausées et ses premiers kilos sous ses nouvelles robes triangulaires avec lesquelles elle accordait bottes et collants, Kyle enfouissait son mal-être un peu plus profondément, ne le laissant prendre l'air que sur scène. Le public applaudissait de plus belle pendant que lui défaillait de plus en plus. Patsi ne cessait de lui répéter que le procès, le décalage horaire, la tournée, les « pas ce soir », les « pas maintenant », les « il nous faut du temps », etc., étaient des excuses « à la con ».

— Tu sais bien que tout le monde dit un truc et veut son contraire.

Patsi avait raison, comme toujours. Kyle savait très bien que ce qui le retenait était la peur. Sa monumentale, étouffante, paralysante et infecte peur de blesser la femme qu'il aimait. De ne pas être, lui, à la hauteur.

Pourtant, un jour, alors qu'ils venaient d'arriver en Grèce, il posa son sac à côté de son lit et, sans regarder le ciel bleu ni l'heure – sans penser –, il composa le numéro sécurisé de Jane. Sa voix lui confirma qu'elle dormait. Elle dit qu'il était quatre heures du matin puis, dans la foulée, l'informa de l'issue du procès.

— Il faut que je parle à Coryn. Dis-lui que je la rappellerai plus tard.

— Elle n'est pas ici. Elle est partie.

Son sang se figea.

— Depuis quand ?

— Elle n'a pas reparu depuis trois jours.

— Qu'est-ce que tu veux dire ?

Jane prit quelques secondes. Kyle s'impatienta.

— Jane !

Elle résuma en quelques mots le procès, le divorce express, la séparation des biens qui se résumaient à peu de choses puisque Jack avait habilement établi un contrat de mariage. La maison de San Francisco était un logement de fonction, celle de Londres n'appartenait qu'à Jack. Coryn avait vendu tous ses bijoux *et* son alliance. Fait quelques recherches d'emploi.

— Ses filles sont nées ici. Elle a le droit de rester. Je lui ai même proposé de prendre le nouveau poste que je veux ouvrir.

C'était vrai. Jane l'avait fait le matin de sa fuite. Mais avant que la jeune femme envisage une réponse, le petit Pedro avait déboulé en hurlant que sa maman était dans la douche et qu'elle ne voulait pas ouvrir la porte. Jane était partie en courant et Coryn avait appelé le 911. Elle avait donné l'adresse. En quelques minutes, les secours étaient arrivés et avaient défoncé la porte de la salle de bains. Johanna, la maman de Pedro, gisait assise au fond de la douche dans son sang. Coryn était en première ligne et avait tout vu. *Ça n'arrêtera jamais.*

— ... Quand je suis allée toquer à sa chambre, j'ai découvert les placards quasiment vides.

— Elle est partie avec tous ses bagages sans que personne la voie ?

— J'étais... Il y avait la police et tout ce monde...

— Elle est partie comment ? En taxi ? Putain, comment ?

— Kyle ! Elle avait récupéré leur deuxième voiture.

— Elle a laissé un mot ?

Oh oui ! Coryn avait bel et bien laissé un mot. Jane eut une hésitation et le musicien hurla qu'il voulait savoir. Jane déplia la feuille qui attendait sur la table de nuit.

— Elle a écrit : « Une femme battue finira toujours par s'enfermer dans une salle de bains si elle n'a pas succombé sous les coups. Elle se persuadera que c'est la seule sortie. Je ne veux pas être de celles-là. S'il te plaît, Jane, ne me cherche pas. Je veux reconstruire ma vie. »

Jane ajouta encore que Coryn la remerciait de son aide et bla bla bla... Elle gagnait du temps mais savait que son frère finirait par demander :

— C'est tout ?

— Elle a aussi écrit : « Dis merci et adieu à Kyle pour moi. »

Une longue minute se déploya. Elle expliquait toutes les implications de ce « merci ». Jane se doutait que l'argent retiré par Coryn de son compte ne suffirait pas à les faire vivre longtemps en planque.

— Pourquoi tu n'as rien dit ?

— Je... J'espérais qu'elle reviendrait. C'est déjà arri...

Il raccrocha. « Dis merci et adieu à Kyle. » « Dis merci et adieu à Kyle. » « Dis merci et adieu à Kyle. » « Dis merci et adieu à Kyle. » « Dis merci et adieu à Kyle. » « Dis merci et adieu à Kyle. » « Dis merci et adieu à Kyle. » « Dis merci et adieu à Kyle. » « Dis merci et adieu à Kyle. »

Il était arrivé trop tard. Par lâcheté. Par pure lâcheté. Et il le savait.

Kyle resta assis par terre à regarder la fenêtre. Le ciel affichait un bleu dur qui ne tolérait aucun nuage. Il avait oublié le jour, le lieu, l'hôtel, quelle salle les accueillerait pour le concert de ce soir. Il était seul et dévasté. Il se sentait seul et dévasté. Il attrapa la guitare couchée à ses pieds et, sans quitter le ciel bleu des yeux, il se mit à jouer. Puis à chanter. Sans public. Sans personne pour l'entendre. Sans Coryn dans ses bras.

I hope you're all right
I hope things turned out right
I wish you a happy life
I hope you think of me sometimes
Sometimes I might go crazy
Some days I'll be crazy
Oh ! My love please forgive me
Oh ! My love please[1]

Kyle balança sa guitare à l'autre bout de la pièce. Son téléphone suivit.

---

1. J'espère que tu vas bien / J'espère que les choses se passent bien / Je te souhaite une vie heureuse / J'espère que tu penses à moi quelquefois / Parfois je pourrais devenir fou / Parfois, je le serai / Oh ! mon amour, s'il te plaît, pardonne-moi / Oh ! mon amour, s'il te plaît.

8

— Kyle ! Tu écoutes ?
— Oui.
— Ben, on dirait pas.
— Continue, Steve.

Non, le chanteur n'écoutait pas. Cela faisait des jours qu'il n'entendait plus personne. Pas même Patsi quand elle lui prenait la main, la nuit venue. La plupart du temps, il restait muet et ne s'animait que lorsqu'ils montaient sur scène. Il écrivait des trucs qui passaient illico à la poubelle. La musicienne les récupérait, les lisait avec des yeux horrifiés, puis les déchirait en urgence. Il murmura, un soir, qu'il tournait la page. Elle répondit : « Formidable. »

Elle sut que tous deux mentaient. Il était et serait toujours en manque d'elle. C'était insensé, évidemment. Cependant… réel. Tout comme était réel ce truc que la jeune femme sentait gigoter dans un endroit de son corps dont elle ne soupçonnait même pas l'existence.

— J'étais donc en train de vous annoncer, poursuivit Steve, non convaincu, que Mike Beals vient de signer. L'Afrique du Sud, c'est OK.

— Combien ? demanda Patsi, inquiète.

— Combien de quoi ?

— Combien de concerts, andouille !

— Deux, dit Steve.

— Deux ! C'est une *mini mini* série.

— Deux, c'est quand même pas mal pour l'Afrique du Sud. Et c'est aussi pas mal de fric quand on joue dans un stade, Patsi !

— Steve ! Tu deviens susceptible en vieillissant.

— Je me demande si tu te rends compte du boulot que je fais et que Mike abat pour que tu montes bouger ton cul sur scène ! D'ailleurs, je pourrais ajouter qu'en ce moment...

Patsi ouvrit la bouche. Puis la referma quand Kyle demanda :

— Depuis quand on joue pour le fric ?

Les garçons se tournèrent vers lui d'un même mouvement.

— C'est quoi cette question de merde ?

— T'as jamais craché sur le fric, Kyle.

— Non. C'est vrai. Mais je répète ma question. Tout à coup, je me demande juste depuis quand on joue pour le fric.

— En gros depuis toujours, fit Jet qui n'était pas celui qui parlait le plus.

Il se redressa sur son fauteuil. Les trois autres pivotèrent vers lui et il haussa les épaules.

— Quoi ? Pourquoi vous me regardez comme ça ? J'suis comme tout le monde – et comme chacun de vous –, l'argent, je m'y suis habitué et, moi, je ne crache pas dessus. Pas plus que toi, Kyle, qui as les poches percées. Pas plus que Steve qui a des goûts de luxe et pas plus que Patsi qui, elle, dépense ce qu'elle n'a pas encore gagné. Point barre.

Le silence se fit, et chacun et chacune analysa les mots de Jet à sa façon.

— L'Afrique du Sud... finit par dire Patsi à voix haute. Pourquoi ils ont dit oui ?

— Parce qu'on n'y est encore jamais allés ! Parce qu'on a toujours voulu y aller ! Parce que ça fait des mois qu'on négocie ! Parce que les dates sont idéale-

ment placées avant le dernier concert de New York !
Putain ! Patsi ! Qu'est-ce qui te prend ?

— Rien. On est peut-être un peu nazes, répondit-
elle.

— *Tu* es naze. Mais fais un effort. Dans peu de
temps, tu pourras te reposer. Tu crois que tu vas
pouvoir tenir ? se moqua Steve.

— On joue quand ? demanda Kyle avant que Patsi
explose.

— Samedi et dimanche de l'autre semaine.

— Déjà ? Et le matériel ?

Steve coupa et dit que le décor serait...

— ... plus sobre. On ne peut pas faire autrement
avec ce délai.

— Un stade. Un décor minimaliste. Moi, je dis que
ça va faire... vide ! soupira Patsi.

— On compte sur *ta* présence, rétorqua Steve. Et
tu vois, ça laisse du temps pour que tu te reposes
avant.

— Tu remarqueras, Steve, que je la ferme et que
je ne rétor...

— Et pourquoi on ne part pas après le concert de
demain ?

Tous les trois se tournèrent simultanément une
fois de plus vers Kyle.

— Oui. Pourquoi ? répéta-t-il.

— Pour faire encore du tourisme ? Merci ! dit
Patsi en dévissant son flacon de vernis noir. Si tu
savais, mon chéri, comme tu nous fais chier avec tes
visites de zoos, d'expos et de musées...

— Je vous fais chier avec mon tourisme. Je vous
fais chier quand j'ai mal à la tête. Je vous fais chier
quand je reste couché. Je vous fais chier avec...

— Ta gueule ! répondit-elle en se levant.

Steve leva les mains en signe de temps mort.

— Toi aussi, Steve ! Tu nous fais chier avec ton
perpétuel « *Peace and love* » et tes surprises à la con
de dernière minute !

345

— Parce que tu crois que, toi, tu nous fais pas chier, Patsi ? On en a ras le bol de tes crises, de tes nerfs et de tout le reste. On aimerait que tu dises « oui » de temps en temps et sans broncher une seule fois. Que tu ne fasses pas ta « star » avec nous. Merde !

— *Ma star ?*

Elle posa sa main sur son cœur.

— Je n'ai jamais fait ma star avec vous !

— Prouve-le ! Et fais, ce soir, l'interview avec les gens de WQY10.

— Pourquoi ?

— Putain ! Tu peux pas dire « oui » ?

— J'te demande « pourquoi ».

Jet soupira et se leva pour regarder par la fenêtre. Steve fit un effort incommensurable pour ne pas la balancer par la putain de fenêtre et Kyle s'envola par cette merveilleuse fenêtre.

— Je te mets en condition, continua Steve comme si de rien n'était. WQY10, c'est plutôt genre classique.

— Pourquoi ? On devient classiques ?

— Tu fais vraiment chier, Patsi !

— Mais qu'est-ce que ça peut bien me faire ! Je veux une réponse à ma question ! Pourquoi on doit encore se taper cette interview-là ? On a déjà tout dit et red...

Steve lui arracha son flacon de vernis des mains.

— Parce que la journaliste a préparé son travail et que ça aussi, c'est notre travail de... Oh ! Putain, Patsi !

Steve était à bout. Ils étaient fatigués. Tous les quatre. La fin d'une tournée était aussi angoissante qu'attendue. Chaque fois, c'était la même rengaine. Leurs nerfs lâchaient à tour de rôle. Ils avaient besoin d'air. De distance. De se poser quelque part. De ne plus bouger, et ils crevaient de trouille d'être de retour dans le néant du commun des mortels. Eux n'avaient pas de quotidien rassurant pour se coucher peinards dessus avec des poubelles à sortir comme tout le monde. Sans la scène. Sans défi. Le compte à rebours n'allait pas dans le bon sens pour eux et, cette fois-ci, tout semblait démultiplié.

Ce jour-là pourtant, à la surprise de tous, Patsi plia et fit l'interview. Elle se montra telle qu'elle était d'ordinaire. Indomptable et imprévisible. Elle se foutait royalement de ce que les gens pensaient d'elle. Patsi était toujours authentique. Sincère et juste. De plus, aujourd'hui, elle était enceinte et bouleversée. Quand la jeune journaliste lui demanda si, un jour, elle accepterait de représenter une cause, la rockeuse répondit sans hésitation :

— Non.

— Pourquoi ?

— Parce qu'il y en a trop à défendre.

— Oui, mais...

— Y a pas de « oui-mais », cocotte ! Il y a juste une impossibilité à choisir *une* seule et unique cause. Parce que ce serait tout à fait – et totalement – injuste. Mais note, s'il te plaît, que j'ai toujours accepté de jouer pour n'importe quelle association qui me le demande.

— Dois-je comprendre que vous refusez toujours un engagement comme le mariage...

— Oh là là ! répondit Patsi en se redressant aussitôt sur son siège.

Les garçons retinrent leur souffle. Le terrain devenait glissant. Ils échangèrent un regard impuissant mais Patsi fut plus rapide qu'eux.

— Ma *petite* cocotte, d'abord 1/ j'aimerais qu'on me lâche un peu avec l'éternelle et fatigante question du mariage et 2/ ...

Elle reprit son souffle et lança un regard à Kyle qui s'enfonça dans son siège pour admirer la suite du spectacle.

— ... et 2/ disais-je donc, moi, tout ce que je souhaite, c'est démontrer à la planète entière que les
femmes – toutes les femmes – sont libres de faire
et de penser ce qu'elles veulent et que, surtout, elles
ne doivent jamais en douter. Quant au mariage avec
Kyle Mac Logan, ce n'est ni à l'ordre du jour ni ne le
sera parce que...

Sa voix se suspendit.

— Mais ça l'a été par le passé, n'est-ce pas ?

Patsi échangea encore un regard avec Kyle. Ils se
sourirent. La journaliste lança un rapide « c'est peut-
être déjà fait ? » qui fit exploser de rire la musicienne.

— Je ne sais pas si en te levant, ce matin, tu as pris
conscience qu'aujourd'hui était ton jour de chance,
ma petite cocotte. Car ce soir, tu tiens ton scoop.
Kyle et moi, nous nous séparons. Tu peux annoncer
par la même occasion que je suis enceinte ! Mais
avant que tu demandes qui est le père, je te répon-
drai que ce gosse est celui d'un *man* et pas celui de
Dieu !

— Ça remet en cause le groupe ? rebondit la petite
cocotte toute ragaillardie d'être en première ligne.

— Ça ne remet rien du tout en cause, poursuivit
Patsi pendant que Steve et Jet digéraient le plat de
résistance. On travaillera toujours ensemble. On va
s'offrir une pause méritée après nos derniers concerts.
J'accoucherai dans quelques mois et après, on enre-
gistrera un nouvel album et on refera des interviews
et une tournée formidable et je piquerai encore des
colères quand on me posera des questions connes.

— Et vous, les garçons ? poursuivit la journaliste
en se tournant vers eux.

— On est du même avis que Patsi, répondirent les
trois, en chœur.

Oui. Comme d'habitude, la musicienne avait le
don de trouver le moment. Exactement comme le
jour où elle était entrée dans leur loge-placard en

balançant un coup de pied dans la porte et qu'elle avait arraché la basse des mains de Steve. Elle voyait juste. Kyle aurait aimé lui coller une boule de cristal entre les mains pour qu'elle lui dise où Coryn avait disparu. Parce qu'à ce jour, personne ne savait où elle se trouvait.

9

Jack se redressa sur son lit. Il lut attentivement l'article qui relatait les dires de Patsi. *Ainsi donc*, se dit-il, *l'Enfoiré se sépare de sa femme. Ainsi donc, la mienne va repartir pour Londres où il s'est désormais installé...*

Le prisonnier Brannigan se leva, prit une feuille de papier blanc, la lissa et écrivit très proprement :

Très cher Maître,

J'ai réfléchi et ma décision est prise. Je souhaite que vous demandiez mon transfert dans une prison anglaise au plus tôt.

Bien à vous,

Jack Brannigan.

Il ne savait rien des plans de Coryn. Il faisait des suppositions. Mais cette garce pouvait-elle s'installer ailleurs qu'en Angleterre ? Probablement pas. Avec la pension qu'il lui versait, elle pouvait vivre mais sûrement pas faire de miracles. Timmy avait dit que l'Enfoiré gagnait... *qu'avait-il dit, déjà ? Ah ! Oui !* « *Il gagne plus de fric que tu ne le feras jamais.* »

Jack s'essuya le front. Il plia soigneusement la feuille en deux puis en quatre. Les coins se superposèrent à la perfection, il la glissa dans une enveloppe.

Demain, il la confierait au premier gardien. Les choses allaient s'enclencher. *Petit à petit, je me rapproche*, pensa-t-il en barrant un jour de son calendrier et en aplatissant du pied l'araignée qui avait eu la folie de traverser devant lui.

— Tu ne peux pas t'empêcher de les écraser, hein ? demanda Klaus, son pote de cellule.

— Pourquoi ? Tu leur voues une adoration particulière ?

— Parfaitement. J'aime pas les moustiques et tu devrais savoir, Brannigan, que les araignées sont comme moi.

— Je vois pas bien pourquoi...

— Dois-je te rappeler que les moustiques sont des putes. Ils te sucent pour te faire crever. Et moi, tu sais ce que je réserve aux putes, n'est-ce pas ?

Jack s'excusa, promit d'être tolérant avec les araignées – il ne voulait pas énerver Klaus-l'exterminateur-de-prostituées et encore moins voir ses efforts anéantis pour une stupide querelle sur les insectes. Il promit avec sincérité et Klaus péta dans sa couche puante en répétant qu'il allait rédiger un manuel sur les « mille et une façons de trucider toutes les sales putes de la galaxie ».

Un jour de moins...

10

Le matin où le petit Pedro était arrivé en criant, lorsqu'elle avait vu sa mère les poignets en sang, Coryn fit ses sacs pour s'enfuir. C'était comme si quelqu'un l'avait saisie par la main pour la guider. Elle prit la route en se laissant porter jusqu'à Battle Mountain, Nevada.

Elle n'attendrait pas que Malcolm termine son année scolaire pendant qu'elle digérait le procès, le divorce, sa vie avec Jack. Et les premières lettres qu'il avait envoyées à ses enfants *via* leurs avocats respectifs. Il les avait rédigées en sachant qu'elle allait lire et dire les mots d'amour de ce papa qui ne voulait pas que ses « adorables chéris » le voient dans un parloir entouré de compagnons dont le souvenir les ferait cauchemarder. Il disait que c'était une sorte de long voyage, mais qu'il les aimerait toujours. Que ce merveilleux amour était plus fort que tout. Que rien ne pourrait l'anéantir.

Coryn savait très bien ce que ces mots disaient *pour de vrai*. Tout comme elle savait qu'il y aurait encore beaucoup de lettres à venir, de cartes d'anniversaire et de Noël. Et qu'elle devrait les lire… *Et il y a aussi Kyle.*

La jeune femme n'avait pas pris le temps de faire changer son état civil sur son passeport. En fait, l'idée ne l'avait pas effleurée et elle ne s'en rendit compte qu'en complétant le document que la réceptionniste du Cowboy Inn lui tendit. Elle griffonna son nom d'épouse. Mais de façon quasi illisible avec en prime une faute qui ne sauta pas aux yeux de la dame d'un âge indéfinissable. Celle-ci était bien plus amusée par la nouvelle coupe de cheveux de Coryn qui différait sérieusement de celle sur son passeport.

— Combien de jours ? demanda-t-elle avec un accent surprenant.

— Plusieurs, répondit la maman en jetant un regard aux enfants dans la voiture.

— La télé est en panne, mais pas le lecteur DVD.

Coryn quitta le local les bras chargés d'une bonne dizaine de films qui ravirent les petits et qu'ils regardèrent en boucle. Est-ce pour ça qu'elle resta plusieurs jours ? Ou parce que personne ne vint toquer à sa porte ce premier soir à Battle Mountain ? Peut-être le nom y était-il pour quelque chose... Elle savait pertinemment qu'elle livrait une sorte de combat et s'accrochait à la seule idée qui ne la quittait pas. *Je dois disparaître parce qu'il a voulu me tuer. Et qu'il recommencera.*

Coryn concocta son plan en se promenant avec ses enfants dans les rues ensoleillées, en toute liberté. *En toute liberté.* Pour la première fois de sa vie, elle avait conduit sur des centaines de kilomètres, seule. Et pour la première fois aussi, elle pouvait apprécier cette chose nouvelle qui lui laissait entrevoir non seulement ce dont elle était capable mais, aussi, des jours de paix possible – même si certaines de ses nuits seraient toujours entrecoupées de cauchemars et de visions de flics venant la menotter pour la coller au parloir face à un Jack souriant qui lui susurrait que la prison ne servait pas son dessert favori.

Coryn se réveillait en sursaut, mais le soleil du Nevada se levait tôt et chassait les nuages comme les mauvais rêves. *Il faut que j'aie de la chance.* Elle regardait ses enfants dormir et la suivre en toute confiance. Dans la voiture, elle avait expliqué à son fils que ce qu'elle faisait était pour leur bien. À tous les quatre. Qu'elle ne pouvait pas tout dire mais qu'il devait lui faire confiance. Malcolm l'avait écoutée sans poser de questions. Il semblait dans la course, il entraînait ses sœurs. *Jamais je ne leur lâcherai la main.*

Un matin, juste avant le lever du jour, ils rejoignirent d'une traite Las Vegas. Ils y passèrent la nuit sans qu'on lui demande quoi que ce soit. Elle abandonna son véhicule dans un gigantesque parking. Ils prirent un bus jusqu'à l'aéroport et, enfin, un billet pour New York. Le tout avait été réglé avec l'argent laissé par Kyle. *Dis adieu et merci à Kyle. Dis-lui que je l'aime.* Mais ces derniers mots, bien sûr, Coryn n'avait pas eu la force de les écrire.

11

Kyle s'envola – seul – pour l'Afrique du Sud le jour où Coryn et ses enfants quittèrent Las Vegas. Le musicien pensait que passer trois jours dans un environnement inconnu lui laverait l'esprit. Peut-être l'inspirerait. La jeune divorcée priait pour que ce qu'elle avait envisagé fonctionne. En se présentant au comptoir d'embarquement ce matin, elle s'était attendue à ce qu'un policier l'intercepte avant de monter à bord. Elle ne se heurta à rien d'autre que la mauvaise humeur de l'hôtesse. Sans le moindre petit couac, tous les quatre s'installèrent et la jeune femme attendit avec angoisse que l'avion se pose à New York.

Kyle atterrit à Johannesburg quand celui de Coryn toucha le tarmac des pistes de La Guardia. Pour un mois d'avril, il faisait inhabituellement chaud et humide dans les deux villes et une température à peu près similaire y régnait. Le musicien fut accueilli par une hôtesse qui l'escorta aimablement vers sa nou-velle destination tandis que Coryn se détendait en voyant que, là encore, personne ne semblait s'inté-resser à eux. Elle récupéra sa poussette, y installa Christa, chargea ses sacs et se dirigea avec Malcolm et Daisy vers le bureau d'informations générales. L'employée lui fournit un dépliant sur les hôtels de l'aéroport et eut un regard incrédule quand Coryn lui demanda où elle pouvait trouver une cabine téléphonique. Elle tendit la main et pointa son index.

— Je ne fais pas de monnaie.

— Merci. J'ai ce qu'il me faut, répondit Coryn en trébuchant sur la sangle du sac qu'elle avait réussi à caser sous sa poussette.

Trop de bagages, pensa-t-elle en cherchant dans la liste quel hôtel contacter. Elle composa en premier le numéro de celui qui arborait un arbre qui ressemblait étrangement à un baobab. Pourquoi ? Allez savoir... Une chambre pour eux quatre était disponible et l'employée l'informa qu'une navette avec le même logo partait toutes les demi-heures pour rejoindre l'établissement.

Kyle traversa l'aéroport de Dantu dans une Jeep qui avait dû être kaki dans une vie antérieure. La voiture freina avec un bruit de ferraille au pied d'un minuscule avion et le pilote l'invita à monter. Il l'informa que son guide aurait un léger retard. Le musicien sortit son téléphone et constata avec surprise qu'il avait accès à un réseau plus complet qu'en plein Londres. Il composa le numéro de Jane.

— J'ai lu l'article. Enfin, les multiples articles... Tu féliciteras Patsi de ma part.

— Je n'ai rien à ajouter.

— Tu es certain ? Tu aurais pu m'appeler, par exemple...

— Tu as des nouvelles de Coryn ?

— Non.

— Et Dan ? Il a appris quelque chose ?

— Pas encore ! La vie réelle n'a rien à voir avec Hollywood ! Les choses vont au ralenti quand elles ne vont carrément pas en sens contraire. Et Dan n'a pas pour collègues Bruce, Arnold ou Sylvester.

Le ton que Jane voulait léger ne soulagea pas son frère.

— Je voudrais juste savoir où elle est et si elle va bien.

— Elle est forte, Kyle, plus forte que tu ne le crois.

— Je ne la retrouverai jamais, murmura-t-il.

— Tu as facilité sa fuite.

— ...

— Peut-être vaudrait-il mieux que tu l'oublies, lâcha Jane.

S'il n'y avait pas eu le pilote à deux mètres devant lui, Kyle se serait énervé. Peut-être aurait-il hurlé comme sur scène. Il se contint.

— Je ne t'entends plus.

— Kyle ! Écout...

Il raccrocha et il se répéta pour lui-même :

— Je ne le pourrai jamais.

— Vous avez dit quelque chose, monsieur ? demanda le petit homme noir chauve et moustachu qui montait à bord.

— Non. Non.

— Vous a-t-on, au moins, souhaité la bienvenue en Afrique, monsieur Mac Logan ?

Le musicien hocha la tête et le petit homme s'assit à côté de lui.

— Je suis très heureux d'être en Afrique.

— Vous allez adorer ce que je vais vous montrer.

— Je vous fais confiance, monsieur...

— ... Calendish. Aimé pour les amis. J'ai une mère canadienne. D'où le « Aimé »...

Il serra la main du jeune homme avec une vigueur intentionnelle et sonda ses yeux. Kyle eut un frisson. Se pouvait-il que son guide puisse – ou sache – lire dans ses pensées ?

— Kyle, pour les amis, ajouta-t-il, pensant qu'un guide tombait à pic.

Le pilote annonça qu'il avait l'autorisation de décoller. L'hélice accéléra doucement comme un film des années cinquante. L'avion toussota, s'ébroua, puis commença enfin à rouler sur la piste cahoteuse, soulevant une poussière rouge à chaque mètre parcouru. Kyle se demanda s'ils allaient décoller un jour quand, subitement, ils rasèrent la cime des arbres. Aimé tendit sa main sur la gauche. Le jeune homme aperçut les premières girafes. Des jeunes couraient souplement, des adultes arrachaient des feuilles.

— Les arbres que broutent ces mères sont des acacias.

— Où sont les mâles ?

— Le mâle prétend qu'il est au bureau mais il est probablement avec une de ses maîtresses. Cependant, c'est un amoureux tendre et caressant.

Kyle sourit.

— Là ! Regardez !

Un groupe d'antilopes semblait jaillir d'un même buisson avec des bonds improbables.

— Je n'aurais pas cru que tous ces animaux seraient si proches de l'aéroport ! hurla Kyle.

— On en croise de temps à autre sur les pistes ! Parfois je me dis que l'une d'elles va s'engouffrer par surprise dans un des avions et s'installera pour demander un Coca light !

Le musicien sourit encore mais ne pouvait détacher ses yeux des paysages. Les couleurs et la lumière étaient bien plus intenses qu'ailleurs. Bien plus contrastées. À peine cinq minutes plus tard, Aimé pointa son index sur la droite. Deux lions dormaient, allongés dans une ombre qui semblait dessinée pour eux. Kyle pointa son appareil et prit autant de photos qu'il put. Il se pencha pour admirer les arbres.

— Ce sont des baobabs, n'est-ce pas ?

— Oui. De très très vieux baobabs, répondit Aimé en vérifiant sa sangle. On raconte qu'ils ont plus de deux mille ans. Certains ont sauvé des hommes grâce à leurs fruits, d'autres ont sauvé les vies de ceux qui s'y sont réfugiés et d'autres survivront à notre pollution.

— J'ai lu quelque part que les baobabs ont la capacité de se régénérer.

— C'est juste. Ces arbres ont mille vertus. Mais si vous voulez mon avis, la principale est d'être tout simplement majestueux.

Le paysage accapara le musicien. Prendre de la hauteur en ce moment semblait particulièrement indiqué. Après de longues minutes, Aimé le fixa.

— Vous êtes bien silencieux.

— Je suis subjugué.

— C'est bien. La plupart des gens parlent trop.

— Qui parle le plus ?

— Les Italiens. Puis les Africains qui connaissent trop bien leur pays. Avec le tourisme de masse, ma clientèle a évolué. Je suis passé des aventuriers aux apprentis aventuriers, puis aux spectateurs de télévision. Ceux-là ne voient l'Afrique que comme s'ils survolaient les pages d'un catalogue de voyages, dans le meilleur des cas.

— J'espère que vous ne me rangez pas dans la mauvaise catégorie.

Le guide se tourna vers lui.

— Non. Vous êtes un homme qui aime les arbres. Je l'ai vu. Chez nous, nous disons : « Un homme qui aime les arbres est un homme. »

12

Coryn retraversa le hall immense en sens inverse. Malcolm avait une urgence qui ne pouvait attendre l'hôtel. Ils firent donc marche arrière et elle ne quitta pas des yeux les panneaux jaunes indiquant les toilettes. Elle poussait Christa d'une main, tirait Daisy par l'autre pendant que son fils, accroché à la poussette, répétait qu'il n'y arriverait pas. Ils accélérèrent le pas, elle ouvrit la porte en découvrant avec joie que personne ne faisait la queue. Son fils se soulagea juste à temps. Et Coryn, essoufflée, écrasée par son sac à dos, pensa de nouveau qu'elle traînait beaucoup *trop* de bagages.

Bagages qu'elle jeta sans l'aide du chauffeur dans le minibus qui les conduisit à l'hôtel. *Demain*, se dit-elle, *il faudra refaire tout ce trajet...* Mais demain serait une autre journée et, pour ce soir, l'important était de se mettre à l'abri.

Une autre vague de fatigue la submergea au moment où elle refermait la porte de la minuscule pièce. Comme si toute son énergie l'abandonnait dans un claquement de doigts. Elle s'assit sur le lit. Malcolm et Daisy firent de même sur le lit opposé. Ils la fixèrent et dirent d'une même voix :

— J'ai faim.

— Restez là. Je vais voir ce qu'ils ont à la réception. Surtout, vous n'ouvrez pas. Je reviens dans cinq minutes. Pas plus.

Elle remonta le couloir d'un beige minable avec Christa assise sur sa hanche jusqu'au hall qui était d'une décoration aussi démoralisante que le reste de l'hôtel. Seul l'énorme baobab vert peint au-dessus du comptoir semblait vivant. Elle trouva des sandwichs et des chips dans le distributeur et demanda à l'employée vêtue d'une veste du même beige que celui des murs si elle pouvait être réveillée à six heures.

— Ce sera fait, madame. Nous ne servons pas de petit déjeuner mais vous trouverez du café ici même. Il est à volonté.

Coryn la remercia sans quitter l'arbre des yeux. L'employée ne leva pas la tête mais dit d'une voix extrêmement lasse :

— Surtout ne me demandez pas pourquoi Westend Hotel a choisi ce logo et, par pitié, ne me dites pas que c'est un chef-d'œuvre.

Coryn sourit et disparut le plus vite possible pour que l'employée l'oublie encore plus vite.

Les enfants dévorèrent. Coryn grignota sans faim en se répétant mentalement ce qu'elle devait accomplir le lendemain. Elle doucha ses filles, les coucha pendant que Malcolm se préparait. Il se faufila aux côtés de Daisy quand elle attaqua l'histoire de Boucle d'or. Les filles tombèrent au premier bol, Malcolm ferma les yeux au deuxième puis Coryn suspendit sa voix. Mais il dit qu'il ne dormait pas.

— Tu veux que je continue ?
— Non.

Le petit garçon la regarda dans les yeux. Elle s'agenouilla et caressa son visage. Depuis leur fuite, il avait écouté sans poser de questions inutiles. Pendant tous ces jours de vie étrange, il n'avait rien demandé. Ce soir, il avait la même confiance dans les yeux que lorsqu'il avait promis : « Je t'aiderai, Maman. » Mais il lui sembla plus grave. Elle embrassa son fils et le remercia de son aide. Il murmura qu'il surveillerait ses sœurs pendant qu'elle prendrait sa douche. Elle l'embrassa encore. Lui dit « je t'aime, Malcolm » et fila dans la salle de bains.

Non, elle ne pleurerait pas. Non, elle ne changerait pas ses plans. *Non, je ne me renierai pas.* Elle puiserait sa force dans le regard de son fils. *Il faut que je le fasse,* pensa-t-elle en vérifiant pour la énième fois ses papiers. Son argent. Ses billets d'avion pour Londres puis pour Glasgow. Tout était toujours là. *Je vais le faire,* dit-elle en se regardant dans le miroir.

Depuis ses coups de ciseaux pleins de rage, ses cheveux avaient pris quelques centimètres et sa coupe ressemblait quelque peu à celle de Kyle. Son visage ne révélait aucune trace de ce qui s'était passé dans la grande maison blanche. *La peau se régénère si vite.* C'était vrai, son corps ne la faisait plus souffrir à chaque inspiration, mais jamais personne ne pourrait imaginer la profondeur des bleus que Jack avait laissés en elle.

Coryn referma la porte très doucement et se coucha aux côtés de Christa. Les draps étaient aussi rêches que ceux d'un couvent. La jeune femme étendit ses jambes. Ses muscles tremblaient de fatigue mais elle était incapable de dormir. *Trop de bagages.* Elle se retourna et compta les avions qui passaient à quelques mètres du toit. *Demain... Demain...* et inévitablement toute son âme revint vers Kyle. Que faisait-il ? Où était-il ? *Maintenant ?*

Oh ! Si seulement la jeune femme avait pris le temps de lire les journaux. Si seulement elle n'avait pas cherché à disparaître au fin fond d'un motel de Battle Mountain avec en bande sonore *Blanche-Neige*, *Toy Story* et *Les 101 Dalmatiens*. Si seulement elle en avait eu l'idée ! Mais toute la concentration de la jeune femme allait à ce qu'elle devait prévoir. Elle ne savait rien de l'explosion du couple Patsi-Kyle. Si elle l'avait appris, aurait-elle changé ses plans ? Comment savoir ?

L'avion de Kyle toucha la piste au moment où le soleil flamboyait dans une autre poussière rouge. Des volutes dansèrent longtemps derrière eux. Il faisait encore chaud et lourd. L'air sentait la terre. L'attente de la pluie était perceptible dans chaque être vivant qu'il croisa. Les chiens traînaient leurs pattes, les rares chats affalés contre les murs haletaient. Aimé arborait à peu près la même expression que tout le monde et dit que, ce soir, il chanterait pour que la pluie tombe. Kyle confia que lui aussi chantait.

— Pour quoi ? demanda le guide.

— Pour que les gens m'aiment, je suppose.

La réponse avait jailli spontanément, mettant un point final à ce flou qui le hantait. Il avait toujours su pourquoi il faisait de la musique. Mais chanter ? Oui, pourquoi avait-il décidé, un jour, de chanter ? Ce soir, le guide l'avait invité à répondre. Kyle ne se sentit pas mieux mais il aima qu'Aimé rie de ses mots. Oh oui ! Le jeune homme aima son rire profond et rauque.

— C'est une très bonne raison. Surtout avec les filles, ajouta-t-il en posant une main sur son épaule.

— Et vous croyez que ça marche aussi avec les éléphants ?

Aimé secoua la tête.

— Je crois que les éléphants – et les éléphantes – préfèrent le silence de la brousse.

— Je ferai gaffe.

— Ah ! dit encore le guide en riant. Toi et moi, nous allons avoir un beau périple.

13

Coryn avait dormi aussi peu mais aussi sereine-
ment que le musicien sur sa natte en Afrique. Elle
ouvrit les yeux très tôt et fila dans la salle de bains
sans réveiller les enfants, puis sortit chercher un
triple café, du lait et des biscuits.

À son retour, les grands mangèrent. Malcolm se
vêtit et aida Daisy pendant que le bébé tétait.

— Verra zamais Papa ? demanda-t-elle à son frère.

Le cœur de Coryn se figea, son fils leva les yeux
vers elle.

— Pas tant qu'il restera en prison, répondit le petit
garçon.

— Pouquoi, Maman ?

Elle s'agenouilla près de sa fille aînée et la serra
contre elle. La petite n'avait encore jamais posé la
question. Elle avait suivi le mouvement et Coryn
avait lâchement espéré qu'elle ne demanderait rien
parce qu'elle était trop jeune. Elle avait laissé passer
du temps, repoussant à plus tard le face-à-face. Il
tombait aujourd'hui.

— Ze veux voir Papa.

— Non, Daisy. Il a tapé Maman, alors on l'a mis
en prison pour le punir, intervint Malcolm qui se
tenait debout avec son sac à dos. Je te l'ai déjà dit.
Allez, viens.

Elle suivit son frère dans le couloir sans un regard
pour leur mère. Coryn avait les jambes coupées.

Malcolm avait pris de lui-même la responsabilité d'expliquer les choses. Du haut de ses six ans et quelques. Comment une telle vie était-elle possible pour des enfants ? Comment allaient-ils se débrouiller avec ça ? Et comment le lui pardonneraient-ils ? *Si jamais ils me pardonnent...* Elle referma la porte. *Je le fais pour leur bien et pour le mien.*

Dès qu'ils furent sur le trottoir, Daisy aperçut un oiseau qui rasait le sol et accapara toute son attention. La navette au baobab vert se gara à leurs pieds, les enfants y prirent place sans poser d'autre question. Coryn batailla avec la poussette dont une des roues se coinça encore dans la portière et, pour la première fois, la jeune femme paniqua. À l'enregistrement, on lui dirait de la mettre en soute puisque c'est ce qui avait été imposé la veille sur le vol pour New York. En arrivant devant le comptoir, elle n'avait toujours pas trouvé de solution jusqu'à ce que la ravissante hôtesse de British Airways lui propose avec un agréable sourire de la prendre à bord puisqu'elle n'avait pas de bagages en soute. Coryn acquiesça. *La Chance ?*

— Je vais prévenir mes collègues de l'avion. Vous la leur laisserez avec cette étiquette. Vous gagnerez ainsi du temps à l'arrivée !

— Merci.

L'hôtesse souffla qu'elle avait eu une bonne intuition de venir tôt parce qu'ils allaient accueillir, d'un moment à l'autre, deux groupes de Chinois.

— Heureusement pour vous, ils sont moins matinaux !

— Merci sainte Grasse Matinée ! lâcha Coryn en prenant conscience de sa très grande fatigue.

La jolie hôtesse pouffa et consulta sa montre.

— Vous avez le temps de prendre un bon café avant les contrôles de sécurité !

— Je crois que j'en ai vraiment besoin ! répondit-elle en songeant qu'elle avait fait l'impasse sur ces cochonneries de contrôles.

— La cafétéria est au milieu de ce hall, à quelques pas, vous trouverez un espace jeux pour les enfants.

Coryn la remercia et suivit les petits qui avaient entendu le mot magique : « jeux ». Elle paniquait, que faire ? Son plan était-il encore possible ? Elle acheta un café et, puisqu'elle avait le temps, s'assit. Malcolm et Daisy collèrent leur nez aux vitres, ils suivaient les premiers avions des yeux. Elle avait le dos broyé, le café n'avait aucun goût. Christa, qui jouait sur ses genoux, arracha une de ses chaussettes et Coryn réalisa qu'en plus, elle avait oublié celles de la veille dans la salle de bains du Westend Hotel. Elle eut envie de rire. D'éclater de rire et de hurler. Elle était fatiguée. Mais elle se sentait libre. Le premier groupe de passagers chinois arriva au loin. Aucune idée n'était en vue. Coryn installa Christa dans sa poussette, chargea ses sacs et, au dernier moment, se rassit. Pourquoi allait-elle se compliquer la vie ? Sa mère ne disait-elle pas que le plus simple était le mieux.

Elle appela les enfants, les attira vers elle. Ensemble, ils regardèrent le flot de passagers bruyants s'écouler, puis elle les poussa devant elle, en sens inverse jusqu'à la station de taxis. *Est-ce que ce sera suffisant pour brouiller les pistes ?*

Un chauffeur attrapa leurs bagages. Il dit avec un accent très prononcé d'Europe de l'Est qu'ils n'étaient pas très chargés pour des touristes. Elle sourit, il lui ouvrit la portière. *Je n'ai pas d'autre choix.*

— Le terminal de bus.

— Port Authority ? Pas de problème.

Plus tard, alors qu'ils traversaient Brooklyn, il la regarda longuement dans le rétroviseur. Elle pria tous les saints qu'elle connaissait pour qu'il ne la bombarde pas de questions. Le jeune homme glissa que si elle avait besoin d'autres services, il pouvait l'aider. Coryn soutint son regard et le remercia d'une voix aussi décidée qu'elle le put.

— Vous voulez écouter de la musique ?

Elle sourit. *De la musique...*

— Vous aimez quelle musique ? Je suis un grand fan de Tchaïkovski.

Coryn dit que c'était parfait. Il enfonça un CD et il conduisit sans rien ajouter, la regardant de temps en temps. Elle évalua son insouciance à prendre un taxi. Mais c'était sans nul doute le moyen le plus rapide avec trois enfants aussi jeunes.

La course fut longue et embouteillée, mais Tchaïkovski endormit Malcolm et Daisy jusqu'à leur destination. Ils ne virent rien du Queens Midtown Tunnel ni des gratte-ciel au loin. Ni du soleil éclatant. Coryn pensa qu'elle n'avait jamais visité New York et qu'elle ne le ferait probablement jamais de toute sa vie. Quand le taxi les déposa devant la gare, elle régla la course, laissa un pourboire raisonnable et discret.

— Très bon voyage, madame.

Il ajouta quelque chose dans sa langue. Coryn se persuada que c'étaient des mots bienveillants. Elle ajusta leurs bagages, jeta un coup d'œil à Christa qui dormait maintenant et attrapa Daisy par la main. Le taxi disparut et tous les quatre s'évanouirent dans la foule.

Elle ne regarda aucune des destinations mais l'heure de départ du prochain bus. Le premier était en quatrième position. Ce fut le bon. Elle acheta les billets et ils grimpèrent à bord. *C'est un signe*, se dit-elle juste avant que les portes ne se referment. *Nous sommes quatre dans le quatrième bus.*

14

C'était le dernier concert de la tournée et New York serait, comme une tradition, le premier et le dernier soir. Entre ces deux dates, plus d'un an s'était écoulé. Chaque fois, le spectacle s'était renouvelé. Dans chaque pays. La seule chose qui ne changeait pas pour Kyle était ces intenses secondes lorsque, en arrivant sur scène, il étreignait la foule d'un regard. L'instant était unique. Divin. Rien ne pouvait lui être comparé.

Mais aujourd'hui, soixante minutes avant cette émotion, il pensa qu'il regarderait les cheveux des filles dans les premiers rangs. Juste comme ça. Juste au cas où... *Juste...*

Le musicien n'avait aucune nouvelle de la jeune femme blonde. C'était une évidence. Car s'il en avait eu, il aurait mangé avec plus d'appétit et aurait chanté avec moins de violence. Elle était restée fidèle à sa promesse, elle n'avait appelé personne. Ni Jane ni son avocat ni Timmy ni ses parents. Ni Kyle. Surtout pas Kyle... et plus les jours avaient défilé, plus il avait été convaincu qu'aucune nouvelle ne viendrait. *Jamais.*

Il regarda l'heure sur son portable, vérifia par la même occasion qu'il n'y avait pas de message et fila sous la douche des sous-sols du Madison Square Garden. Se laver de tout et reprendre ses esprits. Sans qu'il le sente arriver, un vertige puissant l'assaillit et le fit tomber sur les genoux.

Coryn disparaît et mon sang s'enfuit.

Le vertige s'estompa. Petit à petit le musicien put distinguer les lignes à angle droit que dessinait le carrelage. La lumière devint particulièrement crue. Il se dit qu'il n'avait pas assez mangé. Il se redressa, coupa l'eau et sortit de la douche.

15

Juste avant de gravir l'escalier qui menait à la scène, Kyle eut un nouveau vertige. Moins fulgurant que le premier mais suffisamment intense pour le contraindre à s'asseoir sur les marches et à attendre quelques secondes la tête entre les genoux. Steve qui, ce soir, se tenait exceptionnellement derrière s'agenouilla.

— Ça va aller, le rassura Kyle.

— Non. Ça ne va pas.

Le chanteur se releva, poussa son ami et gravit quatre à quatre les dernières marches qui le conduisaient dans son monde. Les voix qui l'appelaient lui insufflèrent leur force. Il oublia ses troubles, sa migraine et la fatigue lancinante des semaines précédentes. Il oublia tout. Il regarda la foule. Sourit. Puis attrapa le micro à deux mains.

— Bonsoir New York !

Et la salle s'embrasa. Kyle vit les bras se lever, il entendit les applaudissements, il écouta les milliers de voix reprendre ses mots sans une seule fausse note et monter jusqu'à lui pour dire combien tous l'aimaient. Il se surprit à aller encore plus loin qu'il ne l'avait jamais été quand, de leur côté, Jet, Steve et Patsi se dirent qu'après quatorze ans passés à vivre « tout ça » ensemble, l'étonnement était encore possible. Kyle pensa que c'était son plus beau concert. Il brisa deux guitares et déchira ses genoux en se jetant à terre. Il ressentit une telle force qu'il lui sembla toucher l'éternité. Il ne fit pas attention aux trois ou quatre trous de mémoire qui n'échappèrent pas à Patsi. Elle lui glissa en douce un anxieux « *ça va ?* » Il assura que oui. Elle le suivit des yeux un peu plus que de coutume et Steve fit exactement de même.

La dernière chanson se termina comme un feu d'artifice. Ils étirèrent leurs solos au maximum. Kyle eut le sentiment de s'envoler, le public avec. Alors, il s'approcha de l'extrême bord de la scène et, non, aucune fille n'avait les cheveux suffisamment blonds. À bout de souffle, il pressa ses cordes pour la dernière note quand ses jambes s'évaporèrent. Il eut la très nette conscience de s'effondrer de la scène dans un silence strident. Il perçut absolument tout. Le choc, son immobilité, le mouvement de la salle, Jet qui sauta vers lui et le sourire terrifié de Patsi.

Et puis il y eut des cris… Des sirènes…

*
* *

Je suis tombé de scène. Je suis sorti de ma vie.

16

Chaque fois qu'il le pouvait et contrairement à ce qu'il faisait « en liberté », Jack lisait et relisait tous les journaux et tous les magazines à la bibliothèque de la prison. À ceux qui se foutaient de sa gueule, il racontait qu'il aimait se tenir au courant des « affaires ». Alors qu'en réalité, il guettait une photo dans un magazine people. Depuis que la Salope avait mis les voiles, tous les jours il se préparait à découvrir un cliché de la Garce en balade au bord de la Tamise avec son nouvel amoureux qui tiendrait *mes mômes dans ses bras*.

Aujourd'hui, Jack découvrit une grande photo de l'Enfoiré sur une civière. Il fut simultanément envahi par la vague de chaleur qui accompagne toujours une bonne nouvelle et la suée qui certifie la mauvaise. Il vit Coryn, *ma Coryn*, lui tenir la main pendant que *mes enfants lui dessinent des cœurs et des hirondelles*.

Je vais le tuer. Je vais la tuer.

Brannigan passa des jours à réfléchir et suivit le rétablissement du Connard-épuisé par articles interposés. Il lut que Patsi souhaitait à son ex tout le bonheur possible dans les bras « d'une fille bien plus gentille que moi ». Jack s'épongea le front et contrôla sa respiration. Il demanda à son avocat s'il était possible d'engager un détective. Le type se montra très onéreux et relativement efficace. Il retrouva rapidement la trace de la voiture que Coryn avait abandonnée, avec quelques sacs, dans le dernier sous-sol d'un parking de casino de Vegas puis découvrit qu'elle avait acheté des billets pour elle et ses mômes à destination de Londres où, là, les choses se compliquaient. Jack demanda si une prime au détective suffirait. L'avocat secoua la tête. Restait le recours aux autorités anglaises et la bonne vieille presse.

Des jours durant, Brannigan avait lu tous les journaux, prié et souhaité la mort de l'Enfoiré.

Un jour ou l'autre, le vent tourne.

Cependant, le prisonnier oubliait que la météo est avant tout imprévisible, capricieuse et déroutante. Donc, après toutes ces émotions et toutes ces vagues de chaleur, un après-midi, il reçut la visite de son avocat chéri ainsi qu'une douche froide. Pour ne pas dire écossaise.

— Les autorités anglaises viennent de m'informer que votre femme a acheté non seulement des billets pour Londres mais aussi une correspondance pour Glasgow pour le lendemain de son arrivée, avec bien sûr une autre compagnie.

Il marqua un temps que Jack détesta.

— Est-ce que vous allez m'apprendre qu'ils n'ont jamais posé le pied dans leur destination finale ? demanda-t-il ironiquement.

— Effectivement, ils n'ont jamais embarqué pour l'Écosse puisque, comme vous le dites, ils n'ont jamais posé le pied en Angleterre.

— Ce qui implique ?

— Ce qui implique, Jack, que d'une manière ou d'une autre, votre ex-femme et vos enfants se sont évanouis à l'aéroport. Ou logiquement qu'ils en sont partis après avoir enregistré.

— Comment explique-t-on qu'on ne sache tout ça que maintenant ? lança le prisonnier avec une froideur et un regard extrêmement mal dominés.

— Monsieur Brannigan ! coupa son avocat en tordant sa bouche. Dois-je vous rappeler que votre femme n'est pas la personne qui est en prison ?

— Je vous prie de m'excuser, maître.

— Il me faut faire des pieds et des mains pour obtenir des informations sur une personne libre qui, de plus, n'est pas américaine.

— Pensez-vous que Coryn soit restée aux États-Unis ?

— C'est une éventualité. Vous comprenez, Jack, qu'il est trop tard pour modifier votre demande de transfert en Angleterre.

— Bien sûr. Bien sûr...

— On peut espérer – et je le crois – que votre peine sera écourtée dans votre pays et que...

Oh ! Jack se fichait bien de la suite du bla-bla de son avocat et se focalisa sur la suite de ses propres idées. *L'Enfoiré est introuvable pour la presse. Coryn n'est pas partie.* Il y vit une confirmation de ce qu'il supposait. Pourquoi irait-il, lui, en Angleterre ?

Le soir même, le détenu Brannigan monta sur sa couche. Klaus reprit la suite du récit de ses aventures officielles – et officieuses – quand une araignée écervelée s'aventura sur le montant du lit. Jack observa l'insecte, puis l'écrasa avec jubilation quand il arriva à sa portée. Une de ses longues pattes s'agita convulsivement pendant quelques secondes. Alors il fit ce que son voisin lui avait enseigné. D'un geste sec, il abrégea ses souffrances inutiles et barra mentalement un jour sur le calendrier qui menait à sa liberté.

17

— Bonjour, Kyle.
— Bonjour, docteur.
Le jeune homme se tenait près de la fenêtre quand il avait entendu frapper. Le médecin se glissa dans la chambre, visiblement embarrassé. C'était perceptible à des kilomètres. Il s'assit sur le lit pour se donner une contenance et prit deux ou trois secondes avant de le regarder dans les yeux.
— J'imagine que les nouvelles ne sont pas bonnes.
— Je suis extrêmement désolé, Kyle.
— C'est donc... pire.
— J'en ai peur.

Le musicien resta debout près de la fenêtre mais se détourna pour regarder à l'extérieur. Le ciel était gris depuis des jours, le vent semblait incapable de balayer tous les nuages et ce printemps à San Francisco peinait autant que l'année passée pour s'imposer.
— Que disent les gens, dans ces cas-là ?
— Rien, la plupart du temps.
— Parce qu'ils pressentent la sanction ou parce qu'ils n'imaginent pas que ça peut leur arriver ?
— Je n'ai jamais eu le courage de le leur demander.

18

— Maman ! Maman ! cria Malcolm, totalement affolé.

Il était planté au beau milieu de l'allée de la supérette, devant le stand des journaux, et pointait son index tremblant. Coryn s'approcha le cœur battant et lut : « *KYLE MAC LOGAN EST TOMBÉ DE SCÈNE* ».

Elle s'empara du magazine et lut l'article de *Newsweek*. Il relatait l'ultime concert au Madison Square Garden et n'expliquait rien de plus que la photo en couverture. On voyait le musicien accroché à sa guitare comme si l'épuisement l'avait totalement vidé, et sur la photo incrustée en bas, une civière qui s'engouffrait dans une ambulance. Coryn chercha frénétiquement la date et découvrit que l'édition datait de... la fin avril ! Elle leva les yeux et vit sur le stand une douzaine de *Newsweek* et de *Time* avec des couvertures différentes. Malcolm lui tira la manche.

— Appelle Jane.

— Non.

— Maman ! C'est Kyle !

— Malcolm, expliqua-t-elle en s'agenouillant. Tu sais très bien qu'on ne peut rien dire.

— Tu es méchante.

Coryn serra son fils contre elle.

— Poukoi y pleure Macom ? demanda Daisy, qui avait réussi à tirer la poussette avec Christa.

376

Quand Coryn passa à la caisse, la patronne s'empara du magazine et regarda la jeune femme dans les yeux.

— Oui ? demanda-t-elle, inquiète.

— Il est vieux.

— Je le prends quand même.

— Alors il est gratuit.

— Merci.

— Vous voulez les autres magazines américains aussi ?

— Vous ne les vendez pas ?

— Pas tous... La preuve, ils restent sur mes étagères et prennent la poussière.

Coryn remercia Maria Montero et sortit avec ses enfants sur le parking, regagnant leur petite maison quatre rues plus haut. Malcolm alluma la télé dès qu'il entra et s'assit sur le bout du canapé. La jeune femme mit ses courses dans le réfrigérateur. Elle avait l'esprit ailleurs, elle ne savait plus l'ordre des choses, ce qu'il fallait faire, ce qu'elle pouvait faire pour ne pas se mettre en danger. Elle gagnait du temps et en perdait. Elle se demanda ce que son fils pouvait comprendre avec le peu d'espagnol qu'elle lui avait appris et pourquoi elle se préoccupait de ça. Puis elle relut l'article consciencieusement. Passa en revue les autres magazines ainsi que celui dans lequel elle avait trouvé un petit encart qui précisait que le chanteur des F... se reposait après une tournée harassante. Il remerciait ses fans de leur soutien.

Ses mains tremblaient. Malcolm restait le regard fixé sur l'écran et déroulait les chaînes. Elle prit place à ses côtés et lui demanda s'il avait de la monnaie. Il fonça dans la chambre, sortit toutes ses pièces d'une enveloppe et revint les mains pleines.

— Tu restes là. Tu surveilles tes sœurs.

Elle courut jusqu'à la cabine et composa le numéro que Kyle avait écrit sous le texte de la chanson. Une voix saccadée annonça que le téléphone était saturé. Sans plus réfléchir, elle appela La Maison. Une personne qu'elle ne reconnut pas décrocha et Coryn demanda aussitôt des nouvelles de Kyle. La jeune femme au bout du fil eut une seconde d'hésitation, puis dit que le musicien se reposait encore.

— Vous voulez que je transmette un message ?
— Je souhaite qu'il se porte bien.
— C'est noté. Et vous êtes ?
— Je...

Elle raccrocha. Oh ! Comme elle aurait voulu être « ailleurs ». Et tout recommencer. Que Kyle la tienne encore dans ses bras...

J'aurais dû rester à New York.

19

En peu de temps, le musicien apprit qu'il souffrait d'une forme de leucémie extrêmement rare. Très peu de cas avaient été recensés de par le monde et, donc, très peu de traitements avaient prouvé leur efficacité. Ou plutôt, ils avaient tous démontré leur inefficacité et les malades avaient succombé en quelques mois. Kyle demanda une date. Le médecin répondit « peut-être un an » d'une voix trop hésitante. Kyle reposa sa question.

— Probablement six mois.

— Nous sommes le 25 mai.

Le jeune homme accepta sans broncher les médicaments que son médecin imposa. Ça faisait plaisir à Jane et à Patsi. Lui… Comment dire les choses ? Lui n'était pas si surpris de ce qui lui arrivait. Il n'avait jamais pensé sérieusement que ce genre de sanction pouvait le rayer de la carte démographique terrestre, il ne s'était jamais senti malade, mais il accueillit le verdict sans étonnement. Il le rangea dans la case « trucs à subir » pour ne pas être écrasé et pensa qu'il n'aurait jamais le temps de finir le tiers des choses qu'il aurait pu encore faire. *Et maintenant, je ne reverrai jamais Coryn.*

— C'est nouveau, ça ? demanda Patsi en feuilletant le calendrier triangulaire qui trônait depuis deux jours sur la table de chevet de Kyle. Mais... il n'y a pas d'année. En novembre, il y a deux jours, et cinquante en juillet ?

— C'est un cadeau de Jet. Il dit que c'est un truc pour rêver en priant le dieu des plages. Pas pour compter les jours jusqu'à ma mort.

— C'est malin.

— C'est la vérité, Patsi.

Elle fit semblant de ne rien entendre et continua de regarder les douze photographies en disant qu'il devrait surtout s'imaginer en train de bronzer couché sur le sable de chacun de ces merveilleux endroits.

— Je crois bien que je n'en aurai pas le temps.

— Alors pourquoi ne pas essayer les nouveaux traitements de ton toubib ? répondit-elle en reposant le calendrier avec soin.

— Ouais. Pourquoi pas...

— Putain, Kyle ! On dirait que t'as envie de crever ! Bats-toi ! Dis que tu n'es pas d'accord. Que tu ne veux pas ! Que c'est pas l'heure !

— Patsi. *Je* me bats. Qu'est-ce que tu crois ? dit-il en plongeant ses yeux dans les siens. *Je* lutte chaque minute pour ne pas voir où... où tout ça mène... Je suis aux premières loges.

Elle l'enlaça.

— Parfois, je me demande si tu n'as pas voulu tout ça. Si tu n'as pas cessé de vouloir vivre.

Il ne bougea pas. Elle sentait que son cœur battait plus vite qu'en temps normal. Elle songea à ce sang malade qui allait le démolir. Puis au reste. *Forcément*. Elle dit que s'ils s'étaient forcés à réussir leur vie ensemble, peut-être qu'il n'en serait pas là...

— ... et je ne sais toujours pas pourquoi j'ai cessé de t'aimer et pourquoi toi... ?

Elle quitta ses bras et s'assit sur le lit. Elle le dévisagea une longue minute, fut terrifiée de voir son teint pâle, mais elle dit, calmement, qu'elle était en colère.

— Je voudrais trouver le responsable et lui en mettre plein la gueule et je ne peux m'empêcher de penser que si *elle* n'avait pas disparu et que si *elle* ne t'avait pas laissé comme un con sans nouvelles...

— Coryn n'y est pour rien.

Patsi se baissa pour ramasser son sac en pestant contre son énorme ventre. Et les kilos qu'elle avait peur de ne jamais pouvoir perdre.

— Comment il va ?

— Qui ?

— Ton bébé.

— Oh ! Super bien si je tiens compte des coups de pied et des coups de poing. Si c'est un garçon, je te jure qu'il va m'entendre quand il sortira, et si c'est une fille...

Elle s'interrompit.

— Si c'est une fille ? reprit Kyle.

— Je lui dirai qu'elle tient de sa mère !

Kyle sourit et Patsi lui balança un oreiller en annonçant qu'elle ne pourrait pas revenir avant le surlendemain. Elle s'approcha pour l'embrasser.

— Jet m'a dit qu'il passerait et Steve...

— Je vais accepter ces nouveaux... coupa Kyle.

— Merci.

20

Le traitement commença un mardi et d'emblée Kyle ne le supporta pas. Il fallut modifier les doses, le réhydrater par intraveineuse parce qu'il vomissait tout ce qu'il avalait. Il subit toutes sortes d'injections qui le firent sombrer dans une espèce d'état comateux. Au bout de quelques jours, il n'eut plus du tout la force de se lever pour voir à quel point les feuilles étaient vertes. Pourtant, sa conscience ne fut aucunement altérée.

Kyle ne pouvait oublier que ça faisait déjà un an et bientôt trois mois qu'il avait renversé Malcolm et que Coryn était tombée à genoux à côté de lui. Il revoyait le mouvement de ses cheveux. Et tout le reste... Le rose de ses joues comme celui des murs du bureau où il avait tenu Daisy dans ses bras. Mais le centre où il était soigné en toute discrétion n'avait pas de murs roses ou bleus. Cet établissement était spécialisé dans une tout autre médecine et avait l'avantage d'être à San Francisco. Le musicien avait besoin de Jane, de Patsi et de tous les autres. Tous se relayaient à son chevet. Tous prétendaient que San Francisco était la plus belle ville du monde.

— Et on sait de quoi on parle ! dit Jet.
— Tu l'as dit ! ajouta Steve.

Aucun de ses visiteurs n'évoqua jamais les difficultés traversées pour le protéger de toutes les curiosités malsaines.

Devant lui, ses amis ne parlaient que de leurs projets. Kyle les écoutait. Faisait semblant de les croire. En de rares occasions, il les avait crus quand ils s'étaient montrés particulièrement convaincants. Il y eut même un matin de très bonne heure où il s'était « vu » de façon furtive dans le studio de Londres, sa guitare à la main. Il avait entendu sa propre voix chanter « *Sometimes* »...

Mais aujourd'hui, au fond de son lit, Kyle dut se concentrer pour entendre clairement celle de Coryn et retrouver le goût de la tomate sur ses lèvres. *Et s'il n'y avait rien de meilleur ?*

21

Il y eut des jours où l'épuisement empêcha le musicien d'entreprendre cet exercice de mémoire. Des jours où il ne voyait plus rien d'autre que le carré de la fenêtre passant du noir au bleu plus ou moins fade, et de nouveau au plus profond des noirs. De longs jours où la voix de Coryn demeurait lointaine et où il était atrocement terrifié. D'abominables jours où il se réveillait en sueur et d'autres qu'il croyait être le dernier.

Il y eut tant de jours où Kyle était seul au fond de son lit... Sans musique. Sans notes. Sans images. Seul.

Et, il y eut ce jour où il ne dormit pas une seconde et qui lui certifia que la fin était proche. Il serait écrasé et exterminé comme une vulgaire bestiole dont on veut se débarrasser. Ce fut un jour pluvieux et sans fin dont on ne pouvait distinguer le matin de l'après-midi. Un de ces jours de grève du temps qui donneraient envie de chialer à tous les clowns de la terre et où l'on oublie jusqu'à l'existence du soleil.

Qui... sans raison aucune, dissipa les nuages comme s'il leur avait collé une baffe pour les envoyer voir ailleurs. L'astre déplia ses longs rayons le plus loin possible et encore un peu plus... jusqu'à San Francisco dont il traversa toutes les rues et toutes les maisons pour tomber dans la chambre de Kyle. Il aurait pu décider de se reposer sur l'oreiller, mais il dessina sur le mur des ombres et des formes que le jeune homme trouva *minables*.

Le soleil ne se démonta pas et poursuivit sa course. Le musicien suivit des yeux ses étirements sur la chaise dont il fit briller les chromes au point de l'éblouir... sur la poussière de la télé que le malade regardait parfois sans mettre le son... et le vit se poser sur le calendrier triangulaire de Jet.

Quand le batteur le lui avait offert, Kyle l'avait remercié sans regarder une seule des photos et sans jamais prier qui que ce soit. Il se doutait qu'elles devaient être merveilleuses car chacun de ses visiteurs s'était extasié devant. Il avait menti en disant qu'elles reflétaient le Paradis – *enfin terrestre*. Parfois il avait eu le sentiment qu'elles le narguaient, mais il était bien trop faible pour tendre le bras et jeter ce truc aux chiottes.

Alors, quand ce jour-là, le soleil se posa dessus avec une insistance insolente, Kyle réalisa que cela faisait trop de temps qu'il était enfermé dans cette chambre à attendre piqûres, transfusions, cachets, sans oublier les visites de Jane, Steve, Jet et Patsi. Et de tous les autres... Il avait tout subi sans broncher et avait regardé les infirmières tourner les pages de ce maudit objet avec une gêne polie. Il sentit une colère sourde monter en lui et se redressa péniblement, poussé par l'idée qu'il ne supporterait plus rien de tout ça. Le chagrin des autres et les médicaments. Sa rage d'être condamné, fusillé en plein vol et... *le manque de Coryn*.

Oh ! Kyle détesta Jet de lui avoir donné cette saloperie de calendrier triste à mourir. Il étendit la main pour s'en emparer et le balancer contre le mur à défaut de l'envoyer ailleurs. Cependant, au moment où ses doigts l'agrippèrent, il aperçut une toute petite araignée se réchauffant au soleil et se pavanant au milieu du sable blanc. Allez savoir pourquoi, le musicien arrêta son geste. Et ses yeux. Qui glissèrent inévitablement sur la légende. Sur le nom du photographe et sur le nom de la plage.

22

Kyle n'attendrait pas que Patsi accouche. Il avait faim. Il avait envie de sauce tomate et des lèvres de Coryn. Il quitta son lit à l'instant où l'infirmière entrait avec son traditionnel plateau de cachets.

— Oh ! On ne se lève pas sans nous appeler, jeune homme !

Elle le gronda, mais Kyle lui ordonna de repartir en sens inverse pour aller chercher le médecin.

— Il n'est pas encore arrivé.

— Alors, soyez gentille, appelez-le, qu'il vienne me voir dès que possible.

— Mais…

— S'il vous plaît, Maggie, insista-t-il en l'appelant par son prénom.

Elle pencha la tête sur le côté et sortit de la chambre à reculons. Kyle prit une douche et ne regarda pas la tête qu'il avait dans le miroir. Il était déjà habillé, avait terminé son petit déjeuner et refermait son ordinateur quand le docteur Bristol entra en levant les mains. Le chanteur leva aussi la sienne.

— Avant que vous ne disiez quoi que ce soit, je m'en vais.

— Mais, Kyle, ce n'est pas raisonnable ! Vous êtes trop faible pour…

— Pour quoi ? Vous trouvez plus raisonnable de souffrir d'une leucémie que personne ne sait soigner ?

— Je vous en prie…

— Je n'ai répondu positivement à aucun de vos traitements de dernier recours.

— On peut essayer de doubler les doses. De passer aux rayons.

— Vous avez assez répété que les rayons étaient inutiles dans mon cas.

— Pourquoi ne pas tenter ?

— Je pars pendant que je peux encore marcher et avant que je perde mes cheveux. Et que vous me liquidiez avec vos traitements.

— Kyle, dans l'état où vous êtes...

Le docteur Bristol se censura lui-même.

— Je ne veux pas crever ici. Aidez-moi autrement. S'il vous plaît.

Oui, le musicien partit. Laissant les cadeaux qu'il avait reçus de ses fans, mais prenant tout ce que le médecin put lui fournir pour tenir. Il monta dans un taxi et fila chez Jane. Les nouvelles avaient fusé à la vitesse de la lumière car Patsi s'y trouvait déjà et ce fut elle qui ouvrit la porte.

— C'est quoi cette décision de merde ?

— C'est *ma* décision. Tu as assez gueulé que je ne faisais rien. Maintenant je sais ce que j'ai à faire.

Kyle sentit ses jambes trembler et les maudit.

— Va me préparer un café.

— Pas la peine, je l'apporte, dit Jane.

Ils s'assirent tous les trois dans la cuisine et il expliqua qu'il partait retrouver Coryn. Tout comme Jack, il était au courant de sa fuite et de sa non-arrivée en Angleterre. Tout comme Jack, il voulait la revoir. Mais à la différence du Salaud, il avait une idée de l'endroit où elle pouvait se trouver. Il ne dit rien de plus à Jane ou à Patsi. Il annonça qu'il voulait du champagne. Personne ne lui refusa quoi que ce soit. Kyle avait choisi et exigea de ne pas être entravé. De toute façon, il était trop tard pour se montrer raisonnable.

— Je suis juste désolé de ne pas être ici quand tu accoucheras.

— Qu'est-ce que ça peut me foutre ? Tu n'es pas le père.

Jane et Patsi échangèrent un regard trop appuyé pour que le musicien ne le voie pas.

— *Il* est là ?

Elle posa ses mains sur le T-shirt orange fluo où les lettres « *I LOVE PATSI* » menaçaient d'exploser.

— *Il* est chez mes parents.

— Ben putain ! Quel exploit !

— Inattendu. Inespéré. Incontournable. Aussi impossible que le fait que je sois enceinte.

Elle aurait aimé dire : « *Une preuve que l'Implacable n'a pas toujours raison.* » Mais comment prononcer des mots pareils sans s'effondrer ?

— Il devient polygame ?

— C'est bon, Kyle ! Je vois que tu es en forme.

Alors il se tourna vers Jane qui dit :

— *I love Patsi !*

— Re-champagne ! conclut Kyle.

23

Le champagne fut un somnifère amical. Patsi était rentrée chez ses parents. Rejoindre son *man* que les autres appelaient X. Jane dormait probablement et le musicien se leva malgré les trois heures quarante-huit du matin. Il se sentait plutôt bien. Enfin plutôt pas-trop-mal en comparaison avec les jours et semaines précédents. Et, miracle, il n'avait pas mal à la tête. Il s'enferma dans le bureau de sa sœur tout doucement. Ses guitares avaient été rapatriées. Il se demanda un instant où était son piano de scène. Steve n'en avait rien dit. Ou alors, il avait oublié. Mais ce n'était pas ça qui le préoccupait ce matin, et quand la page d'accueil de Google s'afficha, il entra le nom de la plage au sable si blanc qu'hier il avait stoppé la course de la petite araignée noiraude. Il appuya successivement sur les touches Z-I-H-U-A-t-A-N-E-J-O. Et relut avec le plus grand plaisir ce qu'il avait appris la veille.

Deux légendes expliquaient le nom de cette ville. De même que la veille, il choisit la seconde comme celle à laquelle il décida de croire. En indien, on l'appelait Cihuatlan, « la terre des femmes ». *Comment n'y ai-je pas pensé plus tôt ?* Il ouvrit tous les tiroirs du bureau de Jane, tous ceux de ses armoires bourrées de dossiers et faillit aller la réveiller quand enfin il tomba sur celui qu'il cherchait. Sa sœur faisait relever par date tous les numéros non répertoriés qui appelaient

La Maison. « *On ne sait jamais,* disait-elle. *Un jour, on peut en avoir besoin.* »

Kyle remonta les listes une à une et constata qu'il n'y avait qu'un seul indicatif de l'étranger. Écrit noir sur blanc. Il l'identifia aussitôt et remercia son métier de l'avoir fait voyager. C'était celui du Mexique. *Forcément.* Il attrapa son portable et composa le numéro. Vingt sonneries retentirent dans le vide. Ce devait être une cabine téléphonique. Il appela American Airlines. Un vol partait dans quelques heures. Quand Jane se réveillerait, elle trouverait sous son bol un mot : « *I love you.* »

Le musicien rassembla des vêtements, récupéra son passeport, choisit une guitare et quitta La Maison. Il salua Dick à l'entrée, à qui il fit jurer le silence. Si la médecine avait raison, il lui restait quatre-vingt-dix jours pour retrouver Coryn et Kyle eut peur que ce ne soit pas suffisant. Pourtant, à aucun moment il n'envisagea qu'il pourrait succomber avant. Il avait repris espoir et *l'Espoir* lui insuffla, ce matin-là, la force vive qui lui avait cruellement manqué pendant des mois.

Il sortit quand le taxi s'arrêta devant La Maison. Pour la première fois, personne n'en descendait pour se sauver d'une fin certaine alors que lui y montait pour fuir la mort.

Il baissa sa vitre et respira l'air de la ville. Malgré les effluves de la circulation matinale déjà dense, le musicien voulait sentir l'odeur âcre du Pacifique.

Pour la deuxième fois de leur vie, deux hommes – qui aimaient la même femme – allaient se recroiser dans un aéroport. Car l'avocat de Jack avait finalement reçu les consignes pour le transfert et s'était précipité quelques jours plus tôt à la prison au volant de sa belle voiture noire pour annoncer la nouvelle à son client. Brannigan le remercia et fit ses adieux à Klaus, qui promit de se faire la belle dès qu'il en aurait l'occasion. *Des centaines de putes m'attendent, mon pote.*

Jack avait préparé son sac à l'avance. Lui aussi avait un avion à prendre vers une prochaine liberté et il aimait la ponctualité comme une gourmandise. Si bien que lorsqu'on lui présenta le flic enrobé qui allait lui servir d'accompagnateur, il y vit un excellent signe. Il monta dans le taxi policier et ne demanda pas à baisser la vitre car il se foutait de l'odeur de l'océan comme de celle des pets de Klaus. Il fit ses comptes. *Moins un… Résultat : aujourd'hui.*

Jack descendit menotté et escorté par le sergent Malone, boudiné dans son costume bon marché.

Les deux hommes furent les premiers passagers à embarquer à bord de l'avion pour Londres. Jack prétexta une envie ultra pressante. L'officier sonda Brannigan puis détacha ses menottes devant la porte des toilettes.

— Inutile de te faire des idées. Je reste devant avec mon flingue et je te précise que j'ai toujours été premier au tir.

Jack se dit « merde » en poussant la porte. Il s'assit sur la cuvette fermée et attendit qu'une bonne idée jaillisse. *Merde ! Merde ! Merde !*

Le flic tambourina et le prisonnier hurla qu'il avait encore besoin de temps.

— Je te donne deux secondes, Bran...

Le reste de la phrase fut inaudible. Si Jack était sorti à l'instant même, s'il s'était demandé pourquoi il n'avait pas entendu la fin de la phrase, si le café de la prison avait été un peu plus chargé en caféine, il n'aurait pas perdu un temps précieux. Tant de nuits à prier pour rien. À concocter des plans pour rien. Une évasion... c'est toujours un rêve. Oh ! Il avait tant espéré pouvoir se tailler du véhicule, ou encore à son arrivée dans l'aéroport, ou bien en montant à bord. Mais il était bien obligé de le constater, les occasions ne s'étaient pas présentées. Il avait été menotté au gros sac. Jack se résolut à appuyer sur la chasse d'eau une première fois. Puis une seconde. Il avait du mal à évacuer toute la merde qui le rongeait.

Quand enfin il se décida à sortir, dans un premier temps, il ne vit pas Malone. Celui-ci était agenouillé dans le couloir à quatre mètres de là en train d'aider une vieille dame maladroite qui avait renversé le contenu de son sac à main. Miraculeusement, le flic lui tournait le dos. Jack regarda la porte de l'avion et n'y vit personne. *Personne*. Elle était ouverte. Elle lui tendait les bras et lui disait son amour. *C'est maintenant ou jamais.*

Sans aucune hésitation, il quitta l'avion en souriant. Il descendit le couloir en sens inverse à grands pas. Jack portait son costume Gucci et une cravate classique. Il accéléra quand des hurlements retentirent. Le policier venait de saisir qu'il avait été berné et Jack piqua le sprint de sa vie. Il éjecta tous les imbéciles qui lui barraient le chemin en criant que l'homme derrière lui avait une arme. Personne ne fit un geste pour l'intercepter. Il sauta, il poussa, il franchit les obstacles. Des femmes hurlèrent. Il slaloma vers les portes. Encore quelques mètres et une nouvelle vie serait à sa portée. Pas une fois il ne se retourna pour voir la progression du flic.

— Encore un seul pas, Brannigan, et je tire !

Jack s'immobilisa et mit les mains au-dessus de sa tête. Il avait largement présumé de la lenteur de ce policier enrobé beaucoup moins jeune que lui.

— À genoux ! Si jamais tu bouges un poil de cul, je te jure que je tire.

Le sergent Malone, à bout de souffle, s'approcha. Jack lui balança un coup de pied dans l'entrejambe. Le policier s'écroula comme un pantin et un coup de feu partit. Sans atteindre Brannigan qui avait repris la fuite. Il fonça entre les spectateurs qui demeuraient cloués sur place. Et... sainte Coïncidence pesta contre ce goujat qui avait l'indélicatesse de ne pas la remercier.

27

En arrivant devant le terminal, le taxi de Kyle fut ralenti par une cohorte de flics. Il entraperçut une civière entrant dans une ambulance. D'ordinaire, lui qui s'intéressait à tout aurait posé des questions pour savoir ce qui s'était produit. Mais ce matin-là, le musicien n'avait pas de temps à perdre. Il se concentra sur son vol et son passeport. Il passa toutes les formalités sans se retourner et s'installa dans son siège avec soulagement.

Cinq heures de sommeil intense plus tard, il attrapa sa correspondance pour Zihuatanejo. Son périple l'occupait tout entier. Il organisait les recherches et savait déjà par où commencer. D'abord il louerait une voiture et se ferait conseiller un hôtel en bord de plage. La plus jolie. La plus petite. Peut-être celle où Coryn emmenait ses enfants. Avec un peu de chance, elle tournerait la tête et se jetterait dans ses bras en l'apercevant. *Je n'ai pas une seconde à perdre.*

Il était déjà dix-sept heures cinquante-sept quand il posa sa guitare et son sac. Toutes les administrations étaient fermées. Kyle demanda un plan de la ville à la réception de l'hôtel puis partit s'installer sur la terrasse d'un restaurant de la plage. Il commanda une bière, du poisson et des légumes grillés. Et des tomates.

La serveuse attendit qu'il range ses documents pour déposer son plat et, de nouveau, il ressentit la sensation de faim. La vie se remettait-elle à courir dans ses veines ? Toute la journée, il s'était demandé s'il imaginait se sentir mieux ou bien si c'était un fait. *Est-ce que je vais me torturer avec ce genre de connerie ?*

À peine eut-il avalé sa dernière bouchée qu'il redéplia le plan et entoura toutes les écoles. Environ soixante-quatre mille habitants. Quatorze écoles pouvant accueillir Malcolm, réparties dans toute la ville. Il envisagea un instant d'étendre ses recherches à toute l'agglomération, mais son intuition lui souffla qu'il perdrait un temps précieux. Ne pouvant les surveiller qu'une à une – en supposant que Coryn dépose Malcolm le matin et revienne le chercher dans l'après-midi –, cela impliquait quatorze jours de recherches, vingt-huit chances de la retrouver entrecoupées par des week-ends. Par miracle, la rentrée scolaire venait de se faire. Par chance, les enfants ne seraient pas malades. *Par chance, Coryn est à Zihuatanejo.*

Demain, Kyle se posterait devant la première école de sa liste dès l'ouverture, resterait en place jusqu'à l'entrée du dernier retardataire, montrerait la photo de la jeune femme aux parents puis dans les restaurants du quartier. Sachant qu'elle pouvait ne plus s'appeler Coryn. Ni les enfants Malcolm, Daisy et Christa... Peut-être s'était-elle teint les cheveux ? *Non. Il faut que j'aie de la chance. J'en ai besoin maintenant.*

28

Les premières journées de recherches s'envolèrent. Entrecoupées des deux premiers week-ends qui furent dissous en un rien de temps. Puis une autre semaine s'écoula exactement selon les plans de Kyle. Il ne désespéra jamais, n'écouta pas ses peurs et montra la photo de Coryn autant de fois qu'il le put. Celle où elle regardait ses enfants jouer. Pas une de celles où Jack lui avait démoli le visage… Les gens se montraient gentils et courtois, mais personne ne put l'aider et personne ne lui donna le moindre indice. Kyle parvenait toujours à se faire comprendre avec son espagnol de débrouille. D'ailleurs, tous sentirent qu'il recherchait la femme qu'il aimait et une seule lui demanda s'il n'était pas « le » Kyle Mac Logan. Un jeune d'une vingtaine d'années. Le chanteur répondit trop vite :

— Heureusement pour moi, non.

Il sentit son regard s'attarder sur ses épaules quand il tourna les talons pour remonter la rue.

Durant la journée, le musicien sillonnait la ville. Il connaissait maintenant toutes les rues principales et toutes les plages lui étaient familières. De temps à autre, il s'asseyait sur l'une d'elles. Observait les gens pendant des heures. Il avait déjà repéré des habitués. Ils se posaient toujours à la même place et il constata qu'il faisait de même. *Peut-être avons-nous tous un instinct de possession si développé qu'il nous pousse à croire que l'endroit-d'une-fois nous appartient à jamais ? Ou bien parce que c'est rassurant... À moins que ce ne soit une vieille habitude du temps où nous étions en classe ? Ou alors, c'est à cause des phéromones...*

Oui, Kyle laissait son esprit divaguer... Tout était bon pour éviter de penser à la Chose qui rongeait son sang puisqu'il n'avait aucune envie de jouer ni d'écouter de musique. Sa guitare dormait contre le mur toutes les nuits. Elle non plus n'avait pas envie d'être détournée de ses pensées. La priorité actuelle était « ailleurs » et le temps défilait si vite.

29

Quatre-vingt-six. Quatre-vingt-deux. Soixante-dix-neuf. Soixante-treize... Et toujours rien.

Kyle vécut deux journées d'extrême fatigue qui lui rappelèrent qu'il était malade. En phase terminale. Il fut contraint de s'allonger tout un après-midi et n'eut pas la force de se lever dans la soirée. Par chance, la chaleur l'anesthésia profondément sans lui apporter de cauchemars inquiétants. Il se réveilla le lendemain à quinze heures, tout aussi épuisé. Ses jambes le torturaient. *Pas maintenant. Je suis si près du but. Pas maintenant, mon Dieu, s'il vous plaît*, se surprit-il à prier, quand Jane téléphona.

— Comment vas-tu ?

— Bien, mentit-il.

— Le climat de ta villégiature semble te convenir.

— N'essaie pas de me faire dire où je me trouve, Jane.

— Dan finira bien par trouver.

— Tu lui as demandé ?

— Non, mentit-elle à son tour.

— D'ailleurs, je m'en contrefiche.

— Kyle, si jamais tu sentais...

— S'il te plaît ! Laisse-moi faire ce que j'ai à faire.

Elle laissa échapper un long soupir mais ajouta qu'elle ne voudrait pas qu'il soit seul et éloigné d'un hôpital.

— Merci de me le rappeler.

— Oh ! Kyle ! Je...

Elle se reprit. Il avait probablement raison. L'avis des médecins était sans équivoque. Que ferait-elle si elle se trouvait dans sa situation ? Perdrait-elle un temps précieux à se révolter ? Qui ne tenterait pas le tout pour le tout pour vivre son dernier amour ? Peut-être le seul à être autant désiré.

— À propos, quand tu retrouveras Coryn, dis-lui que j'ai une nouvelle pour elle.

— Bonne ou mauvaise ?

— Plutôt bonne.

— Jack est mort ?

— Pas encore.

Kyle se redressa sur un coude. Des milliers de récepteurs dans son cerveau s'activèrent, lui insufflant une énergie nouvelle.

— Explication, exigea-t-il.

— Le jour où tu t'es sauvé, Brannigan partait pour l'Angleterre. Mais son voyage ne s'est pas déroulé comme prévu.

— Ah ! C'était donc ça, le putain de ramdam à l'aéroport.

— Brannigan a réussi à tromper la surveillance du seul flic qui l'escortait et s'est tout simplement tiré de l'avion avant le décollage.

— Je t'en prie, dis-moi qu'il a fait le con et que le flic lui a tiré dessus.

— Il a – effectivement – fait le con. Je ne sais pas trop comment les choses se sont enchaînées, mais en tout cas, il a réussi à mettre le flic à terre et s'est barré en courant. Et... devine un peu ?

— Jane ! Épargne-moi.

— Il a été fauché par un taxi qui arrivait en trombe.

Kyle resta muet, pensant que l'histoire se répétait étrangement. Et qu'à quelques minutes près, son propre taxi l'aurait renversé... Sa sœur conclut :

— Brannigan est dans le coma.

— Comment l'as-tu su ?

— Son avocat m'a contactée pour que je transmette la nouvelle à Coryn si jamais j'avais…

— Qu'est-ce que tu as dit ?

— Qu'est-ce que je pouvais dire ? Que mon frère sait où elle se cache ?

— Je ne le sais pas !

— Kyle, je n'ai *rien* dit.

— C'est quoi les pronostics ?

— L'avocat ne m'a rien confié. Ce qui ne veut pas dire qu'il ne les connaît pas.

— De toute façon, il n'y a pas dix mille possibilités.

— Non, je te l'accorde. 1/ Jack se réveille et il repart à la case prison version longue. 2/ Il crève de lui-même et Youpi ! 3/ Dans l'hypothèse où il végète et dans l'hypothèse où tu retrouves Coryn, elle devra en parler à ses enfants et…

— La presse en parle ? la coupa Kyle.

— Non. Non. Il n'y a eu aucun article. Mais toujours d'après l'avocat de Jack, c'est une éventualité. Il étudie de façon sérieuse l'idée de faire paraître une photo de Coryn et des enfants dans tout le pays.

— Merde.

— Donc, tu es aux *States*.

— Merde, Jane !

— J'ai déjà contacté maître Seskin, l'avocat de Coryn, pour qu'il voie ce qu'il peut faire pour l'en empêcher. Mais peut-être vaudrait-il mieux qu'elle réapparaisse. On aura, d'une manière ou d'une autre, besoin d'elle.

— Coryn ne veut pas que Jack la retrouve.

— Jusqu'à quand pourra-t-elle se cacher ?

Il comprit ce qu'elle insinuait.

— Je sais très bien que je ne suis pas éternel, murmura-t-il en pensant qu'il n'était même pas capable de la protéger.

Jane dit qu'elle était infiniment désolée et le musicien resta silencieux.

— À quoi tu penses ?

— À l'hypothèse que tu n'as pas évoquée.

— Laquelle ?

— Je pourrais le buter.

— Kyle !

— Je répète. Si je dois le faire, je le ferai. Alors prie pour que ce salaud crève de son plein gré.

— Tu me terrifies !

— Moi aussi.

— Tu ferais vraiment une chose pareille ?

— Non. Car je n'en aurai pas l'occasion.

Elle répondit qu'elle préférait prétendre n'avoir rien entendu, tandis que lui pensa avec horreur que, malheureusement, il pourrait le faire.

— Si tu vois Coryn...

Il soupira.

— S'il te plaît, Kyle, ménage-toi.

— Pourquoi ?

— Pour vous *deux*.

Il reçut cette dernière réplique comme la promesse d'un avenir. Il fut heureux que Jane les envisage *ensemble*. C'était une sorte de reconnaissance. Ils étaient déjà *un* pour quelqu'un et *forcément*... cela jouerait dans la balance de la Chance quand elle dresserait ses bilans. Sa sœur était le témoin de ce qui les unissait. Il faut toujours un témoin. Comme une preuve. Pour les jours où la peur ressemble à un vent de Sibérie qui laisse un désert glacial derrière lui. Un désert qui pue la mort.

30

Kyle mangea sans faim, puis sortit prendre l'air. Il avait l'impression étrange et cauchemardesque que Jack lui était livré sur un plateau. Inaccessible et toujours aussi dangereux. *Avec un peu de chance, il crèvera avant moi. Avec un peu de chance, je lui survivrai et Coryn sera libre. Avec un peu de chance, je pourrai la tenir encore dans mes bras...*

Il avait raté deux journées de classe. Se morfondait de n'avoir pu être plus efficace. Il avait trop forcé, et résultat, tous ses plans en étaient retardés. Il n'osa penser qu'il avait raté Coryn. Alors, des heures entières, il demeura assis au bord de la plage près de son hôtel. Le soleil de fin d'après-midi déclinait doucement. Pendant quelques minutes, l'océan eut un bleu intense, profond et presque éternel. Il fit miroiter les flots ici et là. Une lumière dorée enveloppa les choses et les êtres. L'horizon avait disparu et Kyle resta dans la douce chaleur à écouter les rires des enfants à qui leurs mères interdirent de piocher à pleines mains dans les paquets de chips. Ils se jetèrent à l'eau en s'éclaboussant. Jamais il n'avait eu leur légèreté. Jamais il n'aurait d'enfant qui jouerait ainsi en riant et qui aurait conjuré tout ce malheur. Pourtant, il faut bien que ça s'arrête à un moment donné. *Ma mort signera la fin de cette famille maudite.*

Kyle se leva et déambula dans les rues, se focalisant sur toutes les recherches qu'il avait déjà entreprises. Une fois de plus, il composa le numéro de téléphone qu'il avait relevé chez Jane. Une fois encore, celui-ci sonna dans le vide.

Ses pas le ramenèrent sur cette plage où il resta encore assis sur le sable à regarder les gens. Il n'envia pas leur insouciance. Il les admira. La vie semblait les traverser avec une telle facilité...

Il y avait un jeune couple, sur la gauche, qui s'embrassait fougueusement à l'abri d'une barcasse. Plus loin, les deux mères discutaient encore pendant que leurs enfants construisaient des châteaux de sable. Aucune d'elles ne jeta un regard à leurs magnifiques créations tant elles étaient immergées dans leur bavardage et les gamins en profitèrent pour piquer le paquet de chips. Ils s'enfuirent en riant. Quelques joggers foulaient la plage seuls ou par deux. Des chiens les suivirent sur quelques mètres en jappant.

Et le soleil plongea dans l'océan. La lumière se voila. En quelques minutes, la plage se vida comme si on avait tourné la dernière page d'un livre et Kyle fut seul. Il faisait sombre. Plus aucun enfant ne jouait dehors. Plus aucun bavardage féminin ne lui parvenait. Plus de joggers. Plus de chiens à leurs trousses. Plus d'amoureux. Il se coucha sur le sable, écrasé par tout ça. Pour la première fois depuis son arrivée au Mexique, il eut extrêmement peur.

Il eut le sentiment d'être emporté au plus profond des océans. Là où la vie n'existait plus et où, seule, régnait la Mort terrifiante et froide. Elle ouvrait la porte de son antre... Alors il s'accrocha à Jack comme à une bouée qui le fit remonter à la surface.

La haine... Le pouvoir de la haine le saisit et il regagna son hôtel. Il balança ses baskets à l'autre bout de la chambre et se jeta tout habillé sur son lit. Jack. Jack. Jack. Jack. Jack. Jack. Jack. Jack. Jack.

Jack. Jack. Jack. Jack. Jack. Jack. Jack. Jack. Jack.
Jack. Jack. Jack. Jack...

Cet homme le rongeait plus que la chose qui le
dévorait. *Les jours sont comptés. Nos jours à tous les
deux. Il ne faut pas que je parte le premier.*

Kyle se leva et descendit une bière. Elle n'eut
aucun effet. Son esprit était bien trop chahuté. Les
conséquences... Les peurs... « *J'aimerais remonter à
l'instant où les destins s'entremêlent...* » *Et si demain,
je crève ? Et si demain, je ne me réveille pas ?*

De nouveau, Kyle se leva et alluma son portable.
Il composa le numéro de Chuck Gavin, son avocat,
sans consulter sa montre. Celui-ci décrocha à la
seconde sonnerie.

— Tu es où ?

— Devant la porte du Paradis et j'attends qu'on
m'ouvre.

Chuck laissa échapper un rire.

— Tu as rédigé les papiers que je t'ai demandés ?

— Oui.

— Tout ?

— Oui, Kyle. *Tout* est réglé. Exactement comme
tu me l'as demandé.

— Je te remercie. Salut.

Il raccrocha sans laisser l'occasion à Chuck de
poser d'autres questions. Il consulta sa messagerie.
Vide. *La solitude me tient.* Il était minuit passé et
un autre jour venait de s'enfuir. Définitivement.
Irrémédiablement. *Moins un.*

31

Je veux tenir Coryn dans mes bras.

Soixante-septième jour. Quatre heures du matin sonnèrent à l'église. C'était la première fois qu'il entendait les quatre coups depuis qu'il était arrivé au Mexique. Il attendit cinq heures. Six et puis la sonnerie du téléphone de sa chambre. Le concierge était ponctuel. Kyle sursauta en décrochant mais ne put se lever sans avoir de vertiges. Il pensa au dîner oublié. Et se recoucha. Cinq minutes... Cinq petites minutes qui s'étirèrent sur près d'une heure.

Quand il ouvrit de nouveau les yeux, il comprit aussitôt qu'il serait en retard pour se rendre à l'école qu'il avait programmé de surveiller. *Je ne peux pas rater une journée de plus.* Il jeta un coup d'œil rapide à son plan et à sa liste. Il n'avait plus le choix. Il changea son organisation. Il attrapa un beignet sur le comptoir et sauta dans sa voiture. Il lui fallut exactement douze minutes pour s'y rendre. Il était huit heures moins deux quand il se gara à une cinquantaine de mètres de la grille. Trop de voitures étaient agglutinées à proximité et Kyle pesta de ne pas être capable de distinguer l'entrée correctement. La cloche allait retentir d'un instant à l'autre. Il se maudit encore plus. Il aurait *dû* se réveiller. Il aurait *dû* suivre son plan à la lettre et se rendre à l'école qu'il avait prévu de voir aujourd'hui. *J'aurais dû...* Il aurait dû être raisonnable et manger correctement. Il aurait dû... Il aurait dû... La vie aurait dû... Quand au loin, tout en haut de la rue, une silhouette fine et gracile apparut. Elle avait une queue-de-cheval et portait une robe blanche. Elle se baissa pour embrasser un petit garçon, replaça la bretelle de son sac à dos et le regarda passer la grille de l'école sans bouger. Quand l'enfant se retourna, elle envoya un baiser et Kyle eut les jambes sciées.

C'était elle. C'était Coryn.

Chaque jour, Kyle s'était attendu à la voir apparaître. Chaque jour, il l'avait guettée en se répétant ce qu'il ferait. Les mots qu'il lui dirait. Mais ce matin, quand elle s'était glissée dans la rue, il avait été totalement surpris et incrédule devant son rêve devenu réalité. Personne n'est entraîné pour ça. Les pompiers s'entraînent pour combattre le feu et on devrait les imiter pour savoir quoi faire en cas d'embrasement intense du cœur. Kyle eut l'impression que la Chance l'avait guidé directement sur le chemin de Coryn. Il resta cloué dans la voiture à regarder la jeune femme blonde tourner les talons.

Elle remonta la rue en marchant très vite. Il savait qu'il n'aurait pas la force de la rattraper à pied. Il mit le contact et essaya de ne pas la perdre des yeux. Des klaxons assourdissants retentirent quand il coupa la route à plusieurs véhicules en tournant là où Coryn s'était précipitée. Il s'en foutait royalement. Il klaxonna à son tour, elle ne se retourna pas. Elle marchait si vite, se faufilant entre les gens sur le trottoir. Il fallait qu'il abandonne sa voiture d'une manière ou d'une autre. Il se gara en vrac à l'instant où elle ouvrait la porte d'une cabine téléphonique à quelques mètres en contrebas. Il la vit décrocher, glisser des pièces puis composer un numéro à toute allure en consultant sa montre. Subitement, elle raccrocha et garda la tête baissée, sa main encore posée sur le combiné. Kyle ouvrit la portière. Elle leva les yeux.

Oui. Coryn courut dans les bras de Kyle comme il l'avait rêvé. Désiré. Espéré. Attendu. Oui, elle s'y jeta et le serra contre elle pour se persuader que c'était bien lui. Une réalité dans son présent. Que ce n'était pas encore une de ses visions. Que c'étaient bien les bras du musicien qui la soulevaient. Que sa voix lui disait « je t'aime ». Qu'ils étaient tous les deux *sur scène*. Que la Chance et les Miracles existent... Il pensa qu'il lui restait soixante-sept jours mais dit :
— Je savais que je te retrouverais.

Hold you in my arms for the rest of time.

33

Les draps étaient jetés au bas du lit de Coryn. Leurs vêtements aussi... Le ventilateur du plafond ne rafraîchissait en rien l'air de ce matin. Tout ce qu'il arrivait à faire, c'était compliquer la vie d'un frêle petit moustique qui avait bien du mal à voleter de façon cohérente dans la chambre.

Il ne se rendait compte de rien. *À quoi peuvent bien penser les moustiques ?* se demanda l'araignée qui avait tissé sa toile des heures durant. Si cet imbécile avait ne serait-ce qu'un seul neurone, il aurait arrêté son vol stupide. Il se serait posé sur un des murs et aurait regardé combien l'amour embellit les êtres. Il les aurait enviés. Il aurait prié le dieu des moustiques de le réincarner en humain pour sa prochaine vie. Même une seule journée. Même une seule minute. Il aurait eu ainsi la chance de ressentir ce que c'est de s'aimer comme Kyle et Coryn s'aimaient.

Mais ce crétin les ignora tout bonnement. Il voleta dans la pénombre des rideaux tirés et se jeta tel un aveugle dans la toile que l'araignée avait tendue. Elle s'approcha, terrifiante, et chatouilla d'une de ses longues pattes le menton du tremblant insecte.

— Qu'as-tu vu de merveilleux aujourd'hui, jeune Moustique ?

— Aujourd'hui ? Rien de plus que les autres jours, Dame Araignée.

Elle pensa que l'animal ailé était encore plus crétin qu'elle ne le supposait. Elle eut un sourire de pitié.

— Sais-tu ce qu'est l'Amour, Moustique ?

— L'Amour ? Euh… non, Dame Araignée.

— Comme c'est dommage ! dit-elle en vibrant d'un plaisir gourmand.

Elle se pencha sur la pauvre bête qui vit le reflet de sa propre tête dans les yeux sombres. Elle fut si horrifiée qu'elle abandonna illico toute idée de combat. L'araignée joua, tourna autour, fit deux ou trois pas en arrière.

— Moustique, tu as beaucoup de chance. Aujourd'hui je n'ai pas faim car je me suis enivrée d'Amour… Cette chance ne se représentera pas. Alors, la prochaine fois que tu entendras des mots d'Amour, que tu verras des caresses d'Amour, tâche de les écouter et de les regarder pour ne jamais les oublier.

Moustique promit mais, à la vérité, ne comprit pas grand-chose si ce n'est que la grosse mocheté n'avait pas faim. Il s'enfuit à tire-d'aile aussi loin qu'il le put alors que Dame Araignée se recroquevillait au fond de sa toile. Et priait d'être aimée comme Kyle aimait Coryn.

— Où sont tes filles ?

— À la crèche, dit Coryn en déposant un plateau chargé de tartines au fromage et de fruits sur le lit. Je comptais faire les petites annonces. Mais la directrice est si bavarde qu'elle m'a mise en retard...

Coryn murmura que parfois les retards avaient un sens, puis ajouta en le regardant droit dans les yeux :

— Quand es-tu sorti de l'hôpital ?

— Tu m'as déjà posé la question, mon amour.

— Et tu ne m'as pas répondu, mon amour.

Kyle avait horreur des mensonges, pourtant, il ne voulait rien avouer de sa maladie. Tout simplement pour ne pas donner vie, force ou même crédit à cette bête qui ne cherchait qu'à le détruire.

Il dévora une tranche de melon et une pêche. Coryn évoqua ce qu'elle avait appris. « Tu te ressources et cherches l'inspiration sur une île paradisiaque... »

Kyle l'embrassa et expliqua comment Patsi avait pris les choses en main quand il avait été écrasé par une vague de fatigue. Son corps avait lâché après des mois de tension et de pression, de voyages, de décalage horaire, de valises et d'énergie dépensée à tout donner à la scène. Oui, il avait fait un séjour à l'hôpital puis en maison de repos. Et enfin dans sa chambre « paradisiaque » chez Jane. Seul et sans inspiration.

— Un jour, ajouta-t-il rapidement, j'ai su *où* te trouver.

— Dis-moi que tu vas bien.

— Je me sens mieux, dit-il en l'embrassant de nouveau.

Kyle ne mentait pas. D'ailleurs, depuis tous ces derniers mois, avait-il éprouvé cette sensation ? Non. Pas une seule fois.

— Mieux ?

— Je vais bien. Je me sens bien. Et tout ce que je veux, c'est être avec toi et te faire l'amour encore et encore.

Il l'enlaça.

— Le manque de toi a été abominable.

Elle rejeta sa mèche.

— Comment as-tu su où nous trouver ?

— Oh ! Je ne l'ai malheureusement compris que récemment. Il s'est trouvé qu'un matin, j'ai eu la visite d'un rayon de soleil inattendu.

Kyle expliqua comment il s'était posé sur le fameux calendrier.

— Ce matin-là, j'ai enfin vu le nom de la plage. « Zihuatanejo ». Un nom pareil ne s'oublie pas.

Elle sourit.

— Il m'a fallu exactement vingt-trois jours pour te retrouver. Je sentais que tu étais ici. Tout comme lorsque je t'ai vue à côté de Malcolm, j'ai senti que tu changerais ma vie.

Kyle opéra un tri parmi toutes les choses qu'il avait traversées. Ses doutes, ses peurs, sa séparation d'avec Patsi, la grossesse de celle-ci, son bébé qu'il n'avait pas vu, les derniers concerts, l'Afrique, son enfance, enfin les rares bribes qui ne cessaient de le hanter. Et leur rencontre... Noël. Le manque et l'obsession. *Ma peur et mon absence de courage.* La Grèce. Les baobabs. New York.

Pas une fois il ne prononça le nom de Jack. Coryn le remarqua mais ne dit rien. Il n'avait pas oublié le message de Jane, non. Mais il faisait comme avec sa saloperie de cancer, il gagnait du temps. Et cet instant, ce présent qu'il vivait, qu'il partageait avec elle, était... Kyle n'avait pas de mot pour le qualifier mais il sut, pour la première fois, quelle couleur donner aux yeux de Coryn. Ils avaient le bleu de l'océan qu'il regardait la veille, quand le soleil semblait accroché pour toujours dans le ciel, juste avant que la lumière décline et se voile. Ils avaient cette force, cette chaleur et cette éternité.

— Quand je suis revenu à San Francisco pour Noël, j'avais prévu de te voir d'une manière ou d'une autre. Et puis tu étais là, à La Maison...

35

— Je suis redevenue transparente par réflexe. Mais... si j'ai fui, c'est à cause de...

— Jack et moi.

— Toi... dit-elle en passant la main sur sa joue. Toi, parce que tu es ce que tu es. Et Jack, parce que, d'une façon ou d'une autre, il cherchera à me retrouver et que, tôt ou tard, il me tuera. Je le sais.

Sa voix se perdit. Jack l'entraînait de nouveau avec lui dans un passé qu'elle voulait rayer de sa vie. Elle avait décroché de la réalité et paniquait.

— Coryn, écoute-moi. J'ai...

— Je ne reviendrai pas, continua-t-elle sans entendre. Je ne me ferai pas piéger. Je ne peux me résoudre...

Le musicien attrapa ses mains et ajouta qu'il avait quelque chose à lui dire. Elle s'assit dans la seconde.

— Il s'est évadé, dit-elle en pâlissant.

— Il est à l'hôpital.

Kyle expliqua ce qu'il savait. Il dit qu'il fallait espérer que le Connard s'éteigne de lui-même.

— Le temps n'a rien changé. Je n'ai aucune compassion pour lui. Ni le moindre désir de pardon. Chaque jour, je repense à ce qu'il a fait de ma vie pendant des années. À ses mains... je n'arrive pas à m'en défaire...

— Je sais, dit-il en la serrant contre lui.

Oh ! Oui. Tous deux savaient. Les vies se lient de curieuse manière...

— ... et la haine ne s'arrête jamais, dit-elle. Elle ne faiblit jamais et ça me désole.

— Pourquoi ? Ce n'est pas à toi de t'excuser. Je sais ce qu'est la haine. C'est un monstre contre lequel tu luttes toute ta vie pour ne pas qu'il te tue.

— Je veux parler à Jane.

*
* *

Ils s'habillèrent sans dire un mot en mesurant le poids de ce qui les écrasait. Leur bonheur dépendait de Jack. Quel impossible dilemme... Il avait encore ce pouvoir sur elle. Et sur eux, maintenant. Cet homme infect jetait toujours son ombre et décidait en quelque sorte de leur avenir.

Coryn eut la nausée quand Kyle remonta la fermeture Éclair de sa robe. Il trouva son dos magnifique et était loin d'imaginer qu'à des milliers de kilomètres, une autre main remontait également une fermeture Éclair. Dans le même silence. Mais sans aucune émotion.

Le portable de Kyle annonça deux messages. Jane avait laissé le premier très tôt ce matin, il était succinct. Il tenait en quelques mots que le jeune homme voulut réentendre de la bouche de sa sœur avant d'annoncer quoi que ce soit. Il passa au salon et Jane ne joua pas les étonnées quand il avoua que la-jeune-femme-blonde-de-sa-vie se trouvait dans la pièce d'à côté, assise sur le bord du lit en train d'attacher ses sandales et que ses cheveux glissaient sur son visage. Jane répéta mot pour mot ce que l'avocat de Coryn lui avait appris. « *Jack Brannigan a cessé de respirer.* »

— Je n'en sais pas plus. Enfin pas encore.

Elle ajouta qu'elle avait un rendez-vous, pour ne pas être tentée de demander où ils se trouvaient à cette merveilleuse minute ni comment son frère se portait. Elle voulait attendre qu'il décide de le lui dire. Que Coryn et lui décident de le lui dire. *J'ai souhaité la mort de Jack. Et je vais succomber, à mon tour.*

Kyle raccrocha et Coryn l'observa en silence. Sa main était posée sur le chambranle.

— Jack a cessé de respirer. Il est mort.

La jeune femme demanda à réentendre ces mots comme Kyle l'avait fait avec Jane. Il articula de nouveau la phrase de délivrance. Coryn ne bougea pas, puis son visage se figea.

— Qu'est-ce que je vais dire aux enfants ?
— La vérité.

En une minute, Kyle mesura toute l'injustice qui s'était déversée sur lui, sur eux, et il se sentit envahi d'une colère froide. Des bribes de conversations qu'ils avaient eues avec les soignants lui revinrent. Il repensa aux témoignages qu'il avait lus à l'hôpital. À tous ces malades qui avaient confié qu'il y avait toujours un moment où la raison de leur maladie prenait un sens. *Je suis un homme condamné pour n'avoir rien fait.* Le musicien eut les larmes aux yeux. Et pour cacher son trouble, il s'agenouilla et enfila ses chaussures... quand une drôle d'araignée verte s'aventura sur le tapis. Sous son nez.

— Attends ! dit Coryn en retenant son bras. Quand j'ai accouché de Christa, il y avait une araignée sur le plafond au-dessus du berceau. J'ai sonné parce que je n'arrivais pas à l'attraper et une dame asiatique est arrivée en disant : « *Une araignée dans la maison, ça porte bonheur.* »

Tout en parlant, la jeune femme la fit glisser sur un magazine et la porta à la fenêtre. Elle la regarda s'enfuir à toutes pattes.

— Elle est sauve.

Coryn pensa « *comme moi* », mais dit qu'il fallait aller chercher les enfants. Le musicien prit sa main, l'embrassa et avoua en remontant la rue que c'était *aussi* grâce à une araignée...

— ... que j'ai compris où tu te cachais.

— Où était-elle ?
— Au beau milieu de la plage de Zihuatanejo.

Kyle oublia le second message. Qui émanait de son médecin et qui, sans aucune poésie, l'informait que les analyses effectuées ces derniers jours au Mexique lui avaient bien été transmises. Malheureusement, elles ne présentaient pas de signe d'amélioration.

38

Pendant les premiers jours qui suivirent sa délivrance, Coryn eut du mal à se détendre. Elle disait que
ses enfants la préoccupaient. Surtout Malcolm, qui
n'avait pas pleuré ni montré quoi que ce soit quand
elle avait annoncé la nouvelle. L'enfant avait accueilli
les faits avec retenue et Daisy avait regardé son frère.
— Que veut dire la Mort pour eux ? finit par
murmurer la jeune femme dans la pénombre de la
chambre. La Mort n'est jamais réjouissante, même
quand elle libère.

Elle refusa catégoriquement de se rendre aux
obsèques de Jack à San Francisco. Elle chargea son
avocat de lui envoyer le certificat de décès et de
s'occuper de tout.
Un jour, après avoir déposé Malcolm à l'école, elle
appela ses parents. Sa mère enregistra les faits – « ta
décision » – sans plus de commentaire. La jeune
femme promit de donner des nouvelles mais ne le
ferait qu'occasionnellement.
Elle commença une longue lettre pour Timmy. La
recommença plusieurs fois puis l'envoya directement
à la poubelle. Dire les choses impliquait... Il lui fallait
du temps pour les écrire. Alors c'est exactement ce
qu'elle mit sur la carte postale qu'elle choisit avec soin.
« Il me faut du temps. Ici, le ciel est limpide, la mer
chaude, et les enfants font des châteaux que tu aurais

aimé écraser en riant. Je t'aime. Prends soin de toi. Coryn. » Malcolm signa et les filles gribouillèrent ce qu'elles purent. Kyle écrivit « Palmiers en vue » de son écriture fine et claire, puis signa. Il sourit en la tendant à Coryn qui sourit en lisant ses mots. Elle enfila ses sandales et marcha vite pour aller la poster. Heureuse. Profondément heureuse. Elle rentra en courant et dit, la voix aussi claire que l'écriture de Kyle :

— Je ne quitterai pas ce pays. Je ne quitterai pas cet endroit où tu m'as retrouvée et dans lequel j'ai été libérée. C'est ici que je veux vivre.

Kyle ajouta qu'elle avait raison. Qu'il faut du neuf pour faire du neuf. Qu'il faut quitter tous les mauvais souvenirs et tous les lieux qui les rappellent pour vivre comme si on oubliait. Patsi n'avait finalement pas tort.

Plus le musicien restait, lui aussi, dans ce Mexique ensoleillé et coloré, moins il pensait à son putain de décompte de jours. Et moins il souffrait. D'ailleurs, physiquement, c'étaient les traitements puissants qui l'avaient le plus torturé. C'étaient ces maudites analyses qui l'avaient propulsé dans le désastre et qui lui avaient assigné une date de péremption précoce. Comme celle qui figure sur les yaourts. Ce n'est pas parce qu'on la dépasse d'une seconde, d'une heure ou même de quelques journées qu'on tombe irrémédiablement malade. Ou qu'on meurt… *N'est-ce pas ?*

Assis sur la terrasse, face au Pacifique qui apparaissait entre les palmiers, Kyle découvrit petit à petit que l'Espoir ne l'avait jamais encore habité à ce point. *L'Espoir* devenait une réalité tangible. Étrangement physique. Il s'accrocha à Coryn comme si elle lui insufflait la vie même. Chaque jour était essentiel. Les minutes, uniques. Et il arrivait à se convaincre qu'il avait, *lui*, la chance de le savoir.

39

Le matin, le soleil entrait dans les chambres et inondait la terrasse de la petite maison avec vue sur la plage. Puis il passait derrière les palmiers qui caressaient le toit. L'ombre ne rafraîchissait pas grand-chose. Malcolm disait qu'elle faisait juste du bien aux pieds.

— Comment es-tu arrivée dans cette maison ? demanda le musicien quand il sentit que Coryn pouvait parler.

Il avait attendu que les filles soient à la crèche et Malcolm à l'école. Il restait précisément quarante-six jours.

— Tu veux connaître son histoire ?

— Et la tienne depuis Noël. Je veux savoir comment tu es arrivée ici. Ce que tu as traversé pour venir jusqu'à Zihuatanejo.

Coryn prépara un café doux, Kyle s'installa sous le parasol. Il pouvait l'apercevoir naviguant dans la cuisine. Ses gestes ressemblaient à une mélodie. Il n'avait rencontré que peu d'individus ayant cette élégance extérieure et intérieure. Et pourtant, il avait rencontré tant de personnes. De façon plus ou moins furtive. Toujours intense. Avec la vie qu'il menait, que tous les membres des F... menaient, toutes les rencontres étaient mesurées, minutées, devenaient fortes et concentrées. Les questions précises.

Les histoires passionnées… Parce qu'il faut partir. Toujours aller ailleurs.

Les relations sont-elles plus fortes quand on sait que le temps imparti est court et déterminé ? Ou est-ce autre chose ? Kyle ne quitta pas Coryn des yeux. Ses cheveux tombaient sur ses épaules et, depuis quelques jours, elle les coinçait derrière ses oreilles quand elle baissait la tête. Dégageant son visage. Il avait, par instant, la crainte imbécile qu'elle puisse prendre la poudre d'escampette. Qu'elle le laisse… encore seul… Elle se retourna et sourit. *Coryn ne ferait jamais une chose pareille.* Elle articula de loin que le café était presque prêt…

— … encore deux minutes.

Kyle décompta les secondes avec précision. Il était né avec le sens du rythme, n'est-ce pas ? Quatre. Trois. Deux. Un et Coryn arriva pieds nus. Elle posa le plateau à l'ombre et s'assit en face du chanteur. Elle remonta ses genoux sous son menton. Les enserra de ses bras.

— D'abord, c'est grâce à toi si j'ai pu arriver jusqu'ici. Grâce à ce que tu as laissé avec l'appareil photo.

Il sourit et elle raconta. Battle Mountain. Las Vegas. La chaleur étouffante et la constante gentillesse de ses enfants qui avaient coopéré. Comment ils étaient partis de New York pour arriver en bus, des jours plus tard, dans une petite ville du Montana, quasiment en pleine nuit. Il faisait très froid, les petits étaient exténués et se collèrent contre elle.

— L'enseigne bleue du motel juste en face de la station des bus se reflétait sur la route humide. J'étais épuisée, je crois que je n'aurais pas eu la force d'aller plus loin.

Coryn avait poussé la porte. Avait rempli les documents avec Christa dans les bras. La propriétaire, une Mexicaine d'une belle quarantaine d'années, avait posé ses yeux sur les enfants qui bâillaient et dit qu'elle avait un grand studio libre. Avec trois lits. La jeune femme avait payé deux semaines d'avance sans vraiment savoir pourquoi. Juste parce qu'elle avait besoin de repos, que Malcolm, Daisy et Christa avaient besoin de se poser, si bien que tous les quatre ne sortaient que peu pour se promener dans les rues fraîches de Chatinga.

— Je n'avais aucune idée de ce que je pouvais entreprendre. Je me sentais libre et perdue. J'évitais soigneusement les groupes de mamans au parc et je me disais qu'à la rentrée Malcolm devrait vraiment aller en classe. Je voulais disparaître et vivre sans jamais revoir Jack. Et puis un soir, on a frappé. J'étais terrorisée quand j'ai entrebâillé la porte. La Mexicaine a dit qu'elle voulait me parler et qu'elle espérait que les enfants étaient endormis.

40

— Je sais que tu te caches, et comme tu es *chez moi*, je veux savoir ce que tu as fait.

Coryn n'avait eu d'autre choix que de raconter les faits sous le regard intense de la propriétaire du motel. Il aurait été stupide de lui mentir, et partir à l'instant était tout simplement impossible. La jeune femme avait parlé mais la Mexicaine n'avait pas attendu que Coryn finisse pour dire :

— Ma mère disait : « *Une femme ne dénonce pas une autre femme.* » J'aime ta franchise et je vais te dire maintenant mon histoire. Je suis née de l'autre côté de la frontière. Nous n'avions rien. Vraiment rien. Quand mon père est mort, nous avions encore moins. Alors qu'à quelques kilomètres il y avait tout. Je suis arrivée aux États-Unis à seize ans, en 1972, après avoir traversé la frontière clandestinement. J'ai travaillé illégalement pendant dix longues années, la peur au ventre. J'ai occupé tous les emplois minables que seuls les « transparents » acceptent jusqu'à ce que le Hasard me conduise dans ce motel, tenu par un homme merveilleux qui m'a épousée. Et qui m'a offert, en plus de son amour, la légalité. Ma vie a changé du tout au tout. Je ne suis pas riche, mais je ne suis plus pauvre. J'ai toujours envoyé ce qu'il fallait à ma famille pour que mes frères étudient. Quand ils sont partis de la maison, ma mère est retournée vivre chez sa propre mère au bord du Pacifique. Et puis ma grand-mère est morte... et moi je suis allée chercher Maman. Maintenant, je m'occupe d'elle. Si tu savais comme elle m'a manqué... Mais... soupira-t-elle, *es la vida*. C'est *ma* vie. Je dors la conscience tranquille et je ne suis plus obligée de me cacher pour exister. Alors, crois-moi, quand je t'ai vue raser les murs et baisser le regard – sans parler de ton accent... –, j'ai compris que tu vivais comme une ombre et tu sais que je viens d'un pays où les couleurs font la vie.

Coryn avait murmuré qu'elle était perdue.

— En m'épousant, James m'a redonné mes couleurs. Alors en quelque sorte, j'ai maintenant aussi ce pouvoir. Mais ce que je peux pour toi, je ne sais pas si tu vas l'accepter.

La Mexicaine avait des yeux d'un noir plus sombre que l'ébène.

— Si tu ne veux pas que ton mari te retrouve, tu ne peux pas rester aux États-Unis. Si j'étais toi, je partirais. Je quitterais ce pays.

— Je ne veux pas rentrer en Angleterre.

La Mexicaine avait ri à gorge déployée.

— Je ne te propose pas l'Angleterre ! Il y fait beaucoup trop froid ! Je te parle de soleil. De musique. De couleurs. De Mexique. De Zihuatanejo.

— J'ai pleuré, avoua Coryn. Pour ne pas tomber à la renverse. Zihuatanejo sonnait comme un rêve. Je lui ai demandé si elle était sorcière, magicienne ou déesse. Elle m'a répondu « *no sé* » avec son rire incroyable. Elle a fait exactement ce qu'elle avait promis. Elle m'a obtenu je ne sais comment des visas permanents. Nous avons pris le train jusqu'à San Diego où nous avons embarqué sur un bateau dont elle connaissait le propriétaire. Le voyage en mer a duré quatre jours et quatre nuits pendant lesquels j'ai vomi de peur. Tout ce temps que nous avons passé sur les routes me donnait étrangement le sentiment d'être protégée. Insaisissable et intouchable. Plus nous approchions du but, plus…

Kyle prit sa main et l'embrassa.

— Et puis nous avons débarqué à Zihuatanejo. C'était le matin du cinquième jour. Le soleil se levait. La plage était déserte et un des matelots m'a conduite jusqu'à cette maison dont je suis en quelque sorte… la gardienne légale en attendant que la Mexicaine y revienne un jour.

— Et si j'achetais une maison ici ?

La jeune femme se leva, paniquée.

— Pourquoi ? Tu ne veux plus monter sur scène ?

Kyle se leva aussi.

— Je veux être sûr de te retrouver.

430

Coryn ne demanda pas s'il allait partir. Ni quand. Elle prit le chanteur par la main et le conduisit sur son lit. *Leur* lit.

Kyle faillit lui demander de l'épouser mais alors... il devrait avouer. Faire des analyses. Dire les choses, c'était... Le musicien ne pouvait toujours pas s'y résoudre et demanda simplement comment s'appelait la Mexicaine.

— Anunciación de la Vega. Mais qui s'appelle désormais avec fierté Anunciación Wilburg.

Kyle, Coryn et les enfants ne visitèrent que quatre maisons. La dernière fut la bonne. On pouvait apercevoir la mer depuis quasiment toutes les pièces. Elle avait un charme irrésistible. Elle réunissait tous les ingrédients qu'ils avaient listés en s'amusant. Plus un. Elle avait un grand jardin ombragé. Les anciens propriétaires proposaient leurs vieux meubles en bois écaillé et délavé par l'air marin. Kyle et Coryn les gardèrent. Ils s'y installeraient aussitôt que les délais légaux et les travaux le leur permettraient. Kyle la fit mettre à son nom et à celui de Coryn. Il oublia presque que le compteur indiquait trente et un jours. Un mois tout rond.

Depuis leurs retrouvailles, le musicien s'était échappé pour ses analyses. Il racontait qu'il avait des courses à faire et revenait les bras chargés de CD et de vidéos d'artistes mexicains. Il installa une nouvelle télé, un lecteur DVD et une chaîne. Il acheta une grande voiture, deux nouvelles guitares et une mandoline. Pourtant, il ne toucha qu'occasionnellement ses nouveaux instruments. Du bout des doigts. Lorsque Coryn lui demanda pourquoi, il répondit qu'il lui fallait d'abord les apprivoiser.

Il songea à un piano… À son piano de scène et décida, un matin, de le faire expédier jusqu'au Mexique, même si la société de transports lui donna une date postérieure à celle qu'il avait en tête. Il ne s'en rendit compte qu'en ouvrant la portière devant la maison. Les enfants lui sautèrent au cou. Avec le même élan qu'ils l'avaient fait le jour où il avait paru à la sortie de l'école. Malcolm et Daisy l'avaient serré contre eux. Christa avait souri avec timidité. Aujourd'hui, cette toute petite fille, debout sur la terrasse, criait en tapant dans ses mains :

— Cal ! Cal !

Le musicien la prit dans ses bras, attendit de la prendre dans ses bras chaque jour et dut s'avouer qu'il y avait des moments où l'autre partie de son être, celle qu'il aurait voulu oublier, rayer, nier, refuser, ou encore mieux détruire, n'existait plus. Cependant les résultats tombaient trois jours après ses saloperies de prises de sang. Identiques. Sans amélioration. Mais sans aggravation. Son médecin ne comprenait pas. Kyle répondait :

— Il serait plus logique que je meure ? Que je disparaisse ? Je ne le veux pas, docteur.

S'évapora doucement le vingt-cinquième jour. Le douzième. Le septième. Le quatrième. Puis arriva le numéro zéro. Et rien ne se passa. Kyle recompta sur ses doigts. Puis sur le calendrier. Jane appela deux fois. Patsi aussi. Steve et Jet également.

— Ils se sont donné le mot ? demanda Malcolm.

— Peut-être. Tu sais, ils sont tous un peu cintrés.

— C'est quoi « cintré » ?

— C'est bizarre.

— Ah ! Comme toi alors.

— Tu trouves que je suis bizarre ?

— Ben oui. Quand même.

— Et pourquoi, Malcolm ?

— Tu achètes des nouvelles guitares et puis t'en joues pas.

— Je vais te confier un secret, dit le musicien en posant ses mains sur les épaules de l'enfant. C'est comme avec les filles. Il y a des moments où il faut sourire, et d'autres où il faut agir.

Puis très vite le petit garçon ajouta, après un regard vers la cuisine où sa maman préparait le repas, que son père lui manquait et qu'il aurait préféré le détester. Kyle prit sa main et tous les deux descendirent se promener au bord de la mer. Coryn les aperçut depuis la fenêtre, à leur retour elle ne demanda pas ce qu'ils s'étaient dit.

— C'est prêt. On mange sur la terrasse ?
— Bien sûr, dit le musicien en attrapant le plateau.

Coryn avait le même sourire que tous les autres jours et Kyle en fut profondément heureux. *Aujourd'hui est un jour comme un autre.* Il servit les assiettes. Ils parlèrent des travaux qui se terminaient dans la nouvelle maison. Puis de tout et de rien. Coryn mit les enfants au lit pendant que Kyle restait à débarrasser sans un regard pour l'océan sombre.

À cette heure-ci, mieux valait attendre Vénus.

43

Demain arriva. Le soleil se leva et Kyle se dit *plus un*. Il quitta la maison très tôt quand tous dormaient encore, descendit l'escalier qui conduisait à la mer, puis il s'installa sur la dernière marche. Il avait emporté sa guitare, celle qui l'accompagnait depuis tant d'années et qu'il n'avait pas encore touchée ici. Quand il la sortit de son étui, des feuilles couvertes de notes et de mots tombèrent à ses pieds. Une enveloppe aussi. Le musicien se souvint du moment où il l'avait trouvée dans son courrier chez Jane. Quand il avait décidé de quitter les murs de l'hôpital… L'enveloppe aux multiples cachets l'avait frappé au milieu de tant d'autres. Au moment de partir, il l'avait glissée dans la housse de son instrument sans prendre le temps de l'ouvrir et puis l'avait oubliée. Il regarda le nom de l'expéditeur. Elle avait été postée de Willington par une certaine Mme Dos Santos. Elle avait transité par différentes adresses avant d'arriver chez sa sœur. Kyle pensa qu'aujourd'hui était le jour idéal pour découvrir le message de cette femme qui habitait là où il était né.

La lettre était courte et l'écriture hésitante. Mais pas les mots. Il la relut deux fois. Et sourit. *Il fallait que je la lise aujourd'hui.* Kyle regarda longuement la photo et sentit les premiers rayons du soleil se poser sur ses épaules. Il replia la feuille avec soin, la glissa à nouveau dans l'enveloppe, puis là où il l'avait trouvée. Il saisit sa guitare et ses doigts reprirent ce qu'ils savaient faire depuis toujours.

Plus un. Plus un. Plus un. Plus un. Plus un. Plus...

Il n'entendit pas Coryn s'arrêter en haut de l'escalier. Elle l'observa pendant de longues minutes. Il jouait. *Plus un.* Il jouait avec facilité et envie. *Plus un.* La brise de l'océan fit monter quelques notes jusqu'à la jeune femme. Quelques notes de musique et bien plus. Beaucoup plus. Elle balaya ses cheveux et Coryn ferma les yeux. Comme ce jour où le vent de San Francisco avait eu le goût du voyage et du sel. *Plus un.* Elle pria pour que les jours ne soient plus comptés et descendit. Le musicien sentit sa présence. Il posa sa guitare.

— Non. N'arrête pas de jouer, Kyle. N'arrête pas de vivre.

Il leva les yeux vers elle.

— Je sais qu'aujourd'hui est une journée particulière.

Il sourit.

— Et comment le sais-tu ?

— Te rappelles-tu ce jour où tu avais oublié ton téléphone en allant à la pêche avec Malcolm ?

— Très bien.

— Ce jour-là, Patsi a téléphoné. Elle a prétendu qu'elle appelait parce que son bébé l'avait réveillée très tôt et qu'il était super chiant. « Qu'un mélange de musicienne et de cuistot, ça ne peut que donner un résultat pénible. » Et puis elle a demandé trois fois comment tu allais avant de me raccrocher quasiment au nez. Je l'ai rappelée et elle a fini par avouer qu'il valait mieux que je sache.

— Tu m'en veux ?

— *Prends-moi dans tes bras.*

— Et si je te demandais de m'épouser ?

— Je dis « oui ».

Elle ajouta :

— On a plus que les autres, Kyle. On sait le prix de chaque journée.

Ils restèrent longtemps à regarder l'océan. Petit à petit, minute après minute, il passa du gris au gris-bleu puis promit d'être clair. Les branches de quelques palmiers dansaient. Elles s'accrochaient puis se décrochaient pour se raccrocher de nouveau. Coryn se souvint de toutes les fois où elle avait rêvé de vivre avec un homme qui aimerait regarder la danse des branches. Ni lui ni elle ne diraient un mot. Ils resteraient sans bouger et seraient heureux. *Je ne me suis pas trompée de rêve.*

— Mais dis-moi, demanda Kyle. Tu ne m'as jamais avoué qui tu appelais le matin où je t'ai retrouvée.

— Toi. Enfin, le numéro de La Maison puisque ton ancien portable était résilié. Et puis, tu étais devant moi.

44

L'histoire ne dira pas de quelle couleur était la robe de mariée de Coryn. Ni quelle était la véritable couleur des yeux de Kyle. Il faut toujours un peu de mystère et d'indéfinissable. De surprise. Oh ! La jeune femme blonde aimait tant ses yeux. Ils variaient avec le temps et la lumière. Avec ses émotions. Ils avaient retrouvé cette étincelle qui le faisait respirer et regarder autour de lui. Elle brillait d'une force inouïe. *Kyle a une force inouïe*, pensait Coryn en s'endormant chaque soir.

L'histoire ne dira pas combien de temps il leur restait à vivre ensemble. Mais que Patsi avait accouché dans la maison de ses parents d'un joli petit mec qu'elle prénomma simplement – et à la surprise générale – Peter.

— Avec un père qui s'appelle Mann, vous vous attendiez peut-être à ce que je l'affuble d'un Spider ? Je ne suis pas aussi irresponsable et tarée que vous l'avez toujours supposé ! Spider n'est que son *quatrième* prénom.

— Non ? dirent-ils chacun leur tour.

— Demandez à son père !

Christopher Mann n'infirma ni ne confirma. Mais sourit en disant qu'il avait rencontré une femme inattendue et Patsi ajouta :

— Je vous avais bien dit que ce môme était l'enfant d'un *man*, n'est-ce pas ? Je n'ai jamais menti. À personne d'autre que la presse.

L'histoire ne dira pas, non plus, si les araignées ont un code secret qu'elles se passent de l'une à l'autre. S'il faut y croire... S'il faut les écraser ou les porter sur le rebord de la fenêtre. Mais elle dira qu'aucun des amoureux ne sut jamais que le docteur John Mendes avait grandi auprès d'un père violent. Ils ne surent pas que ce médecin avait fini par ouvrir le dossier de Jack Brannigan oublié par les policiers aux urgences de l'hôpital. Dossier qui avait transité de service en service, gravi des escaliers dans des bras chargés et fini sa course là où il était tombé.

Non, Kyle et Coryn ne surent pas qu'une fine et délicate araignée avait capté l'attention du docteur. Celle-ci s'était faufilée sous la porte, avait escaladé les meubles pour venir s'installer au beau milieu du dossier rouge. Où sa petite présence noire attira l'œil aiguisé de John Mendes. Depuis son enfance, il vouait une adoration aux insectes. Avec une grosse prédilection pour les araignées. Il en avait élevé des dizaines. En cachette de son père. Car son vieux n'aurait pas aimé cela du tout s'il en avait fait la découverte. Il en aurait eu des fourmis dans ses énormes mains et lui aurait flanqué une gifle magistrale. Suivie de quantité d'autres gifles. Certainement tout aussi féroces que celles qu'il distribuait quand ses nerfs lâchaient pour de mystérieuses raisons. John aurait eu le souffle coupé et se serait effondré sur ses petits genoux.

Mais le médecin avait été un enfant intelligent, prudent et avisé. En particulier avec les araignées. Chaque fois qu'il en découvrait une, il l'emportait dans le jardin en friche où son père était trop bourré pour faire quoi que ce soit.

Le petit garçon ramassait araignées et bouteilles vides. Et ne disait rien quand son vieux lui piquait l'argent de poche qu'il gagnait grâce à ses petits jobs chez les voisins. Un fils ne se doit-il pas de contenter son père ? *Si*, pensait John. *Et mon père adore tellement le whisky. Surtout celui qui est de mauvaise qualité et qui détruit efficacement ses cellules hépatiques.*

Le garçon paria et espéra remporter bien plus que sa mise initiale. Ce qui nécessita quelques années de plus. Mais finalement, son premier jour de chance arriva. Une cirrhose fut diagnostiquée chez le vioque pour ses quarante ans. *Joyeux anniversaire Ducon !* John considéra que la mort du Con fut son deuxième jour de chance. Pile poil un an plus tard. *Point final.*

Quand il fut en âge de commencer ses études, il hésita entre deux options : entomologie ou médecine ? Les insectes ou les hommes ? Aujourd'hui encore, il ne savait pas ce qui l'avait poussé à choisir les humains. Était-ce la mort de son père ? Autre chose ?

Ce lundi-là, à cinq heures quarante-deux précises du matin, John Mendes transporta la petite araignée sur le rebord de la fenêtre de son bureau du rez-de-chaussée. Il l'observa crapahutant vers le premier arbuste. Il lui sembla qu'elle se retournait pour lui lancer un petit sourire. Le médecin agita sa main. Sa nuit se terminait. La fatigue lui tomba dessus et il bâilla en passant devant le dossier rouge. *Rouge ? ROUGE !*

Ce n'est qu'alors qu'il en prit conscience. *Un dossier écarlate à l'hôpital, ça n'existe pas !* Les chemises sont ou roses ou bleues selon qu'on est – évidemment – femelle ou mâle. Il l'empoigna et lut : « Prisonnier Jack Brannigan ».

Sans l'ombre d'une hésitation, John parcourut attentivement ce qui devait être transmis à la police anglaise. C'était clair. Précis et sans équivoque. Une histoire bien ficelée en somme. Qu'il relut avec soin. Son doigt glissa sous chacune des phrases. Il consulta sur son ordinateur le dossier peu encourageant du « Patient Jack Brannigan ». Puis, songeur, il se dit qu'il manquait quelque chose. Juste un mot.

John Mendes ouvrit la porte de son bureau, appuya sur le « 3 » de l'ascenseur, passa devant l'office des infirmières et fut content de voir que seule l'obèse Janet était de garde. Il l'envoya chercher un lot de médicaments à la pharmacie à l'autre extrémité du bâtiment. Elle bougonna, il fronça les sourcils. Elle repoussa son fauteuil qui gémit plus fort qu'elle et se redressa. Le médecin la suivit des yeux pendant qu'elle se dandinait comme... *ce qu'elle est.*

Après avoir tripatouillé le volume des sonneries, John se rendit directement dans la chambre de Jack. Il y entra sans frapper.

— Mon cher Salopard, puisque je ne doute pas que tu appartiennes à cette infâme congrégation, nous allons voir si – maintenant que tu es reposé et que tu as bien profité de ta vie pour détruire celle des autres –, nous allons voir, disais-je, si tu peux respirer comme un grand. Tout seul, s'entend.

Clic.

John resta à observer les côtes qui ne se soulevèrent jamais. Quand la chose fut claire, le médecin repartit dans le couloir, atteignit le comptoir de Janet avant que celle-ci soit de retour, rectifia le volume, se précipita de nouveau auprès du « malade » pour attendre patiemment que l'affolement général intervienne. Quand mille personnes entrèrent dans la chambre du malheureux, le docteur annonça qu'il était arrivé...

— ... trop tard.

Janet ronchonna mais obéit aux ordres et fit passer le message en précisant que « Jack Brannigan avait cessé de respirer seul ». John Mendes regagna son

bureau, se posta à la fenêtre et pensa à la petite araignée noire. *Il faut toujours regarder autour de soi...
On ne sait jamais, une vie peut être sauvée.*

Son métier lui avait permis d'en sauver beaucoup. À ce chiffre, aujourd'hui, il venait d'ajouter
cinq vies supplémentaires. *La pauvre femme de Jack-
le-monstre, ses trois malheureux gosses et toi, Petite
Araignée.*

Quant à Kyle, il ne comptait pas puisque John ne
connaissait pas son existence. Il serait le bonus.

Puis l'histoire dira avec un immense plaisir que
Kyle remonta sur scène et que sa femme se leva
quatre matins de suite avec des nausées. Le cinquième, elle se précipita aux toilettes... Neuf mois
plus tard, une petite fille que le musicien souhaita
prénommer Julia vint au monde. *La vie...*

Alors, *forcément*, l'histoire se terminera quand un
jour, de très bonne heure, Coryn appellera Jane.
— Il est parti dans mes bras.

Épilogue

Jamais Coryn Jenkins ne parla de sa première gifle, des circonstances de celle-ci ou de l'article de son frère. Jack était mort en emportant le secret. Elle partirait de même. Il y a des choses qu'on ne peut dévoiler à personne. Même à ceux qu'on aime le plus.

Quelques semaines après la disparition de son amour, elle rangea ses affaires et trouva au fond de son portefeuille une lettre qui avait été adressée à M. Kyle Mac Logan. Elle était datée du 12 juillet... Elle avait été postée de Willington le même jour. Coryn se souvint que c'était la ville où son mari était né. Quand elle la sortit de l'enveloppe, une photo tomba. Celle d'une femme âgée avec des cheveux blancs coupés très sévèrement. Elle avait cependant un sourire d'une tendresse maternelle.

Bonjour Kyle,

Je m'appelle Julia Dos Santos et je suis aujourd'hui une très vieille femme. La vie a mis du temps à me faire comprendre les choses. Je n'ai aucune preuve que tu es celui auquel j'ai pensé chaque jour de ma vie. Mais j'en ai la certitude.

Nous ne nous sommes jamais rencontrés mais nous nous sommes parlé une fois au téléphone. Tu avais cinq ans. C'était mon dernier jour de travail... Je t'ai gardé en moi toutes ces années.

Je n'ai jamais eu d'enfants. Ma vie... La vie... enfin, je sais que, toi, tu comprendras. J'ai toujours suivi ton travail et je suis fière de la personne que tu es devenu.

Je voudrais te dire que j'ai pensé à toi comme à mon fils.

Julia

Coryn savait qui était Julia, elle savait aussi qu'elle était partie juste avant la naissance de leur fille. Elle posa sa photo contre celle de Kyle. Elle les regarda longuement. Elle regarda Kyle longuement.

À des milliers de kilomètres, Jane s'assit au piano de la grande salle de La Maison. Les deux femmes fermèrent les yeux et la musique envahit l'espace.

Notes et remerciements

Un roman est une chose mystérieuse. Il jaillit. Puis se déploie comme un univers. Il a ses codes et ses lois. Il fascine, il bouleverse, il émeut… L'écrire est un travail d'aventurier et presque d'explorateur. C'est unique. Comme son Big Bang.

Pour ce roman, ce Big Bang est devenu une évidence à l'instant où je l'ai terminé. Comme si toutes les émotions, tout le travail, toutes les surprises avaient convergé dans le point final pour dire « Maintenant, est-ce que tu as compris ? »

Il y a environ dix ou douze ans, plus peut-être, j'ai vu sous mes fenêtres un homme tirer une femme dans un recoin. J'ai naturellement pensé à des amoureux. Puis j'ai compris que ce n'était pas du tout le cas. Je suis sortie et, par chance, des voisins aussi. Par chance, une voiture s'est arrêtée. C'était révoltant. Mais en réalité, c'est plus que cela. *Parfois*, il n'y a personne.

Je vois et entends ce que j'écris. Et j'écris ce que les personnages ressentent. Je suis émue par les liens qui les unissent, leur histoire, leur vie, par ce qu'ils sont. Je me sens traversée par cette chose étrange qui prend les commandes. C'est une force créative, elle se nourrit elle-même d'autres créations quand elles servent le roman mieux que tout autre mot.

1. Lorsque Kyle ressent l'envie de prendre Coryn dans ses bras, les mots « *Hold you in my arms* » se sont imposés. Je savais bien qu'ils n'étaient pas « de moi » mais ils tombaient parfaitement bien. Mieux que n'importe quelle autre description. Ils sont extraits de la chanson *Starlight* du groupe Muse. Paroles et musique Matthew James Bellamy, © Warner/Chappell Music.

2. De la même manière, quand Coryn rencontre la vieille dame à la bibliothèque, la réplique d'Andy Dufresne « *C'est ça la beauté de la musique. On ne peut pas te l'enlever* » s'est écrite, seule. Ces mots sont extraits du film *Les Évadés*, adapté de la nouvelle de Stephen King *Rita Hayworth and Shawshank Redemption*.

3. Que Mary donne à Coryn cette nouvelle (qui appartient au livre *Different Seasons* de Stephen King) ne m'a pas étonnée. Ce qui m'a stupéfiée est ce que Kyle découvre quand il googlelise « Zihuatanejo ». En lisant les deux légendes, j'ai eu une de ces bouffées d'émotion intense qu'apporte le métier d'écrivain. Comme lui, j'en ai choisi une, celle qui s'adaptait à ce dont j'avais besoin.

Je voudrais ajouter qu'au cours de l'écriture je suis « tombée » sur plusieurs reportages et articles traitant des violences conjugales. Exactement comme si on les « glissait » entre mes mains… Si bien que je m'interroge sur le Hasard et l'Inspiration. L'implication d'une chose avec une autre… Et les Coïncidences.

Elles jouent un rôle important dans cette histoire. Comme dans la vie. Je crois que c'est la même chose pour les rencontres. Je voudrais remercier mes éditeurs, Caroline Lépée et Michel Lafon, pour leurs conseils, leur enthousiasme et leur confiance. Toutes celles et tous ceux qui m'inspirent, et pour qui j'ai le plus profond respect. Cette chose nouvelle et merveilleuse qui m'a portée tout au long de l'écriture de ce roman. Mes personnages, sans qui rien ne serait possible. Les éditeurs de mes travaux précédents : Pascal Guilbert pour La Main Multiple et Monique Le Dantec pour Morrigane Éditions. Et bien sûr, vous.

Quant aux araignées... Mary dirait « Merde ! Vive les araignées ! »

11088

Composition
PCA à Rezé

Achevé d'imprimer à Barcelone
par CPI BLACK PRINT
le 12 juillet 2016.

Dépôt légal février 2015.
EAN 9782290093306
OTP L21EPLN001663B006

Éditions J'ai lu
87, quai Panhard-et-Levassor, 75013 Paris
Diffusion France et étranger : Flammarion